LES ENFANTS DE LA PATRIE

*

LES ENFANTS DE LA PATRIE

Suite romanesque en quatre volumes

* Les Pantalons rouges

À paraître :

**   La Tranchée

***   Le Serment de Verdun

**** Sur le Chemin des Dames

Les autres ouvrages de l'auteur sont cités en fin de volume

Pierre Miquel

LES ENFANTS DE LA PATRIE

Suite romanesque

Les Pantalons rouges

*

Fayard

La Toque d'Huriel

Les cloches d'Huriel carillonnent au cœur du pays bourbonnais. Huriel, Domérat, Treignat, Néris, Villebret, autant de petits bourgs flanqués de leurs églises romanes du premier christianisme et tapis dans des vallons foisonnants de chênes, de châtaigniers, de pommiers, de tous les fruitiers du paradis. Étagés en pente douce vers la cuvette montluçonnaise hérissée de cheminées d'usines, ils réconcilient l'ancien et le nouveau monde.

Il est midi. En ce 1er août 1914, la place est endimanchée. C'est la noce. Les musiciens de fanfare des villages avoisinants, gagés par les familles des mariés, sont arrivés de bonne heure. Les vielleux, assis sur les bancs de pierre du porche, cherchent leurs notes en activant les manivelles. Les sonneux, plantés droit dans leurs sabots décorés de teintes vives, tirent des piaillements de leurs cornemuses qu'ils accordent en chassant bruyamment l'air des tuyaux.

En face de l'église, à l'ombre des platanes de la place carrée, tous les anciens, déjà gais, attablés à la terrasse du café des Amis, chantent en chœur et battent la mesure. La patronne leur a débouché une fillette de vin de Couraud. Aujourd'hui, c'est le père de la mariée, conseiller municipal, qui régale. On lève son verre, pour entonner l'air des Biachais, de Désertines ou de Marmignolles, des maraîchers de Montluçon :

Si l'bon Dieu m'donne un garçou…
À la saison des asperges
Toutes les filles de Mauliçou
Li faran brûler un cierge

Les carrioles se succèdent et stoppent sur la place. Par familles entières, les occupants en descendent, précédés des enfants, tous bien apprêtés dans leurs costumes de cérémonie taillés dans du velours fin de Bouchara. Espiègles, intenables, les marmots s'amusent à tirer les rubans noués dans les cheveux des filles, tout en lâchant vers le ciel des ballons multicolores. Les demoiselles esquissent des pas de danse sur l'air de la *Yoyette*, lancé par les cornemuseux.

Moustachus des campagnes et fermiers du cousinage, tout le canton connaît les Aumoine. Le père de Léon, le promis, s'appelait Antoine. Le Toine. Il avait fait son service dans l'artillerie à cheval, à Clermont. Après sept ans d'armée, sorti maréchal des logis, il avait acheté une charge de gendarme qu'il avait vite abandonnée, scandalisé par les manigances de son chef qui réservait pour son cheval la meilleure avoine. En fait, le Toine n'était pas fait pour servir dans la «Blanche», il aimait mieux sa ferme.

Huit ans déjà qu'il est mort, l'Antoine. Emporté à l'aube de la cinquantaine par une embolie ou par un «transport au cerveau», comme disent les médecins d'ici. Aujourd'hui, tous les proches, les amis, les cousins sont là pour entourer Marie, sa veuve, la mère des quatre fils Aumoine. Elle a elle-même conduit son monde dans un char à bancs décoré de rubans d'organdi, sur les trois petites lieues qui séparent Villebret d'Huriel.

Marie sourit de bonheur dans sa robe grège discrète, élégante de simplicité. Elle est fière de ses Aumoine, de Léon le marié, mais aussi de ses trois autres fils : Jean, Raymond et Julien. La fleur à la boutonnière, ils s'empressent pour embrasser les cousines et serrer les mains des copains d'école ou de régiment.

Le plus remuant est le dernier, Julien. Il n'a que dix-huit ans, mais il est déjà en uniforme. Il a devancé l'appel pour choisir son arme, l'artillerie, «et surtout pour ne pas passer le bachot», rappelle toujours son frère Jean, le deuxième fils, un grand garçon brun au visage sérieux.

Julien, droit dans ses bottes, lisse sa moustache tout en détaillant les filles d'Huriel. Brusquement, il donne des signes d'impatience en fixant le haut de la Toque. On attend les futurs pour reconstituer le cortège.

– *À la Toque! À la Toque*!

Un conscrit de l'année sonne le clairon, marchant d'un pas décidé vers cette tour de granit qui domine le pays bourbonnais de ses trente-trois mètres. La Toque, c'est tout ce qui reste, avec ses quelques remparts en ruine, de l'ancien château des Bartillat, les seigneurs du pays partis depuis longtemps, découragés par les révolutions. L'assemblée suit le clairon au pied de ce «chibriape». Ici, pas question de se marier sans en escalader les marches, pour prêter serment là-haut. Cela porterait malheur.

– Mais descendez donc, les amoureux! clhionne le conscrit, un garçon de café roux du boulevard de Courtais, à Montluçon, joyeux loustic connu de tous. On vous attend!

Là-haut, ils ne se pressent pas. C'est là qu'ils se marient vraiment, Léon et Marguerite. Sur le monolithe de pierre rose. Nul besoin de maire ni de curé. On distingue leurs deux silhouettes enlacées, sur fond de muraille surmontée de ciel bleu…

– Ils arrivent enfin, crie Julien à la cantonade. Les *toqués* sont de retour !

Aussitôt, on lance en l'air des pétales de fleurs, des pluies d'épis glanés dans les champs après la moisson, des bouquets de bleuets, de reines-des-prés et de coquelicots. Les vielleux moulinent avec vigueur une marche nuptiale empruntée au Berry voisin. Léon s'avance vers sa mère, sa future épouse au bras. Une demoiselle d'honneur défroisse la bruissante robe blanche, un peu malmenée dans l'étroit escalier de la Toque.

Le beau-père, Gaston Bigouret, un vigneron de Domérat, tend alors son bras à la promise, sa belle et rosissante Marguerite, pour prendre la tête du cortège. Saisissant celui de Léon, Marie Aumoine leur emboîte le pas, suivie de ses trois fils qui ont invité les cousines germaines à marcher avec eux, puis viennent les parents et amis des deux familles, ceux de la Baudre, d'Archignat, de Domérat, enfin ceux que l'on appelle par dérision les « étrangers » des confins de Néris ou de Durdat-Larequille.

La petite église romane aux murs épais de château fort est vite comble. Ceux qui n'ont pas trouvé place dans la nef se pressent à l'entrée et se haussent sur la pointe de leurs souliers pour ne rien perdre de la cérémonie éclairée de grands cierges. Quelques femmes intiment le silence à leurs maris, afin de saisir les échos de l'harmonium paroissial sur lequel la fille du pharmacien plaque les accords sourds de la bénédiction. Dehors, en face, à la terrasse du café des Amis, on guette la sortie avec impatience.

Sous le porche de l'église, Marguerite rayonne de sa joie d'épousée. Léon, souriant, salue la foule tel un quillard de retour au village. Les parents proches des mariés s'alignent en haut des marches devant le photographe venu de Montluçon à bicyclette, qui ajuste son trépied en criant sous son drap noir : «Souriez!» Le curé se tient en retrait au milieu de ses enfants de chœur. Il rechigne à figurer en bonne place sur les photos de ces sans-Dieu qui ne fréquentent plus son église que pour se marier ou mourir. Les femmes des deux familles lancent aux enfants des dragées roses, blanches et bleues achetées à la Ruche Montluçonnaise, aussitôt happées par les petites mains impatientes.

On forme cercle pour acclamer le cortège avant de le suivre en direction de la mairie. Ils y sont déjà passés pour le mariage civil, ils y retournent pour le vin d'honneur offert par le conseil municipal. Gaston Bigouret, l'adjoint au maire, est un élu du peuple. Il a accepté l'église et son curé, mais n'entend pas que la République soit oubliée. Du vin blanc des vignes, des pâtés de lapin en croûte, roulés la veille par les femmes et cuits au four, trônent sur les tables recouvertes de lin blanc.

Un peu à l'écart, Marie Aumoine songe à son Antoine disparu et absent de la liesse. À Léon, aussi : elle l'imagine en père de famille et ne peut s'empêcher de penser qu'il est bien jeune. Vingt-six ans! Pourtant, tout est arrangé, comme on dit chez le notaire. Les jeunes époux s'installeront chez elle avant de prendre, plus tard, le plus tard possible, la succession de Bigouret. Pour eux, elle a préparé un gentil logis, repeint de frais et agréablement meublé. Cette petite Marguerite, si jolie et si douce, a l'habitude d'être gâtée par son père. Il n'a qu'une fille.

Et il n'en est pas peu fier, l'adjoint conseiller. Rien qu'à le voir la présenter au député socialiste de Montluçon, pourvu d'une belle barbe déjà grisonnante, au sous-préfet venu en automobile et à l'entendre faire l'éloge de son gendre, Marie Aumoine sent son cœur empli de satisfaction. Elle est sûre que Léon, qui a son avenir dans son courage et ses deux mains, fait là un beau mariage.

Comme il est fort, Léon! Elle ne le quitte pas des yeux, s'éloigne un peu de deux commères qui l'étourdissent de leur babillage pour mieux s'en persuader. Il a les épaules larges, la taille mince, les reins solides, il est toujours prêt à donner l'exemple aux siens dans les travaux les plus durs. Reçu premier du canton à son certificat d'études, c'est lui qui rédige des articles au journal *Le Centre* pour expliquer les dangers de la fièvre aphteuse et de la fièvre porcine.

À vingt-six ans, on est un homme. De 1908 à 1910, il a fait ses deux ans, Léon; et ce fut autant de gêne à la ferme durant son absence. Ses frères étaient au lycée. C'était une décision du père Antoine de garder l'aîné au domaine, et de faire instruire les cadets pour qu'ils trouvent de bons emplois à la ville. La mère avait dû veiller aux travaux des champs et au soin des bêtes avec l'aide du vieux valet Germain. Revenu du service militaire, Léon a aussitôt repris les rênes. Depuis on engrange de belles récoltes et le troupeau prospère. Il est le seul à bien connaître la culture. Ses frères ne savent pas, comme lui, changer le soc du brabant et recoudre les harnais distendus des chevaux et des ânes.

Cerné par la troupe joyeuse de ses anciens conscrits, les hommes de sa classe au régiment, Léon n'a d'yeux que pour Marguerite. Elle est si jolie, la mariée d'Huriel, sous sa couronne de fleurs d'oranger.

Les carrioles empanachées se succèdent sur la route d'Huriel qui mène au domaine des Bigouret. Bel ensemble de bâtiments disposés en carré autour d'une maison de maître datée sur la pierre de 1840, il comporte plusieurs dépendances, comme en possédaient jadis les propriétaires résidants qui s'occupaient eux-mêmes des cultures. Au fond de la cour ceinte de bouchures d'églantiers, une mare aux canards jouxte un peuplier vieux de deux siècles.

— Mon arbre de la Liberté, plastronne Gaston Bigouret. Sûr qu'il a été planté par les ancêtres de 93!

Les équipages franchissent le porche et s'alignent le long de la façade de la maison, à gauche du petit escalier de pierre d'entrée qu'on a fleuri de rosiers et de grands daturas blancs. Les valets de ferme aident les dames à descendre de voiture avec une galanterie pataude.

La table a été dressée en plein air, en bordure d'un parquet spécialement monté sur des poutres et bien calé pour la danse. Le maître Bigouret accueille et salue les arrivants, engoncé dans son habit noir, rond comme un quintal d'avoine.

— Quelle panse, ce Bigouret! dit Jean à son frère Julien. Un vrai coq de village! Il doit peser sans tare sa tonne de froment!

Il a réussi, Bigouret. Troisième fils d'un métayer de La Chapelaude, une terre pauvre, il aurait pu être instituteur tant il travaillait bien à l'école. Le hasard en avait décidé autrement. Il avait rencontré le père de Jeanne, sa future femme, à la foire aux bestiaux de Montluçon où il vendait ses veaux. Celui-ci n'avait qu'une fille. De fil en aiguille, Gaston avait épousé Jeanne et s'était installé sur deux cents hectares de pacages, de blés et de vignes, en plein pays bourbonnais. Sobre, dur à la tâche, toujours à l'affût de nouveaux engrais, Gaston Bigouret avait fait prospérer sa ferme sans susciter de jalousie alentour. Il rendait tant de services au village qu'on lui avait proposé un jour de figurer sur la liste d'Huriel. Il avait accepté de grand cœur.

Et comme c'est son tour de marier sa fille unique avec l'aîné des Aumoine, il ne s'est pas ménagé : la noce de sa Marguerite doit résonner dans tout le canton.

Le gros homme souffre un peu du soleil d'août. Il donne le signal aux cornemuseux de louage et aux sonneurs de vielle, placidement installés en rang d'oignons sur leurs chaises. Aux notes de *La Fille de la meunière*, les invités prennent place en enjambant à la diable les bancs de chêne encaustiqués. Ils n'ont pas besoin qu'on les présente, ils se connaissent depuis trois générations. Leurs arrière-grands-mères allaient ensemble au catéchisme, et les grands-pères servaient au même régiment.

– Tiens, le sous-préfet s'est éclipsé, observe Jean. Et le député aussi. C'est louche.

– Ces gens-là n'ont jamais rien à faire, mais ils sont toujours occupés, lance Julien, narquois.

– Tout de même, s'étonne Jean le perspicace, ils avaient l'air bien pressé pour un samedi! Et peu soucieux de planter là un de leurs notables. Cela ne leur ressemble guère.

Les paysans des bourgs et des hameaux autour de Montluçon vivent en bon voisinage avec les autorités de la ville et ses édiles. Les jeunes travaillent à mi-temps dans les usines, pendant la morte saison des champs. Ceux qui le peuvent mettent leurs fils au lycée technique ou au collège. Huriel, par le petit train, est à une demi-heure de la cité des ducs de Bourbon. Villebret n'est pas plus éloignée. Le sous-préfet, le député-maire ne manquent pas les noces des élus de la République dans les villages alentour. Pour qu'ils abandonnent ainsi celle de Bigouret, il faut un cas de force majeure.

Le moteur de la Voisin découverte du sous-préfet vrombit en soulevant un nuage de poussière blanche. Les chiens aboient, les poules fuient de tous côtés, et les oies cacardent, prêtes à déchiqueter de leur bec menaçant les boudins pleins des roues. L'automobile est d'abord l'ennemie des volailles.

Quel départ! Le député-maire de Montluçon, un ancien marchand d'huile ambulant, rentre sa barbe dans le col de sa jaquette afin de lui épargner la poussière, et fait des moulinets avec sa canne pour excuser cet au revoir précipité. Un brigadier à cheval les suit, faute de pouvoir les précéder, car le véhicule, sautant d'une ornière à l'autre, s'est engagé sur la grand-route de terre battue à cinquante à l'heure et ne connaît plus ni Dieu ni maître. Déjà, le symbole du pouvoir n'est plus le crottin de cheval mais l'explosion des moteurs.

– Ils reviendront! prédit à Marie Aumoine l'avantageux Gaston, qui admet difficilement le peu de cas que les autorités semblent faire de sa noce. Pour qu'ils nous lâchent ainsi, il faut qu'ils aient reçu des ordres impératifs. Une note urgente de l'Intérieur à la préfecture, sans doute. On leur aura enjoint de se tenir à disposition. Au téléphone, ou plutôt au garde-à-vous près du téléphone, devenu l'arme absolue d'un ministre!

— Ne vous mettez pas martel en tête, ils ne nous manqueront guère, le persuade Marie qui s'éloigne pour rejoindre les femmes affairées autour d'un monceau de pâtés dorés au jaune d'œuf.

Pour alléger la couche de patates dont ils sont fourrés, il faut creuser une cavité dans leur épaisseur encore chaude et la combler de crème fraîche. De la batteuse à la noce, les fermières ont l'habitude des banquets, où les pâtés sont toujours au menu. En essaims compétents et joyeux, elles virevoltent autour des tables, déposant leurs plats brûlants devant les hommes en charge de découper les tranches. Le pâté n'attend pas.

— Régale-toi vite! lance Jean à Julien, assis en face et occupé à déboucher un bon rouge de Domérat. Après, tu pourras boire tout ton saoul. Mais gare à l'uniforme, conscrit! Le pinard tache, même sur pantalon rouge!

Julien hausse les épaules. Les conseils de son frère Jean lui mettent les nerfs en pelote. Depuis qu'il a obtenu son brevet d'ingénieur, celui-là se prend pour un professeur. Comme si le fait d'être bon en maths lui donnait tous les droits. Et fais ceci, et apprends cela! La barbe!

Marie, qui se tient à la place d'honneur, à la droite de Bigouret, ne perd pas un mot des propos de ses garçons querelleurs. Qu'ils s'entendent, surtout, qu'ils s'entendent! Ils sont comme les doigts de la main.

— Chez nous, on ne boit pas un jour de noce, rappelle-t-elle à Julien. Le mariage est un sacrement. Laisse boire les autres et respecte ton frère.

— Allez, la noce n'est pas un enterrement, dit Jean en embrassant discrètement sa mère.

C'est le plus tendre, le plus attentionné de ses fils.

— Léon est sobre, poursuit-il, parce qu'il boit sa Marguerite des yeux. Mais si le père était là, il boirait, lui, et plus souvent qu'à son tour. Il penserait à l'avenir, à la montée des jeunes. Il boirait comme ont bu nos ancêtres et comme boivent tous les Bigouret de la terre. Et tous les Aumoine, et toutes les tribus du canton. Les hommes capables de boire ensemble sont tout près de s'aimer. Le vin réchauffe le cœur.

— Ton **père**, proteste Marie, n'avait pas besoin de vin pour aimer.

— Il faut s'entendre entre nous, mais savoir aussi sortir de nos bouchures, prendre en mains nos affaires, dit encore Jean l'inspiré pendant que Julien le blond, Julien le fort, l'ancien bébé joufflu de quatre kilos à sa naissance, pesé sur le plateau de la balance romaine, a fait le tour de la table pour se rapprocher lui aussi de sa petite mère et l'enserrer doucement dans ses bras. Suppose, continue Jean, que ces Bigouret s'appelle Birgenstadt et qu'ils soient bavarois ou rhénans. On nous rebat les oreilles avec les Teutons, ces violeurs de filles, ces pilleurs de greniers. Je suis sûr que si les Birgenstadt étaient de la noce, s'ils nous offraient leur vin et mangeaient nos lapins, nous les apprécierions comme des frères.

— Ne parle pas si fort, les Bigouret sont des patriotes enragés...

— Je ne le suis pas moins, mais je n'aime pas les fausses querelles, celles qui ne nous concernent pas, nous, les gens de la terre. Rappelle-toi l'histoire que racontait le père. Quand il était enfant, pendant la guerre de 70, deux prisonniers prussiens avaient échoué au moulin de la Baudre. Ils étaient probablement les seuls de cette guerre à être tombés entre les mains des Français. L'un d'eux, une fois la paix revenue, est rentré chez Bismarck. Mais l'autre s'est marié ici. Il est des nôtres. On boit le coup avec lui, après la messe.

— Peut-être bien, coupe Julien. Mais si les casques à pointe arrivent, mieux vaut les recevoir au canon qu'au pinard. C'est plus sûr.

— Qui te dit qu'ils en ont l'intention ? Ils sont peut-être moins fous que nous, objecte la mère à qui rien ne déplaît plus que l'idée de la guerre, surtout un jour de noce.

— Filons plutôt sur la piste, décident les deux frères. Gaston vient d'ouvrir le bal avec sa fille.

Léon surgit aussitôt près de sa mère, s'inclinant à la manière du prince Albert devant Victoria sur les dessins de l'almanach Vermot. Elle se laisse conduire avec ravissement. Elle n'a pas oublié le pas de la polka des lanciers, Marie. Celle que préférait Antoine.

Raymond, dans son coin, ronge son frein. La barbe bleutée d'un Sarrasin, les cheveux bouclés et drus d'un archange bulgare, il n'a pas le poids de son frère Léon l'héritier, le laboureur du domaine, ni la tranchante assurance de Jean l'ingénieur. En cours de quatrième, le lycée l'a largué sur les quais du canal où il a perfectionné ses classes, à la buissonnière, avec les fils des mariniers et des « grosses culottes » des usines Saint-Jacques qui forgent des blindages pour la marine. Vif et subtil, il ne s'embarrasse ni de paroles ni de discours pour comprendre les choses. Il sait en prendre le meilleur, comme on dit au turf sur le champ de courses de Montluçon, où trottent les araignées véloces.

Raymond est celui qui cause le plus de tourments à sa mère. Fugueur à dix ans, séducteur à quatorze, mauvais garçon du canal à seize, on le voit peu à la ferme. Mais ses retours sont une fête. Léon a essayé en vain de le mettre à la charrue. Rétif aux travaux collectifs des moissons, l'autre n'a pourtant pas son pareil pour piéger les renards, les putois et même les taupes. Il sait dresser un poulain en trois jours et sauver les veaux empêtrés dans le ventre des mères. Il a la main verte, la main heureuse. Les ceps deviennent vignes quand il les dispose et les taille sous les tonnelles. Il prend les truites à cru dans le ruisseau, connaît le gîte des écrevisses. Il n'a besoin, pour la chasse, ni de chien ni de fusil, à l'inverse de l'imposant Bigouret qui ne ramène jamais le moindre gibier.

Tout lui réussit, aussi a-t-il été sidéré de voir son cadet Julien, qui a cru bon de s'engager à dix-huit ans, enlever l'une des petites Picavier. Raymond considère la chasse aux filles et aux grives comme son privilège exclusif.

– André, souffle-t-il à son voisin, sonne le rappel!

L'homme au clairon, conscrit de Léon, ne se le fait pas dire deux fois. Quittant son banc, il saute sur le parquet, gonfle ses joues à les faire éclater et lance la sonnerie martiale, juste derrière le beau képi rouge de Julien. La petite Jeanne Picavier détale, poursuivie par les complices d'André jusque dans les jupes de sa mère. Oubliant qu'il est de noce, blême de colère, Julien retire sa vareuse, la plie soigneusement sur une chaise, et s'avance, menaçant, vers le clairon. Les autres reculent, l'adresse de Julien à la boxe française est proverbiale à Montluçon, c'est un champion de la salle Favart. Il n'a que dix-huit ans, mais on l'a vu démolir un colosse à la savate.

Raymond prestement s'interpose, un verre à la main, en signe de paix.

— Tu ne vas pas faire un massacre un jour pareil!

D'autres filles se mobilisent et font cercle autour de Julien. Elles sont cinq, six danseuses en robes pâles doublées de gaze fine, prêtes à défendre leur protégé blond et rose. Il n'est pas vilain garçon, malgré son nez retroussé et ses joues trop arrondies. Elles se le disputent, se l'arrachent, le cupidon en uniforme. On le prenait pour un pioupiou d'opérette, voilà qu'il devient une sorte de héros de fête foraine, un vainqueur de course en sac.

Sans s'être battu, il est vainqueur. Déjà, l'an dernier, au jeu de force de la foire de septembre, place de la mairie à Montluçon, il s'était distingué en propulsant jusqu'au mille la lourde masse de fonte roulant sur ses rails.

Ce triomphe personnel l'autorise à regarder son frère Raymond de haut. Il connaît ses manigances. Il saisit deux filles par la taille et se lance dans un tourbillon de valse, sans égard pour les autres danseurs et leurs souliers vernis. On fait place au trio, on l'applaudit. Julien devient roi de la piste. Raymond n'est déjà plus visible, la petite Picavier a disparu avec lui. Qu'importe! Julien n'a aucune fille en vue, mais il ne veut pas perdre la face. Rassurée, sa mère le couve du regard. Aux lèvres, il a le sourire du gagnant. Puisse-t-il toujours s'en tirer à si peu de frais!

Le bal bat son plein. Les vestes sont tombées. Les hommes sont en chemise et les femmes sans chapeau. Les jambes des moissonneurs semblent d'une énergie inépuisable. Le vin blanc succédant au rouge, ils peuvent tourner jusqu'au matin. Ils finiront la nuit au sec dans les gerbes, grillons repus, assommés d'insouciance momentanée et de légèreté de vivre.

Les sonneurs de cornemuse ont renoncé aux vieux airs d'autrefois. À l'accordéon, ils sont plus à l'aise dans la polka piquée, la mazurka, la valse musette et les tangos, déjà arrivés d'Argentine par une navigation mystérieuse. Le père Bigouret surveille l'approvisionnement des musicos, capital par temps de noce ; il a sorti ses meilleures bouteilles de «vin bouché» pour la circonstance, celui qui «donne de la jambe» même aux femmes. Il a veillé aux agapes dans le moindre détail, et fait venir, par le petit train de Montluçon à Huriel, des caisses de beaux verres à longs pieds, empruntés au café de Paris de la rue Bretonnie, le plus chic de la ville.

Les serveurs s'activent, en col de chemise largement ouvert et manches retroussées. Ils sont aussi de la fête et ne boudent pas leur plaisir. À l'occasion, ils délaissent volontiers le service pour se lancer dans la danse au torchon. Qui leur en ferait reproche ? Ils n'attendent pas un sou de leur prestation, aussi s'amusent-ils comme les autres.

En bout de table, on commence à servir le café plus ou moins arrosé d'eau-de-vie. Un petit homme essuie ses lunettes cerclées d'or.

– Une belle fête ! s'exclame le notaire à l'adresse de Jeanne Bigouret. C'est peut-être la dernière. Avez-vous lu le journal ?

Jeanne rougit. Elle fait celle qui ne lit jamais, par réserve féminine. Son mari Gaston, grand lecteur des nouvelles du

Centre, en distille des comptes rendus à la veillée, pour les gens de la ferme et les voisins. Il aime commenter les dépêches et les «articles de fond» d'Alexandre Varenne.

– Ah! Monsieur le notaire, mon mari me le disait encore hier, nous sommes au bord du précipice. Si les Anglais ne passent pas la mer, tout est perdu!

– Ils ne viendront pas, soyez-en sûre, et nos amis russes vont mettre le feu à l'Europe. Il paraît qu'ils mobilisent…

Jeanne Bigouret ne dit mot. Comment deviner, à Huriel, les arrière-pensées des maîtres de Saint-Pétersbourg? Comment interpréter les calculs des cours de Vienne et de Berlin, des archiducs et des junkers? Les journalistes sont trompeurs. Combien de fois son Gaston a-t-il lu dans *Le Centre* que l'Europe était en crise et que les Prussiens, ces uhlans maléfiques, diaboliques, coiffés de chapskas ornées de têtes de mort et porteurs de lances à fanions blanc et noir, pourraient envahir de nouveau la France?

C'était toujours la même rengaine. Après chaque secousse qui n'agitait que ces messieurs du Palais-Bourbon, tout rentrait dans l'ordre grâce à Jaurès, qu'on avait vu à Montluçon haranguer la foule, barbe au vent sur le foirail et chapeau melon de guingois. Les vignerons d'ici croyaient dur comme fer à son pouvoir de maintenir la paix. Ils n'en font pas moins confiance aux Poincaré et Viviani dont les noms remplissent les colonnes de journaux. Ici, on ne s'embarrasse pas trop de nuances politiques.

– Ces messieurs s'arrangent entre eux, de quelque parti, de quelque pays qu'ils soient, affirme d'un trait Jeanne Bigouret devant le notaire surpris : il la prenait pour une tricoteuse de brassières, voilà qu'elle parle comme un homme au café.

— Ils sont du même monde, poursuit-elle, des hommes publics, ils causent pareil. Il ne faut pas les prendre au mot. Eux-mêmes n'y croient pas. Pourquoi craindre le pire?

— Sans doute, opine le notaire, comme s'il conversait avec le pharmacien Courtois, son interlocuteur habituel. Tout le monde sait que ce serait folie pour la France de prétendre s'attaquer aux Allemands, deux fois plus nombreux, dix fois plus puissants. Ils sont encore plus forts qu'en 70. On l'a assez expliqué en 1913 pour justifier le service militaire de trois ans. Il faudrait qu'ils nous tombent dessus pour qu'on parte à la guerre. Ce serait insensé de prendre les devants.

— Notre pauvre Jaurès l'avait bien dit à Montluçon, s'enhardit encore Jeanne Bigouret. Je l'ai entendu de mes propres oreilles. Heureusement, les Allemands sont comme nous. Ceux du peuple, ceux des usines et des champs. Ils ne veulent pas de la guerre et le feront savoir au Kaiser.

— Nos présidents du Conseil et de la République ne sont pas en France. Ils ont embarqué, bras dessus bras dessous, sur un croiseur pour Saint-Pétersbourg. On ne peut déclarer la guerre quand on est en bateau!

— L'avez-vous remarqué? reprend Jeanne qui, décidément, n'a pas les yeux dans son aumônière. En France, le gouvernement va toujours par deux. Un président ne laisse jamais l'autre. C'est comme si j'allais toper à la foire avec mon Gaston pour la Saint-Michel. Ils se surveillent entre eux, et il faut croire qu'ainsi les vaches sont mieux gardées. Il suffit que l'un veuille la guerre pour que l'autre défende la paix. Quoi de plus rassurant!

À Huriel, on n'a pas oublié l'attentat de Sarajevo mais on ignore l'importance de la Serbie. Pour le notaire, qui évoque volontiers le souvenir de l'archiduc et de l'archiduchesse

23

assassinés, l'épisode ne concerne que l'empire d'Autriche. Dans les écoles, les enfants étudient une carte de France amputée de l'Alsace et de la Lorraine. Le cours d'histoire du maître s'arrête en 1870. Il le prolonge par civisme, pour expliquer la République. Au lycée, les cartes de l'Europe mentionnent à peine la petite Serbie tardivement libérée de l'empire d'Autriche-Hongrie. Au diable, la Serbie !

— Sarajevo, c'était à la Saint-Jean, souligne simplement le voisin de table de Jeanne en vidant son verre. Comme c'est loin, déjà !

Les habitants d'Huriel accordent peu d'importance à la politique étrangère et aux colonies, signalées en rose sur les cartes scolaires. Ils croient savoir qu'elles sont peuplées de mauvais garçons, de têtes brûlées chassées de France. Pourquoi se battre pour un bout de Congo, comme on a failli le faire trois ans auparavant ? On n'est sûr que d'une chose à Villebret, que le blé est bon cette année, et à Huriel que le raisin sera meilleur encore. Foin de la morosité. C'est la noce.

La farandole cueille au passage les buveurs de café restés assis autour de la table. Le petit notaire est entraîné malgré lui. Tous chantent à plein gosier la marche des canards. Pendant deux jours, trois peut-être, la noce les conduira à son rythme. Jeunes et vieux se retrouvent dans la liesse. On voit danser jusqu'aux grands-mères qui ont gardé la jambe, et jusqu'aux anciens de l'autre guerre, ragaillardis par la bonne humeur qui donne à leurs boucs des allures de postiche. Le notaire épuisé par son tour de piste se rassied et regarde sa montre. Il est quatre heures de l'après-midi.

Léon mène le bal tout en cherchant ses frères des yeux. Raymond ne semble plus de la joyeuse sarabande, quand soudain, l'aîné l'aperçoit, juché en haut du peuplier géant.

Gesticulant, celui-ci agite sa casquette en direction des grands prés, vers Domérat et Montluçon. Il a escaladé l'arbre pieds nus et en bras de chemise, tel un dénicheur. Impossible à Léon d'abandonner là ses danseurs pour l'approcher. Mais il ne le quitte pas des yeux. Quand la troupe épuisée s'écroule sur les bancs pour retrouver son souffle, il lâche la main de Marguerite et court jusqu'au peuplier. Raymond s'est déjà laissé glisser contre le tronc lisse.

— N'entends-tu pas les cloches?

Difficile, dans le brouhaha de la noce, les flonflons de l'accordéon, de distinguer au ras du sol le tintement lointain des cloches d'Huriel ou de Domérat. Léon tend l'oreille en vain.

— Reste ici, je vais voir, dit son frère.

À quatre heures et demie, Raymond réapparaît, la mine défaite.

— C'est le tocsin, souffle-t-il, la voix blanche. Il annonce la guerre.

Le tocsin? On ne l'entend qu'aux jours de catastrophe. Dans le clocher d'Huriel, les hommes ont grimpé au sommet et frappent directement le bronze avec des marteaux, à vive cadence. Ce n'est pas le glas, signe de mort, mais l'alarme. Le tocsin signifie : «Levez-vous, aux armes!»

Un bourdonnement sinistre gagne la noce. Les questions fusent, mêlées de cris de frayeur. Bigouret, à grand-peine, se hisse sur la table :

— Mes amis, suivez-moi! Il faut se rendre à la mairie!

Réflexe plus que républicain. En danger, les paysans vont à l'Assemblée, depuis Louis XIV et sans doute bien avant.

Tous regagnent les charrettes. En chemin, on croise les habitants des autres hameaux qui se hâtent aussi vers le bourg. Léon a pris les rênes. Sa femme à son côté, sa mère derrière entourée de deux de ses fils, Julien et Jean. Raymond court en tête. Il est à la fois le messager du malheur et l'éclaireur de la tribu sur le sentier de la guerre.

Devant la mairie, stationne l'automobile chromée du sous-préfet. Le petit homme chauve placarde, de ses mains, à l'emplacement réservé aux communications administratives, un papier officiel marqué du sceau du ministère de la Guerre, annonçant l'ordre de mobilisation générale pour le lendemain, dimanche 2 août. Les affiches aux drapeaux croisés viendront plus tard de la préfecture.

On le presse de questions. Il ne peut en dire plus. Les hommes doivent se tenir prêts à rejoindre leur corps. D'abord les permissionnaires des classes d'active actuellement sous les drapeaux, comme Julien l'engagé. Il est au 5e régiment d'artillerie de campagne de Lyon. Les trois premières classes, celles des conscrits levés en 1908, 1909 et 1910, seront appelées sur-le-champ. Voilà pour Léon et pour Jean. Quant à Raymond, son tour viendra bien vite, il est du deuxième contingent de la 14.

– Tout de même, minimise le maire d'Huriel, Gabriel Bousquet, qui a revêtu son écharpe tricolore comme son adjoint Bigouret, la levée de trois classes de réservistes n'est pas encore la guerre!

– Certes, certes, lui glisse à l'oreille le sous-préfet, mais dites-vous bien que le gouvernement ne lèverait pas un million d'hommes aux frontières si la guerre n'était pas imminente…

Le garde champêtre a saisi son tambour de ville pour aller déclamer dans les hameaux les plus reculés le texte de la mobilisation. Deux gendarmes à cheval de la brigade de Domérat sont sur place. Ils accompagnent le porte-parole de la loi républicaine pour bien montrer qu'ils sont prêts à calmer les récalcitrants et à contraindre les réfractaires. La force publique fera respecter les ordres du gouvernement. C'est inscrit sur la boucle d'argent des baudriers jaunes de la gendarmerie.

À la vue des aiguillettes blanches, Marie Aumoine sent battre son cœur plus vite. Elle comprend que les gendarmes sont là pour exécuter les consignes officielles venues de Paris, que la guerre est irrémédiable. Patriote, elle doit se résigner. Ses quatre fils la serrent de près, comme pour la protéger. Tous résolus à faire leur devoir et à partir.

Ils rejoindront les autres dans le mouvement irrésistible qui les porte aux frontières, des centaines de milliers d'autres venus de tous les villages de France. Les campagnes perdront leurs enfants. Rien ne sera plus comme avant.

La noce est finie. Les garçons démontent la table, entassent les bouteilles vides, jettent aux oies les reliefs du festin. Les guirlandes s'étiolent aux branches basses des arbres. Les musiciens ont rangé leurs vielles, accordéons et cornemuses. Personne n'a le cœur à chanter, à part la *Marseillaise*.

Léon prend sa jeune épousée dans ses bras. Ils n'auront qu'une seule nuit de noces. Maréchal des logis, il doit partir parmi les premiers dès l'aube, et suivre les ordres très précis de la feuille de route : attraper le train de Clermont en gare de Montluçon, afin de rejoindre le 53e régiment d'artillerie à cheval, celui de son père et de son grand-père.

Il passe sa nuit de noces à l'hôtel Terminus, pour rester le plus longtemps possible près de sa tendre Marguerite. Par la fenêtre de sa chambre, il aperçoit, malgré le brouillard de l'aube, les trains qui se rangent en chapelets serrés le long des quais, dans les sifflets de machines et leurs vapeurs asphyxiantes. Les yeux rougis, Marguerite le verra s'engouffrer, au petit jour, sa musette en sautoir, dans un wagon à bestiaux.

Un départ en fanfare

Le dimanche 2 août n'est pas encore levé que les chemins vicinaux regorgent de carrioles, d'hommes à pied ou grimpés à dos d'ânes et de mulets, en route pour la gare d'Huriel. Ils viennent des hameaux ou des bourgs environnants non reliés au chemin de fer. Sur leur feuille de route – petit papier rose épinglé au livret qui leur a été remis à l'issue du service militaire –, il est notifié qu'ils doivent rejoindre leur corps, à la caserne, au premier jour de la mobilisation.

On s'interpelle quand les attelages s'accrochent, comme ceux des barons d'Angleterre au début de *Macbeth*. Un départ singulier où se déclinent, dans les lueurs de l'aube, les noms de lieux bien connus du canton : «Tiens! C'est le Bousquin de la Genebrière, ou le Duval de Champignier!» Il n'y a pas, par ici, trente-six familles de Duval ou de Bousquin, mais le nom du lieu-dit sonne ou chante, évoque des échos du pays; il ne désigne pas, il enlumine. La Genebrière, c'est le détalé des lapereaux au cul blanc, dans le champ en pente derrière le hameau parfumé de genièvre. La vraie noblesse de cette armée tout droit sortie des bois et des halliers qui se rassemble, c'est d'être issue des fins fonds du pays.

Les chars à bancs bondés de familles et de réservistes aux musettes bien remplies encombrent le petit chemin d'Huriel à Beaumont, sinueux et à peine assez large pour un attelage. Pour être en gare à sept heures du matin, certains ont pris la route à cinq, d'autres à quatre. Dans la salle des départs, on a accroché à la hâte des drapeaux et des cocardes. On a placé aussi en évidence, transféré de la mairie, le buste de Marianne, pour bien montrer aux gars que la République les appelle. Le maire s'empare vigoureusement de la main de Jean Aumoine. À Julien, beau et fier dans son uniforme, il lance d'une voix vibrante :

– Allons, petit ! Tu es le plus jeune engagé du canton, mais tu seras le plus brave. Je le lis dans tes yeux !

Non loin, la mère a tout entendu. Raymond, son seul fils à n'être pas encore mobilisé, est auprès d'elle. Elle le tire doucement par la manche de son veston et lui glisse à l'oreille :

– Dis-lui bien, surtout, qu'il n'aille pas s'exposer par gloriole !

Bigouret, pour sa part, fait et refait dans sa tête le compte des recrues du canton.

– Dis-moi, Félix, dit-il au brigadier de gendarmerie qui surveille les arrivées dans la petite gare, tout notre monde est-il là ? Je ne vois pas les gens de Saint-Christophe !

– Des têtes de lard, répond le gendarme. J'ai failli passer les cadenas à l'Eugène. Au service, il a fait quarante jours de plus que les autres, cloîtré, coffré au mitard. Il serait bon pour les « joyeux », ceux des bataillons disciplinaires, s'il n'avait pas été sauvé par le capitaine Migat du 121ᵉ, qui est de son village et s'est porté garant pour lui. J'ai quand même dû le calmer de force, il ameutait les autres : « Vous n'allez pas donner votre peau, qu'il disait aux gars des vignes, pour les grossiums du Creusot ou de Clermont!» Il aurait crié «Vive l'anarchie!» si je ne l'avais pas menacé de perpète.

– Qu'en avez-vous fait?

– J'ai affrété un fourgon pour les conduire, lui et ses acolytes, directement au corps. Pas question que ces lascars contaminent le contingent! À la caserne, ils s'en arrangeront.

Et il ajoute à voix basse :

– Il était sur le carnet B. On l'a pincé, en 1910, pendant la grève des chemins de fer. Il déboulonnait les voies. Il faisait partie des trois mille anarchistes à arrêter d'urgence en cas de troubles…

Les hommes ont quitté la salle de départ et se sont massés sur le quai, au milieu des familles. L'attente est longue. Les trains sifflent pour s'annoncer en gare de Treignat, la station avant Huriel. Les voies de garage ne sont pas assez nombreuses pour les accueillir tous. Ils prennent la file, obéissant aux drapeaux rouges agités par les employés de la compagnie.

Ceux des sémaphores fulminent. Trop, c'est trop! La petite gare n'a jamais connu une telle activité. Ils ne peuvent suffire à la besogne et craignent les erreurs d'orientation. Un tamponnement est vite arrivé, et les wagons de marchandises sont vermoulus. Le chef de gare, débordé, presse la manœuvre. Qu'on embarque tout de suite! Les ordres sont clairs : un départ toutes les cinq minutes, l'un pour Montluçon, l'autre pour Lyon.

Les cheminots se démènent depuis la veille. Toute la nuit, ils ont crocheté les attaches des wagons, nettoyé les planchers et éparpillé des bottes de paille afin de résorber l'eau de Javel.

— Ça prend à la gorge, dit Jean.

— Tu ne veux pas qu'ils t'arrosent à l'eau de Cologne, rigole son voisin Biron, le clairon de la noce. À Montluçon, d'ici quelques heures, nous coucherons à la caserne. Un vrai palais!

Encore faut-il se hâter d'embarquer. Les convois, formés à Guéret ou à Saint-Sulpice-Laurière, stoppent à chaque chef-lieu de canton pour charger les Creusois. Marie Aumoine, debout dans la cohue en bout de quai, reconnaît le mécanicien d'un des trains qui s'est immobilisé en gare d'Huriel. C'est Gaspard Michot, son cousin d'Eygurande.

— Je te croyais à la retraite!

— Réquisitionné dès hier au soir, comme tous les pépères! hurle-t-il pour couvrir le sifflement de la motrice, le visage noir de suie. Lunettes relevées sur le front, chemise ouverte et foulard rouge noué autour du cou, il semble bien heureux de n'être pas garde-voie dans la territoriale, comme les copains, leur vieux fusil Gras en bandoulière.

Il saisit les mains de Julien et les serre avec émotion. Quand il l'a vu pour la dernière fois, c'était à sa première communion.

— Ainsi, ils lèvent jusqu'aux bébés roses!… Monte dans le train, petit. Je vais à Lyon, tu n'auras pas à changer.

Jouant des coudes dans un compartiment de 3e classe bondé et enfumé, le «petit» réussit à s'imposer. On ne refuse pas un artilleur en tenue.

Jean, qui rejoint Montluçon par un autre train venu lui aussi d'Eygurande, a moins de chance. Dans chaque wagon où il tente de se frayer un passage, les Creusois le refoulent.

Pas de place, lui signifie-t-on, pour les gars d'Huriel. «Prends le prochain! Il va aussi à Berlin!»

Il redescend et s'étonne :

— Ma parole, ils sont déjà saouls!

Une troisième rame l'accueille enfin. Après avoir embrassé sa mère, il grimpe, au prix de mille acrobaties, dans la guérite vide et désaffectée du serre-freins de l'omnibus de Montluçon. Raymond, sur le quai, lui passe sa musette.

— Tu seras au grand air, mais gare aux escarbilles!

Il est parti, après deux heures de cafouillage au milieu des voies encombrées d'Huriel. Le soleil commence à darder. Julien est loin devant, et plus encore Léon, embarqué dès l'aube qui doit avoir déjà gagné Saint-Éloi, peut-être même Clermont.

Raymond a pris les rênes pour reconduire sa mère à Villebret. «Hue, mon Polyte.» Il encourage son percheron aux flancs mouchetés à les sortir promptement des abords encombrés de la gare. Marie a le front soucieux. Sur l'affiche de la mobilisation, elle a lu l'ordre de réquisition des chevaux. On lui a pris trois de ses gars, si on lui prend ses bêtes, comment va-t-elle faire tourner la ferme? À Villebret comme à Huriel, l'armée les recense déjà. Leur rassemblement est prévu pour l'après-midi du dimanche. Le temps presse, pas de repos dominical qui tienne; les divisions mobilisées ont immédiatement besoin de six cent mille chevaux.

Après les cahots des chemins bondés d'attelages, ils arrivent en vue de Villebret. Une surprise les attend à l'entrée du bourg. La réquisition des animaux a déjà commencé.

Guidés par leurs maîtres vers des enclos délimités sur le

champ communal et entourés de fil de fer, les chevaux sont appelés l'un après l'autre, dans l'ordre de leur numéro d'inscription. Raymond cherche des yeux le valet Germain, qui s'est chargé de convoyer ceux de la ferme. Il doit attendre son tour, là-bas, près des gendarmes, où un vétérinaire palpe, jauge et renvoie les poulinières. Raymond reconnaît une jument blanche. C'est Pâquerette, fine et aveugle, la préférée de Léon. Raymond l'appelle Pâline, tant elle est gracieuse. Elle a échappé au service. Germain l'a reprise par la bride, elle est libre.

Mais il a dû céder Bijou et Mitraille. Des chevaux de trait superbes, parfaits pour le labour, orgueil de la ferme, qui traçaient les sillons au cordeau. Les yeux lourds de chagrin, le valet les a conduits à l'enclos où ils piaffent, ne trouvant plus sous leurs sabots les cailloux du chemin familier. Deux soldats en bourgeron les marquent aussitôt d'un matricule sur l'épaule, du bout de leur balai imbibé de peinture blanche. Un peu plus loin, un maréchal-ferrant attend pour les estampiller au fer rouge sur la corne du sabot...

Marie observe un instant le manège en silence avant de détourner les yeux. Elle pousse un soupir résigné :

— Il vaut mieux partir d'ici, allez!

La file des chevaux bons pour le service est prise en main par les soldats, et dirigée sur la route de Montluçon. La caserne ne compte pas de régiments de cavalerie, mais toutes les armes sont hippomobiles pour leurs approvisionnements. Les animaux doivent être embarqués sur les wagons spéciaux de l'artillerie et de l'infanterie. Il en faut pour tirer les charrettes de vivres, de caisses et de munitions, sans oublier les roulantes.

— Regarde le cheval de René Laporte, dit Raymond à sa mère. Il se traîne, il a au moins quinze ans. Ils ont ramassé tout ce qui pouvait être attelé. Germain m'a raconté que le garde champêtre s'était présenté à la ferme à dix heures du matin, sa feuille de réquisition à la main. En larmes, il a dû seller Bijou et Mitraille séance tenante. «Pleure pas, petit, l'a consolé un vétérinaire. Rien que dans l'arrondissement, nous en avons pris sept cents!»

– Ils prendront aussi les bœufs! dit la mère.

– Sans compter les voitures, ajoute le valet qui les a rejoints. Car ils en manquent! Quant aux ânes et aux mulets, ils ne vont pas tarder. À propos, pour les paiements, poursuit-il, il faudra vous rendre à la mairie, dès qu'ils vous auront fourni les bons de réquisition.

– Et comment remplacer les bêtes? proteste sourdement Raymond. La guerre n'est même pas déclarée qu'elles sont déjà saisies! Encore heureux qu'ils nous laissent les vaches!

– Mais pas les cochons! Ils les rassemblent aussi dans les fermes avant de les conduire à l'abattoir municipal. Il leur en faut des tonnes pour la soupe au lard.

– Il faut bien nourrir nos soldats, les interrompt Marie. À présent, rendons-nous à la mairie, ils auront peut-être des nouvelles…

On lui explique que tous les hommes de vingt à quarante-huit ans devront partir, et pas seulement les trois classes de jeunes. Ses enfants sont de la «première réserve». Voilà pourquoi ils sont de la vague qui rejoindra immédiatement les frontières. Les pères de famille, eux, endosseront l'uniforme jusqu'à l'âge expressément requis, sauf s'ils ont plus de six enfants.

– C'est la nation en armes, on n'a jamais vu ça, madame Aumoine, même en 1793! s'exclame l'instituteur Joseph Bouin.

Marie connaît bien l'homme, qui fait aussi office, à Ville-bret, de secrétaire de mairie. C'est lui qui a appris à ses enfants la règle de trois et les participes passés. Il leur a lu, bien sûr, *La Dernière Classe* d'Alphonse Daudet, celle qui tire des larmes aux petits, à l'évocation de l'exode des Français d'Alsace en 1870…

— Mais alors, monsieur Bouin, vous partirez aussi ?

— J'ai cinquante ans, mais j'ai le grade d'adjudant-chef de réserve. Je compte bien me présenter au recrutement, ils vont manquer de sous-off. Cette fois-ci, il ne faut pas que les Prussiens passent. À aucun prix. Nous n'avons plus de provinces à leur donner. Je ne vais pas laisser les jeunes mourir seuls aux frontières. Il paraît qu'ils ont engagé, à Montluçon, un général réserviste de soixante-cinq ans. Tout le monde est prêt à faire son devoir. Il n'y a plus de blancs ni de rouges, précise encore l'instituteur radical. Plus que des bleu, blanc, rouge !

— Ainsi, la guerre est certaine, murmure Marie, la gorge serrée.

— Dites-vous bien que, de l'autre côté des Vosges, des millions d'Allemands prennent le train pour nous envahir. À Berlin, les socialistes ont voté les crédits militaires au Reichstag. Ah ! si un misérable n'avait pas tué notre Jaurès, il aurait été le premier à s'engager. A-t-il milité pour la paix ! Mais un pays menacé d'invasion doit se défendre, surtout s'il s'agit de la République française, notre République. Et nous les vaincrons !

Joseph Bouin marque un temps. Il craint de s'être laissé entraîner un peu loin dans son discours vibrant d'enthou-siasme patriotique, comme ces jeunes qu'il a entendus crier, par la portière des wagons : «À Berlin!» Ou encore : «Nous serons là pour Noël!»

Il se calme, fixe bien le visage de Marie pour la prendre à témoin de son raisonnement, comme lorsqu'il s'adresse aux enfants de sa classe :

– Quand on arme de telles quantités de soldats dans toute l'Europe, je ne vois pas ce qui pourrait empêcher les Allemands d'aller jusqu'au bout. Il doit y avoir déjà des morts à la frontière, dans les troupes de couverture. C'est impossible autrement!

Marie s'éloigne avec un demi-sourire, pour reprendre le bras de Raymond. Voyant sa pauvre mine, où se mêlent courage et effroi, l'instituteur ajoute :

– Gardez confiance, madame Aumoine! Ils ne s'absenteront pas longtemps. Nous avons de tels armements que tout sera réglé en quinze jours! C'est pour cela qu'il faut partir vite, très vite, plus vite qu'eux!

Julien, dans le train de Lyon, retrouve au hasard des wagons d'autres permissionnaires rejoignant leur corps. Des fantassins pour la plupart, immédiatement prêts à partir au front, qui n'auront que le temps de prendre leur paquetage dans leur caserne avant de gagner Toul ou Lunéville. Julien, lui, n'a pas terminé ses classes. On ne s'improvise pas artilleur. Aussi restera-t-il plus longtemps au quartier.

Le parcours du train est sans cesse détourné, allongé, en raison de l'encombrement des voies principales. Avant d'atteindre la haute verrière de Lyon-Perrache, opaque et noire de suie, la rame traverse à petite vitesse Saint-Germain-des-Fossés, s'attarde à Lapalisse où le saint-pourçain blanc circule d'une main à l'autre parmi les soldats. Les tuiles romaines de Roanne apparaissent, au détour d'une rude grimpette dans la montagne, après la traversée de tunnels enfumés qui ont donné des quintes de toux aux chanteurs.

Ils ont tout le temps de boire et d'épuiser le répertoire des chansons familières. La locomotive freine en permanence. On se rue aux fenêtres pour saluer, entassés dans d'autres convois venus des sous-préfectures, les pantalons rouges reprenant le chemin des casernes après les perms des moissons. On stoppe dans les plus petites gares, où des wagons supplémentaires s'accrochent à la rame, chargés de gars en uniforme et à la musette pleine. Chaque colline cache un train.

Dans les passages au ralenti, les bleus saluent aussi les territoriaux qui montent la garde sur les quais et le long des voies. Aux arrêts, ils sont invités à trinquer. Ils essuient gravement leurs moustaches en rendant les gourdes. Heureux, pour la plupart, d'échapper à la manille dominicale du café de village et de recevoir une mission de l'autorité, ils prennent des airs de vétérans, comme s'ils revenaient de la campagne de Russie…

Ils sont douze pantalons rouges, serrés sur les banquettes de bois patinées et noircies du compartiment de Julien, prévu pour huit voyageurs. Par les vitres larges ouvertes fusent, non pas les accents de chants patriotiques, mais les couplets plus gaillards de *Monte là-dessus* ou de *Ma Tonkinoise*. Le refrain de *L'Alsace et la Lorraine* est réservé pour les quais des grandes gares, quand ils sont acclamés par le bourgeois patriote. Entre eux, ils préfèrent les rengaines de garnison.

À croire qu'ils ont passé leur vie dans des beuglants. Il est vrai que les bleus ont tous payé le coup aux anciens, dans les bouges de Lyon ou de Clermont, là où les filles, singeant les danseuses du Moulin Rouge, montraient leurs bas noirs et leurs culottes à dentelles. Ils se sont déniaisés en oubliant *Jeanneton prend sa faucille* au profit du cancan. Ils sont devenus des hommes en triplant le pas nerveux de la *Java des apaches*. Ils retrouvent, avec ces airs canailles, la connivence des sorties de garnison. Avoir fait son service, c'est avoir entrevu les fesses de la grande Lulu de la Guillotière.

Julien partage peu ce genre de réjouissances. Tout juste incorporé, il n'a pas l'«esprit troupier», maîtrise mal la gaudriole et l'insouciance du pioupiou de café-concert. Il s'est engagé pour choisir son arme, sans connaître la vie militaire. Puisque l'on est en guerre, autant mener la besogne rondement, et la guerre n'a rien à voir avec la garnison. Vite, partir en campagne et revenir chez soi, marcher au grand air avec son chien Finaud dans le bois de Tigoulet, attentif au passage des lièvres et aux envols des bécasses. Il étouffe dans les bouges sombres et enfumés de Lyon où l'on ne distingue même plus les boutons de tuniques des copains. Ces beuveries collectives l'écœurent.

Il aperçoit de loin, en descendant sur le quai de Perrache, le maréchal des logis Colonna, un teigneux venu des bataillons disciplinaires et reconnaissable entre mille. Il se souvient des verres de vin aigre mais payés avec ses maigres écus qu'il a dû lui offrir dans un café louche, pour faire oublier qu'il était un «bleu», un niais sorti de la bouse de vache et bon pour toutes les corvées. Il détourne aussitôt la tête, comme s'il craignait d'être épinglé en permission irrégulière. Devant l'intraitable Colonna, chacun se sent toujours coupable.

Il lui reste trois mois de classes avant d'être bon pour le grand départ. Trois mois encore à panser les chevaux, à supporter les selles mexicaines dont le cuir sommairement dégrossi cause des clous aux cuisses. Le colonel Robert Nivelle, chef du régiment, ne tolère aucune faiblesse. Il est si impitoyable que les bleus ont parfois songé à déserter, incapables, pour beaucoup, de soutenir le rythme de l'instruction. Debout à cinq heures, et pas une minute de répit jusqu'au soir : lit au carré après le lever et le nettoyage des lieux. Puis théorie dans les chambrées, exercice aux pièces, séance au manège avec les chevaux – quand il ne faut pas procéder au débourrage des bêtes provenant du centre de la Vitriolerie, achetées à l'étranger… À quoi s'ajoutent encore l'apprentissage de la signalisation, les manœuvres à pied des canons, sans compter l'épluchage des légumes avant chaque repas. De quoi tuer son homme.

Julien connaît un engagé qui a tenté de déserter. Rattrapé, le colon l'a fait passer au « falot ». Le conseil de guerre ne chôme pas. Que diable, le 5e d'artillerie à cheval de Lyon est un régiment d'élite ! « Gare à vos carcasses, v'là le cinquième qui passe ! » Julien était assez fier de défiler place Bellecour, le 14 juillet, monté sur le cheval de tête de sa batterie, devant le général campé à l'ombre de la statue de Louis XIV. Vite, la fin des classes et le galon rouge du premier canonnier, au début d'octobre, pour rejoindre ses frères au front.

Sur le quai de Montluçon, l'écho des porte-voix de la gare est tonitruant, les adjudants hurlent leurs ordres tout en brandissant des pancartes pour orienter les convois vers les casernes. L'œil vif sous la visière de sa haute casquette de drap façon Ravachol, Jean décide de prendre, sans attendre, la route des casernes qu'il connaît par cœur.

Il franchit la passerelle étroite du chemin de fer surplombant le Cher où pêchent des nuées de gamins. Il les regarde, amusé, rejeter à l'eau leurs prises de poissons-chats, avant de s'engager sur la côte des Quinssaines. Bientôt, avec des centaines de rappelés auxquels il emboîte le pas, il passe les grilles ouvertes de la grande cour de la caserne où des juteux font l'appel, compagnie par compagnie. Henri Chamblet, un copain du lycée, le renseigne : il vient d'entendre citer son nom affecté à la 1re compagnie.

Adieu le pantalon de velours côtelé un peu râpé par les ans, les sabots et la veste de coutil délavée, mise rustique abandonnée à l'intendance pour le temps de la guerre. Ses effets sont étiquetés et rangés dans des sacs.

Il dépose dans une corbeille le contenu de ses poches et ses objets personnels : sa montre, un oignon à chaîne pris dans une poche du gilet, ses mouchoirs à carreaux violet et blanc, son porte-monnaie, sa gourde de cuir à lacet, son couteau de chasse, son carnet à crayon. Il les reprendra après son passage au magasin, où il est censé trouver un uniforme.

L'intendance peine à habiller tout le monde, face au gonflement soudain des effectifs. Il est question de dédoubler le régiment avec des réservistes, et le colonel Trabucco, affairé à peaufiner ses listes dans son bureau, tance parfois ses officiers perdus dans les dossiers du recrutement. Jean s'étonne. Il se souvient des paroles du brigadier de gendarmerie d'Huriel : « L'active fera tout. La réserve n'est appelée que par mesure de précaution. » À quoi bon la former déjà en unités séparées ?

Plus d'uniformes convenables, plus d'équipements. Des hommes à moitié nus courent dans le magasin. Certains protestent. Le sergent chargé de les fournir exhibe son revolver sans cartouches et son sabre sans fourreau. Il n'est pas mieux loti.

Les cabots de l'intendance distribuent des tenues dépareillées sentant la naphtaline, assorties de chaussures sans clous. Aux rappelés d'échanger entre eux les vêtements trop grands ou trop petits. Pour l'administration, il suffit que le soldat dispose d'une paire de chaussures à sa pointure, d'une cartouchière, d'une capote usagée et d'un fusil. Le reste suivra.

On ne tergiverse pas avec la guerre. Quelques territoriaux égarés là sont chassés des lieux par les sous-officiers excédés. Rien pour eux. Ils étaient pourtant si fiers de revêtir l'uniforme. On habillera ceux-là plus tard, de bric et de broc, comme les partisans de 1870.

— Vous savez que vous êtes cent quatre-vingt-cinq mille en France à partir, rien que dans la territoriale, s'énerve un adjudant. Où voulez-vous que nous trouvions des habits?

— Tout de même, bougonne un ancien, si les Pruscos arrivent jusque là, autant ne pas être fusillé comme franc-tireur, dans des frusques de péquenot!

— Défaitiste! ricane le juteux. Tu te crois en 70? Nous reviendrons de Berlin avant que tu aies touché ta tenue!

Jean est privilégié. On équipe en priorité, avant les réservistes, ceux de l'active, surtout les gradés. Son galon de caporal, conquis au service après un stage exténuant, lui vaut d'être incorporé d'emblée au 121e où l'on manque de cadres pour instruire les bleus du premier contingent, les pelotons d'élèves caporaux étant en cours d'instruction.

Il reçoit sans attendre son pantalon rouge garance à bretelles, sa vareuse de drap bleu sombre et la lourde capote gris de fer bleuté, sans oublier le bonnet à longues pointes («les oreilles d'âne», se moquent les conscrits), le bourgeron, la tenue de service pour les corvées, les chemises élimées et sans col, enfin, les caleçons trop longs et les ceintures de flanelle étouffantes au mois d'août. Pour le képi, il doit en essayer plusieurs avant de trouver un coiffant approximatif. Jean a le crâne mince, peu courant dans le recrutement. «Une tête en pain de sucre», ironise le juteux, qui n'a rien de disponible en dessous du 43.

– Prends celui-ci, tu n'auras qu'à le rembourrer avec du papier journal, et n'oublie pas le manchon bleu! Le rouge est trop voyant. On n'a pas encore touché les calottes d'acier pour protéger les caboches.

Sac à dos, cartouchière, pelle, scie articulée, Lebel bien graissé lourd d'environ cinq kilos avec son magasin à neuf balles de cuivre – la dixième dans le canon -, une gourde d'étain aussi luisante qu'une bassine à friture à la vitrine du quincaillier, une baïonnette tout juste aiguisée dans son étui, rien ne manque à l'équipement de Jean, pas même les godillots réglementaires à clous, un peu grands pour lui mais neufs. Des guêtres de cuir noir, en outre, lacées par-devant, qui enserrent le bas du pantalon.

– Tu coudras ton galon toi-même quand tu le pourras, lui signifie l'adjudant. Au quartier, pas de petites mains. En attendant, débrouille-toi avec ces épingles de nourrice!

Jean bourre son sac (un havresac modèle 1893), inquiet de pouvoir y loger tous les objets que lui aligne encore le juteux : la brosse à laver, la gamelle, la boîte de fer pour les vivres, le quart, la trousse de secours, la marmite cabossée, les épaisses chaussures de rechange, dites «de fatigue», recouvrant largement la cheville. Pour la musette et pour la baïonnette, des courroies de cuir jaune, à part.

— Dégage vite et n'oublie pas ta plaque d'identité à chaînette. Tu feras graver ton nom dessus et ton matricule. Et vérifie que tes effets sont bien marqués au numéro du régiment.

Jean renoue avec sa condition militaire. Il n'est plus qu'un numéro dans l'armée de la nation. Cette plaque, sa mère la recevra s'il est tué et s'il ne reste rien de son corps.

Marie Aumoine ne quitte plus la place de la mairie. Elle veut savoir, comme tous ceux du bourg de Villebret. Ici aussi, on a cloué au mur la grande affiche de la mobilisation. Des lignes lues et relues sans cesse, comme si elles pouvaient encore vous donner des indications qui vous auraient échappé. La route de Montluçon, qui traverse le village en direction de Marcillat et Pionsat, grouille de cyclistes, de carrioles et même d'automobiles. La proximité de la guerre remue tout le pays. Nul n'est resté dans sa ferme isolée. Tous veulent savoir.

Ce lundi 3 août, après le départ des premiers appelés, Marie Aumoine a tenu à se rendre à la messe basse de six heures de la petite église de Villebret, pour une fois aussi remplie d'hommes que de femmes. Ceux qui ne sont pas encore mobilisés, conformément à la mention de leur feuille de route, se pressent dans la nef, accompagnés de leurs mères, sœurs, femmes ou fiancées. Une cérémonie grave. Le curé prononce quelques mots émus et patriotiques, ne boudant pas son «viatique céleste». Depuis leur première communion, aucun des garçons présents parmi les fidèles n'avait réapparu, à ce jour, dans son église.

Dans la chapelle Saint-Joseph, une absidiole de l'église, le comte Hervé de la Fouillère, en uniforme de commandant, prie seul avec son domestique. Il veut reprendre son rang dans l'armée de la gueuse dont il a démissionné en 1902, refusant d'être fiché comme un «allant à la messe» par le ministre anticlérical de l'époque, le général André. Il se tient droit face à son prie-Dieu, marqué d'une plaque de cuivre à ses armes. Il a soixante-cinq ans et s'est déjà porté volontaire lors de la précédente guerre.

La République de 1914 manque cruellement de cadres pour commander la grande armée de la nation. Aux nouvelles divisions de réserve, aux régiments dédoublés, il faut des chefs. Alors, plutôt que de nommer commandants de jeunes capitaines dont on redoute l'inexpérience, on a coché des noms, parmi les plus chevronnés, sur la liste des vétérans.

Ainsi, le commandant Fouillère, dont le moteur de la Renault tourne au ralenti devant l'église, rejoindra-t-il le 92e d'infanterie de Clermont-Ferrand. Son chauffeur à casquette patiente au volant. Son domestique en tenue militaire l'accompagne aussi, pour lui servir d'ordonnance. En quittant son banc, le comte s'incline devant Marie. Il n'ignore pas que trois des fils Aumoine sont déjà partis, tout comme les siens propres. Pour les familles paysannes où l'on cultive alors l'enfant unique, cette fécondité est rare.

Hervé de la Fouillère se sent proche de cette chrétienne patriote et républicaine. La solidarité dans l'épreuve abolit, ce matin-là, bien des distances. Marie Aumoine, touchée, répond au salut du comte en souriant.

La messe finie, des groupes se sont rassemblés devant la mairie où l'on a cloué au mur une nouvelle affiche. Marie, qui s'est approchée, déchiffre aussitôt la signature en bas du texte, daté de la veille : «Raymond Poincaré, Président de la République.» Celui-ci s'adresse au peuple et affirme : «La mobilisation n'est pas la guerre.» Pourquoi ne pas le croire puisqu'il l'a écrit? Le comte de la Fouillère hausse les épaules : «Des mots, toujours des mots», lâche-t-il avant de regagner son auto qui s'engage sur la route de Clermont, dans un tourbillon de poussière.

Marie Aumoine poursuit sa lecture de l'affiche : «Le gouvernement compte sur le patriotisme des Français et sait qu'il n'en est pas un seul qui ne soit prêt à faire son devoir.» Pour sûr, ils partiront tous… Elle ne peut s'empêcher de penser que «la France éternelle, la France pacifique et résolue» de Poincaré est aussi celle qui a été envahie trois fois en un siècle, comme si personne ne pouvait rien pour elle, sauf demander à ses enfants d'aller se faire tuer. Née en 1868, a-t-elle assez entendu les anciens, dans les veillées, raconter l'invasion prussienne de 70, relayés par le doyen Charles Duchemin, quatre-vingts ans, qui, pour sa part, évoquait celle de 1814! La première du siècle, qui avait touché la moitié du pays!

La «vigilance et la dignité» sont de belles paroles présidentielles, si l'on a les moyens de tenir. Marie Aumoine trouve Berlin bien loin, et ne pense pas que les garçons seront de retour dans quinze jours. Chez nous, la guerre, c'est toujours l'invasion, et d'abord celle des frontières, songe-t-elle en reprenant le chemin de la ferme. Très patriote, elle sait qu'il faut se battre âprement parce que l'on n'a pas le choix, mais sans se faire d'illusions sur la durée ni sur l'issue du combat. Hélas…

Le discours du président n'a rien affirmé de plus. Les événements se précipitent-ils? Dans les villages, nul ne sait à quoi s'en tenir. Pas de journaux ce matin, les journalistes sont mobilisés, ainsi que les imprimeurs et les facteurs. Seul le sous-préfet, relié à Paris par le téléphone, pourrait parler, mais il n'a que le droit de communiquer les dépêches du télégraphe rédigées par le ministère de l'Intérieur.

En fin d'après-midi, chacun revient aux nouvelles à la mairie, où la voiture du sous-préfet vient juste d'arriver. Marie Aumoine reconnaît celui qui avait fait une brève apparition à la noce d'Huriel.

Par la porte restée entrouverte, et bien qu'il parle à mi-voix, elle l'entend annoncer au maire, son télégramme à la main :

— Déjà un mort aux frontières. Le caporal Peugeot. Tué par huit uhlans prussiens sur une route de Jonchery, près de Belfort.

— Un incident de frontière, commente brièvement l'officier municipal Jean Moreau.

— Hélas, mon ami, les Allemands sont aux portes du Luxembourg, dit le sous-préfet, poursuivant le contenu de son télégramme. La grande-duchesse Marie, souveraine régnante de ce petit pays, est déjà partie pour l'exil en automobile.

— Alors, Poincaré nous ment?

— Un mensonge pieux. La mobilisation doit se faire dans le calme. Deux ou trois jours de gagnés ne sont pas négligeables. Et la Grande-Bretagne ne s'est pas prononcée. Cela peut faire réfléchir le Kaiser. Avec les Russes dans le dos, il lui est difficile de partir en guerre si le gouvernement de Londres décide de soutenir militairement la Belgique et la France.

Le sous-préfet détaille une autre nouvelle, plus grave : von Belowe Saleske, ambassadeur d'Allemagne à Bruxelles, a été chargé de transmettre au roi la demande, sous forme d'ultimatum, émise par Guillaume II, de laisser l'armée allemande traverser son pays. Albert Ier a refusé…

– C'est la guerre, ajoute-t-il. L'Angleterre ne pourra éviter plus longtemps d'intervenir.

Marie Aumoine tressaille violemment. Elle le redoutait, c'est l'invasion ! Après la Belgique, ce sera le tour de la France. Elle tourne aussitôt les talons pour rejoindre la ferme. Elle veut agir. Si dérisoire que soit le geste qu'elle s'apprête à faire, elle s'installe à la table de la cuisine et remplit, un peu fébrile mais appliquée, la feuille de déclaration qu'elle s'est procurée à la mairie et qui permettra le recensement des bœufs, vaches, porcs, farine, avoine, foin, orge, blé et sarrasin, susceptibles d'être réquisitionnés. Il faut tout donner à l'armée.

Au deuxième jour de la mobilisation, la caserne de Montluçon ne suffit déjà plus à accueillir les recrues. Les fourrages et les vivres ne suivent pas, faute d'attelages. Pas de logements pour abriter, dans l'enceinte de la caserne, le 321e de réserve dont on a prévu, sur le papier, qu'il dédoublera le 121e. Le lycée, le collège et même l'hôpital sont réquisitionnés.

Le camp d'aviation lui aussi, simple champ communal baptisé autrefois camp de Villars, tout proche du quartier militaire, est requis pour l'hébergement des premiers incorporés. Jean et ses hommes y dressent leurs tentes afin d'y passer la nuit : un avant-goût de la vie en campagne. Encore aucun ordre de départ en ce 3 août.

Le soir, à la popote de plein air, Jean retrouve son camarade de lycée, Edmond Prost, inscrit à la faculté de droit de Lyon et dont les études sont interrompues par la mobilisation. Il arrive de sa petite ville de Dun-sur-Auron, dans le Cher, connue pour soigner les aliénés de la région. Sa mère y habite une confortable maison depuis la mort de son père, un médecin montluçonnais. En bonne logique, Edmond aurait dû rejoindre un régiment de Bourges, mais, natif de Montluçon, il a été incorporé sur les listes du recrutement de l'Allier.

Comme tous les bourgeois de la petite ville de Dun, explique-t-il à son ami Jean, sa mère songe elle aussi à prendre ses précautions. Les gens aisés envisagent d'échanger au plus vite leurs billets contre des pièces de cinq francs aux guichets de la Société générale et de la Banque de France, craignant que le papier-monnaie ne vaille plus rien. Les choses vont rapidement, il ne faut pas se laisser surprendre, et les femmes ont déjà commencé de faire des provisions dans les magasins d'alimentation.

Jean n'est guère sensible à ces divers affolements. Chez lui, le bas de laine plein de louis d'or et de napoléons est bien caché. Pas question de placer son pécule à la banque. Il a cependant entendu dire que les villes allaient recruter des vieux pour former une garde civique et maintenir l'ordre. Les municipalités s'organisent. Les gendarmes, enrôlés dans l'armée, doivent être remplacés. L'instinct civique et patriotique dicte leur conduite aux habitants des bourgs : faire face, prendre en main la sécurité des citoyens, avec les moyens du bord.

— L'état de siège a été proclamé aujourd'hui à trois heures de l'après-midi, dit Jean à Edmond, se réchauffant au brasero du campement. Tous les cafés de Montluçon sont fermés à neuf heures. Des patrouilles du 121ᵉ assureront dès ce soir, baïonnette au canon, l'ordre et la discipline. Face à la rumeur, les consignes sont fermes : intercepter tout individu suspecté de renseigner l'ennemi sur la mobilisation.

— Dans nos villages, explique à son tour Edmond, les civils se sont organisés d'eux-mêmes dès le premier jour. Ils participent au sursaut national à leur manière. Les routes sont barrées avec des chaînes attachées à des charrettes surmontées du drapeau tricolore. Des chasseurs de sangliers à la ceinture bourrée de cartouches montent la garde avec leurs fusils à deux canons. Après six heures du soir, aucune automobile ne peut circuler sans risquer d'essuyer un coup de feu.

Jean se demande s'il en va de même à Villebret. Il juge normal que les villages organisent la surveillance du territoire. Entre conscrits de la même classe, les soldats ne sont pas inquiets mais plutôt joyeux de se retrouver. Ils bivouaquent avec bonne humeur, se racontent des histoires du pays avant de se glisser au chaud sous leurs couvertures, à l'abri de leurs tentes individuelles.

Un lieutenant, au tomber du jour, vient leur annoncer la nouvelle.

— C'est fait, l'Allemagne nous a déclaré la guerre. À dix-huit heures trente, son ambassadeur, le baron von Schön, est allé voir Viviani. Il a demandé ses passeports pour franchir la frontière avec tout son personnel. Les ponts diplomatiques sont rompus.

— Partirons-nous dès demain ? interroge Jean.

Le lieutenant n'en sait pas plus. Les hommes se réveilleront au matin du 4 août sans que la demande de boucler leur paquetage pour un départ immédiat leur soit signifiée.

Le mardi 4 août, les régiments de Montluçon ne bougent pas. Le mercredi et le jeudi suivants non plus. Les trains continuent de déposer à quai de nouveaux mobilisés. Le 6 août, l'escadron du 3e chasseurs à cheval venu de Clermont-Ferrand, pompons verts aux képis bleus de ciel, fait une entrée en fanfare dans la cour de la caserne. Ce sont les cavaliers qui devront éclairer la marche du régiment d'infanterie, selon les règles de l'armée en campagne.

Jean reconnaît un trompette, Henri Simoneau, de Durdat-Larequille. Il lui demande s'il a vu son frère Léon.

– Il est bouclé au quartier Desaix, lui répond l'autre, avec toutes les batteries du 53e. Tu le verras bientôt, nous marchons ensemble, à la 26e division. Nous, ceux d'Aurillac, de Riom et de Clermont.

– Sais-tu au moins qui nous commande?

– Pas la moindre idée. On a parlé d'une baderne, un nommé Signole. Le général de brigade est un aristo.

– C'est le colonel Gourdon, corrige aussitôt le lieutenant Gérard, qui n'aime pas qu'on dise du mal des supérieurs. Un officier d'active, ajoute-t-il, faisant fonction de général de brigade. Il va commander deux régiments. Le nôtre, le 121e, dont il surveillera l'embarquement, et le 105e de Riom. Il a repris du service, malgré ses soixante-cinq ans bien sonnés. Il avait vingt ans en 70, un rescapé de Sedan. Ayez du respect pour son passé militaire. Il a chargé avec Galliffet.

Les jeunes soldats se taisent. Ils ont appris, bien sûr, le désastre de la guerre impériale et la perte de l'Alsace-Lorraine à l'école. Mais le dernier épisode d'une guerre déjà si lointaine, la charge héroïque des chasseurs d'Afrique, demeure un souvenir bien flou. Près d'un demi-siècle! Il faut être sorti de Saint-Cyr pour garder en mémoire les détails précis de la campagne.

— Ces hommes nous conduiront à la victoire, affirme l'officier.

— Quand partons-nous? risque Jean.

— Ne vous souciez de rien. Le plan du père Joffre est préparé à la minute près. Chacun montera au front à l'heure dite, et soyez sûrs que votre tour viendra!

— Tout de même, ronchonne pour lui le trompette. On nous a bousculés pour quitter nos familles à pied, à cheval, en voiture, et voilà qu'on nous lanterne. L'artillerie n'est pas encore là et le camp d'aviation n'aligne pas un seul zinc. À preuve, nous campons dessus!

— Aie confiance, lui dit Jean. Ils doivent bien savoir ce qu'ils font. À trop courir, on risque de tout perdre. Je préfère voir à notre tête un prudent comme Joffre qu'un excité de la revanche!

La troupe s'impatiente à force d'attendre, même occupée toute la journée à briquer les équipements et à effectuer les exercices de campagne. Les hommes n'ont guère de goût pour les défilés dont le colonel Trabucco, commandant le 121ᵉ, est friand. Les minutieuses revues de détail leur rappellent le temps des classes. Ils ne comprennent pas davantage l'insistance des adjudants à vérifier par le menu les huiliers des nécessaires d'armes, les spatules-curettes et les lames tournevis. Ces solides gaillards des campagnes ne tolèrent que les exercices à la baïonnette. Les gradés ne se lassent-ils pas de souligner leur nette supériorité par rapport aux Allemands, dans cette escrime si particulière dont l'état-major espère des miracles?

Toujours pas de nouvelles claires de la guerre, comme si elle n'existait pas. Aucun journal disponible au quartier. *Le Centre* ne paraît plus. Civil ou soldat, on ne dispose d'aucun renseignement précis. Qu'advient-il, entre autres, des troupes de couverture au contact direct de l'ennemi? Chacun s'interroge. Les brefs communiqués lus à la sous-préfecture de Montluçon ont évoqué la préparation de l'offensive française, des accrochages à la frontière et des zeppelins incendiés. Mais rien de plus.

Certains assurent que les Allemands ont pourtant bel et bien envahi la Belgique et le Luxembourg. Les gens du Nord préparent eux-mêmes leur exode.

Comment savoir si c'est vrai? Les bobards circulent librement : rumeurs de débarquement en Bretagne, d'attaques aériennes sur Paris, on lâcherait tantôt des bombes, tantôt des obus remplis de fléchettes d'acier…

Pendant la nuit du jeudi au vendredi, c'est le tour de patrouille de Jean. Il conduit son escouade réduite à quatre hommes dans les rues de Montluçon. Ému, il est passé sous les fenêtres du vieux lycée technique où il était encore pensionnaire cinq ans plus tôt. Il a acquis là sa formation de métallurgiste, parfaitement inutile à un caporal d'infanterie. Après le régiment, il avait trouvé une embauche à la fonderie de Gabriel Bidault, un ami de son père. Jean avait su convaincre le vieil homme, avec la fougue de sa jeunesse et grâce au sérieux de ses connaissances, de le laisser monter un atelier d'aluminium. Tout est en place pour commencer la production. Quand reprendra-t-elle?

Jean ne veut plus se soucier de ces projets qui lui semblent appartenir à un monde déjà lointain. Le vent de la guerre a bousculé les ambitions. Du moins n'a-t-il pas, comme son frère Léon, de jeune épousée à la maison pour pleurer son départ. Même s'il a songé à convoler, il n'a pas encore rencontré la femme de sa vie. Quelques rares aventures, à la ville, sans lendemain. Il a pu partir le cœur tranquille, avec résolution et courage. Seule une pensée pour sa mère, de temps en temps, le visite.

À dix heures du soir, les rues de Montluçon sont désertes, en raison du couvre-feu. Jean, qui ne rencontre que des voitures militaires autorisées à circuler, aperçoit soudain un véhicule civil. Il lui fait signe de stopper. Le conducteur, un médecin, a dûment présenté ses papiers avant de reprendre sa route le long du canal. Jean, qui le suit un moment des yeux, repère alors une forme sombre semblant hésiter à l'angle d'une maison. Il fait aussitôt les sommations. Le fugitif s'arrête, lève les mains en l'air, immédiatement encerclé par les hommes en armes croisant la baïonnette, sûrs de tenir un espion. Mais Jean reconnaît son frère.

— Raymond! Tu n'as jamais entendu parler du couvre-feu?

— Bah! Venez donc avec moi boire un verre au bar du Vrinat, plaisante Raymond. Le rideau est descendu, mais il y a du beau monde à l'intérieur.

Dans la rue, une porte ouvre sur un couloir éclairé menant au café. Les soldats demeurent immobiles, à l'extérieur. Des bruits de bastringue, des cris de filles éméchées, proviennent de la salle enfumée.

– Je t'arrête, dit Jean à son frère. Pour non-respect du règlement. Tu coucheras au dépôt et demain, tu rentreras à Villebret. La mère t'attend, elle est seule.

– Tu te trompes, elle est ici à Montluçon, chez la cousine Henriette! Elle veut assister à ton départ, et te voir à la gare. Marguerite, la femme de Léon, et le valet Germain l'accompagnent. Personne ne peut lui préciser quand le régiment partira, c'est à devenir fou. Laissez-moi passer, je vais la rejoindre.

– Tu n'aurais pas dû t'en éloigner.

Jean consulte ses hommes, qui lèvent les yeux au ciel. Arrête-t-on son frère? Mais l'anguille a déjà filé, par-delà le canal et ses péniches.

Songeur, Jean se dit que, décidément, la guerre ne semble pas avoir la moindre influence sur Raymond. Il reste ce qu'il a toujours été, un fugueur. Pourra-t-il jamais être un soldat, figurer sur un matricule, attacher à son poignet une plaque d'identité? À quoi bon, d'ailleurs, faire des reproches à ce cadet dont il connaît le cœur et le courage! Pourquoi jouer les moralisateurs! Il prend conscience que la guerre est déjà en train de tout changer. Voilà qu'il se sent plus proche encore de celui qui s'est fondu dans la nuit noire et qu'il ne reverra peut-être pas avant longtemps. Un élan de tendresse dissout même, au tréfonds de lui, l'instant d'exaspération provoqué tout à l'heure par son sacré frangin. À chacun, désormais, sa destinée chaotique, imprévisible.

Les patrouilleurs hâtent le pas. La corvée de nuit met les soldats de mauvaise humeur. Pourquoi le cabot fait-il du zèle? Il arpente de nouveau le quartier de long en large, ses hommes derrière lui; grimpe au château des Bourbons où ne bougent que les chats; redescend vers l'église Saint-Pierre dont les portes sont closes ; bifurque sur le boulevard de Courtais calme et désert. Il croit apercevoir, sous un porche de la rue Bretonnie, le crâne noir et bouclé de Raymond. Il aura rejoint la maison d'Henriette.

À la fenêtre d'une chambre au premier étage, une bougie luit faiblement derrière le rideau. La mère suit longtemps des yeux, dans la nuit de pleine lune, le caporal qui poursuit sa ronde.

Le grand départ vers le front est enfin programmé, le vendredi 7 août au matin. Ce jour-là, l'aube se lève à peine que le colonel Trabucco, droit sur la selle de son cheval anglo-normand, la taille prise dans sa vareuse bleu-gris aux épaulettes dorées, les cinq ficelles en travers du képi et le revolver au côté, passe en revue les bataillons alignés au carré.

La clique a rassemblé les hommes par compagnies. Effectifs au complet : trois mille deux cents soldats de vingt à vingt-six ans, total comprenant les réservistes appelés en supplément de l'active.

Le colonel est satisfait. L'intendance a bien travaillé. Les tenues ont été complétées en cinq jours. Les canons des Lebel flamboient, les baïonnettes luisent de tout leur éclat. Les caporaux d'ordinaire, les fourriers, veillent à l'approvisionnement de l'unité. Rien ne doit être oublié, et surtout pas la gnôle, le pinard ou le café.

— Il ne manque pas un bouton de capote, observe Jean qui a cousu lui-même son galon de caporal.

On sonne *Ouvrez le ban*. Les tambours réclament le silence d'un roulement impératif. Le porte-drapeau et son escorte martèlent le pavé de la cour pour venir se figer face au colonel Trabucco qui salue et commande : «Au drapeau!» La troupe, au garde-à-vous, présente les armes. Le colonel prononce alors quelques mots bien sentis que Jean ne perçoit pas complètement car sa compagnie, la 1re, se tient loin derrière les autres. Il est question de gloire et de patrie, de sacrifice et de retour.

À peine Trabucco a-t-il crié «Vive la France!» que des échos vibrants s'élèvent dans les rangs. Les chasseurs à cheval, au son des trompettes, s'engagent au petit trop sur la côte des Quinssaines. Ils ouvrent la marche du régiment.

Dans Montluçon encore ensommeillé ce matin-là, la nouvelle du départ s'est vite répandue. Beaucoup d'habitants surgissent déjà sur le pas des portes. À la diable, des mères jettent des châles ou des tricots sur le pyjama des enfants qui, réveillés par le son des tambours, se précipitent en écarquillant les yeux. C'est sous leurs premiers vivats que les troupes passent le Cher au pont Saint-Pierre, avant de gagner le boulevard qui les mènera jusqu'à l'avenue de la gare. Elles embarqueront en priorité, à cause des chevaux qui devront être guidés, par groupes de huit, sur les planches d'accès aux wagons.

À présent, toute la ville est dans la rue. Remontant les bataillons qui défilent et la clique des tambours et des clairons jouant la *Marche lorraine*, la foule s'est massée jusqu'aux grilles de la caserne où garçons et filles courent de part et d'autre des compagnies, interpellant les soldats qui ne savent où donner de la tête. Henri! Vincent! René! Michel! On leur jette des fleurs, on agite des drapeaux tricolores. Jean distingue Raymond qui, avec sa mère et sa belle-sœur Marguerite, sont déjà au tournant de l'avenue de la gare. Le caporal se rassure, les deux femmes attendront ensemble la fin de la guerre. Le retour est pour Noël au plus tard. Le lieutenant l'a dit. Passé ce délai, comment tenir sous les armes des millions d'hommes en Europe?

La municipalité au grand complet s'est rassemblée devant l'entrée de la gare du Paris-Orléans-Midi. L'émotion vrille le cœur de tous les Montluçonnais. Chacun, les yeux brillants, tente de reconnaître les siens le long de l'avenue.

Un spectacle impressionnant. De sa fenêtre, le vieux cordonnier Godard qui tient boutique non loin de la caserne n'en a rien perdu. À la suite du premier escadron de chasseurs à cheval défilant en tête, il a dénombré successivement la compagnie de cyclistes, puis celle des mitrailleuses, avec ses voiturettes à cheval. Les bataillons exhibaient leurs fanions. À l'arrière, n'en finissant plus dans leur claquement de sabots, les soixante attelages tirés par les chevaux de la réquisition. Au passage, quelques paysans reconnaissaient aussi leurs bêtes et leur lançaient d'un ton convaincu : « Hue! mon Bijou! Dia, mon Marquis! On les aura!»

Dans cette levée en masse de la nation armée, les familles sont de tout cœur avec les soldats, qu'elles ont tenu à accompagner jusqu'au dernier. Ceux d'Huriel, regroupés, encouragent les leurs. Jean croise le regard du maire de Villebret, revêtu de son écharpe tricolore et entouré de ses conseillers. Ils lui font une ovation, «Vive le 121e!» Une pluie de fleurs s'abat sur son sillage, que ses camarades de combat attrapent au vol.

Mais les ordres claquent, à l'entrée de la gare, interrompant la fête.

– Au commandement, en file par deux!

Plus un civil n'est admis au-delà des barrières, gardées par des sentinelles baïonnette au canon et des gendarmes.

Immobile sous l'horloge du quai, un général de brigade à pied, cravache en main, surveille la manœuvre d'embarquement.

— C'est Gourdon, dit à Jean le lieutenant Gérard. Il commande la 51ᵉ brigade, la nôtre.

L'officier, dont l'alezan vient d'embarquer avec les cent quatre-vingt-trois chevaux de ce régiment d'infanterie, ne donne aucun signe d'impatience. Tout va bien. Il fume son cigarillo en silence.

Le premier train qui se présente en gare accueille des groupes de quarante hommes dans chacun des vingt-huit wagons réservés au seul bataillon de Jean. Les biffins s'entassent sur la paille, ouvrent largement les portières pour respirer à pleins poumons. Ils entonnent en chœur *La Marseillaise* en attendant la secousse du départ.

Edmond Prost s'approche de Jean, accoudé à une fenêtre :

— Ils n'ont pas trouvé de général en titre pour la brigade et sont allés promouvoir ce colonel sur les listes des retraités du tableau, dit-il en désignant le petit homme portant binocle qui marche sur le quai.

Sanglé dans son uniforme noir à brandebourgs orné d'une batterie de décorations, sa culotte serrée à bandes rouges et ses hautes bottes de cavalier impeccablement cirées, Camille Gourdon, sous son képi rouge marqué de deux étoiles d'or, barbiche et moustache incurvée, ressemble à quelque estampe jaunie de la guerre de 70.

— Qu'importe, dit Jean dont le regard se pose sur un lieutenant de vingt ans qui, de sa main gantée de blanc, a saisi le montant du train pour se hisser dans le wagon de 3ᵉ classe réservé aux officiers. Qu'importe, on les aura !

Cent kilomètres à pied

Le chœur des chanteurs s'est vite calmé pour faire place au concert moins harmonieux des ronfleurs, endormis sur la paille du wagon. Cent fois, le train de Jean a remonté les bretelles des voies, tressauté sur les aiguillages pour permettre l'accrochage de voitures supplémentaires, stoppé devant les tunnels. On a doublé la locomotive afin de faire traverser sans encombre la montagne, jusqu'à Lyon, à un convoi de plus de quarante wagons.

À Perrache, arrêt d'une heure. Tous les soldats sautent à quai dans un tremblement sourd de godillots cloutés. Il faut attendre le train de Clermont, qui doit débarquer le deuxième régiment, le 105ᵉ de Riom. Les biffins forment des faisceaux tout au long de la voie. Le général a investi le bureau du chef de gare, pour télégraphier à l'état-major du corps d'armée. Le 105ᵉ, avec lequel le 121ᵉ doit constituer sa brigade, est en retard. Quel désordre! Un colonel Gourdon, devenu général ne saurait, foutre! partir en guerre sans le minimum d'égards dû à ses états de service, avec la moitié de ses troupes! Pourquoi diable le général Alix, son chef, le fait-il ainsi languir à Lyon? Il lui faut ses six mille hommes à la botte tout de suite, prêts à en découdre!

– Tue-Dieu, l'étrange guerre ! Que de temps perdu avant d'arriver à l'ennemi !

La réponse d'Alix, chef du 13e corps, ne se fait pas attendre. Le 121e partira seul, en pointe, de façon à désengorger la gare de Lyon, submergée de convois. Le régiment de Riom suivra le soir même, dans le train d'Épinal. Le général Gourdon garde pour lui cette information. Ses officiers ne doivent rien savoir, ses fantassins encore moins. Nul ne doit avoir vent de leur destination, pour ne pas éveiller l'attention des agents de renseignements ennemis.

À la nuit tombée, impossible de distinguer le nom des gares traversées. Jean, allongé sur la paille, ne parvient pas à trouver le sommeil. Il essaie en vain de repérer la direction du train, à la boussole et à la lueur de son briquet. On semble prendre celle du nord, mais à force d'avancer tantôt dans un sens, tantôt dans l'autre, difficile de ne pas s'y perdre. Le caporal, démoralisé, a l'impression de tourner en rond.

Après une nuit d'insomnie, il s'étire, engourdi. Le jour filtre à travers la buée des lucarnes à croisillons du wagon à bestiaux. La pluie tambourine sur le toit de zinc. À son côté, le sergent Jules Massenot, plombier de son métier, ouvre un œil lui aussi en maugréant. Un maniaque de l'hygiène, celui-là. Il s'est levé, titubant, en quête d'un cabinet de toilette. Dans sa semi-conscience, il a oublié où il était. Il a appris les bienfaits de l'eau à l'école primaire de Néris-les-Bains. Se laver de pied en cap, et même les dents, chaque matin. Avant de se rendre à son travail, il faisait toujours un crochet par l'établissement thermal pour y prendre les eaux. Au hammam, il retrouvait ses compagnons au quartier des bains publics de 3e classe.

Petit et blond, mais agile et musclé, Massenot était aussi bien couvreur que réparateur de robinets. Inévitablement, au régiment, on le raillait en disant qu'il avait gagné ses galons de sergent en débouchant ceux de la colonelle. En réalité, plus vif et mieux instruit que les autres, il avait suivi les pelotons en tirant parti et expérience de chacune de ses années d'armée. Ce garçon à bonnes fortunes se pique, en toutes circonstances, d'être propre et coquet.

D'une bourrade, il réveille Ernest Lavelle, son camarade de classe – et de classes – nérisien, apiculteur au chemin de Bloux.

– Il pleut! lui dit-il. À poil! Tu cocottes! Viens prendre la douche à la porte!

Aussitôt fait. Torse nu, en caleçon, ils s'arc-boutent dans l'encadrement de la portière du train dont ils agrippent solidement les barres, les flancs prêtés aux bourrasques. Ils n'ont pas le temps de profiter de la pluie tiède de l'orage car le convoi s'engouffre dans plusieurs tunnels en chapelet. Les flots de fumée mêlés d'escarbilles crachés par la motrice leur reviennent en pleine figure. De frais débarbouillés qu'ils étaient, les voilà ramoneurs de cheminée…

Leurs bonds, leurs jurons réveillent les escouades qui croient voir, hébétées, deux macaques égarés dans leur chambrée, à moitié nus et se bouchonnant de paille. Indifférent aux projectiles balancés dans sa direction par les dormeurs en colère, le sergent Massenot tire de son sac une petite glace de poche et se coiffe avec application. Puis il consulte sa montre :

– Il est près de cinq heures, dit-il à Jean. On devrait arriver. Il paraît qu'on est en tête de convoi.

– Arriver où?

– Va savoir! Au front, avec les autres! Bien malin qui peut dire où nous sommes, depuis le temps que nous tournons en rond. C'est à croire qu'ils voulaient tromper les espions!

Le train ralentit brusquement, dans un grincement de ferraille qui achève de réveiller le wagon. Les hommes se pressent à la porte. Un coup de sifflet strident. Ange Castaldi, l'adjudant, arpente la voie en hurlant :

– Personne ne bouge! Restez dans les voitures!

– Partout où il passe, celui-là, dit Ernest, il faut qu'il nous mette en cage!

– Il doit avoir raison, dit le sergent Massenot qui connaît par cœur le juteux, un ancien de l'infanterie coloniale au Maroc. C'est un des rares qui a fait la guerre, dans le Rif.

Une secousse, le convoi stoppe complètement. À cent mètres, un incendie. Des soldats au visage noirci aident ceux du génie à l'éteindre.

– Un déraillement! crie l'un d'eux au sergent Massenot, debout sur les tampons. Un wagon a pris feu, puis tous les autres, avec la paille!

– Des victimes?

– Pas mal de gars brûlés.

Au bord de la voie, des gendarmes encadrent un civil noir de suie, les mains liées.

– C'est peut-être un attentat, gronde Massenot. Ils vont le fusiller. Un espion. Il paraît qu'ils sont partout!

Il faut une heure pour déblayer les débris des wagons qui achèvent de se consumer. Les soldats du génie recouvrent de bâches les corps calcinés, ainsi que les carcasses de chevaux. Quand les sapeurs ont consolidé la voie, le train reprend de l'allure, à toute petite vitesse.

— Ces malheureux seront en retard pour le vrai bal, celui du front, dit Massenot. Ils n'ont pourtant pas manqué la première danse macabre.

— Insupportable, dit Jean en détournant les yeux. Mourir pour la patrie, d'accord, mais pas dans un accident! L'espionnage a bon dos...

Le plombier, qui sait compter, prend un air inspiré :

— Il faut trois trains qui se suivent, à intervalles de cinq minutes, rien que pour le 121e... Une brigade, c'est deux régiments, soit six trains. Plus de douze pour cette division qui compte deux brigades, sans oublier les convois d'artillerie, de cavalerie, de munitions, de ravitaillement. Les rails sont usés jusqu'au ballast. Ils n'ont jamais eu à supporter un poids pareil. Un seul accident, ça tiendrait du miracle!

À l'aube, le train entre en gare de Besançon, où les convois s'échenillent sous la verrière. On entend des airs de cors de chasse. Sur le quai voisin embarquent des chasseurs alpins et leurs mulets. Un arrêt de quelques minutes. Interdiction de descendre. Si le train a stoppé, c'est uniquement pour attendre le signal de dégagement de la voie. Dès que le panneau au damier blanc et rouge pivote sur lui-même, les deux locos s'ébranlent en sifflant et fumant, parées pour le parcours de montagne.

L'air vif du Jura réjouit le sergent Massenot qui peste à l'idée d'allumer sa pipe du matin sans avoir pu boire son café arrosé. Pas de ravitaillement en cours de route. Ses compagnons se redressent, ankylosés, à la recherche de leurs musettes, dans l'enchevêtrement des équipements, des armes, des sacs enfouis dans la paille.

Ils se succèdent, en bâillant, pour pisser par la portière du wagon ouverte. Pour le reste, l'affaire est plus compliquée. Il faut, le train atteignant une vitesse correcte, baisser le pantalon rouge, s'accrocher à une tige de fer et offrir à croupetons son cul aux escarbilles : un exploit! On peut aussi profiter des haltes en défiant la vigilance du juteux. Au risque, lorsque le convoi démarre sans crier gare, de devoir regagner son compartiment par bonds de kangourou, le pantalon entravant les genoux. Mais tout vaut mieux que de polluer la paille.

Alignés maintenant le long des parois de planches, les soldats sortent de leurs sacs du fromage, et commencent leur journée au vin blanc, buvant à la régalade. Les cadeaux de famille, fillettes de rouge et rillettes de ferme, ne font pas long feu. On saucissonne à l'Opinel.

Enfin la régulatrice, un triage aux rails posés de neuf dans l'herbe, à l'ouest d'Épinal. Les biffins se croient arrivés. Hurlant de joie, ils sont prêts à bondir sur le talus. Ils déchantent rapidement. Le convoi poursuit sa route vers la gare terminus, ouverte en pleine campagne, cernée par les contreforts massifs des Vosges. Plusieurs coups de sifflet. Le train n'ira pas plus loin.

Après trente heures de trajet ininterrompu, les hommes ont du mal à retrouver la terre ferme. Jean rectifie comme il peut sa tenue, croise ses bandoulières, tire son sac et son fusil de la paille avant de descendre sur le tapis d'herbe fraîche, au pied des wagons.

Tous n'ont pas ce souci des convenances. Ils se dévisagent sans presque se reconnaître, tant ils sont hirsutes, la barbe drue, le pantalon sans forme, la chemise et la vareuse froissées.

L'adjudant presse le 121e. On n'est pas à la caserne. Pas le temps de faire la lessive ni de repasser. Le capitaine de la Porte du Mail veut que les hommes de sa compagnie soient les premiers à débarquer. Le sergent Massenot et Ernest Lavelle, dit Nénesse, dégourdissent déjà leurs membres en improvisant une **partie** de ballon avec leurs sacs. Jean aide les plus malingres empêtrés dans leur équipement à ne pas trébucher en sautant sur le quai. Edmond, les traits tirés, accablé par la puanteur du wagon, aspire à petites goulées l'air frais de la montagne. Le lieutenant Gérard, le très jeune adjoint du capitaine de la Porte du Mail, accueille – ou plutôt recueille – les deux cent cinquante hommes de la première compagnie du 121e et les regroupe par sections de cinquante. Frais comme la rosée, les botte cirées et le pantalon impeccable, il semble sortir d'un musée des uniformes. A-t-il passé la nuit dans un palace? Il paraît consterné par l'état physique dans lequel débarquent ses «voyageurs», pensionnaires des wagons à bestiaux durant deux nuits.

– À la roulante! Par ici la bonne soupe! appelle un soldat au képi de travers, les jambières de pantalon retroussées par une pince à vélo.

Jean avise Maurice Duval, un copain de la période des classes, le Duval de Champignier, affecté à la section cycliste. Sans doute s'est-il déjà fait remarquer du capitaine, pour avoir été choisi comme cuistot. Le colonel Trabucco, patron du 121e, est fier de sa roulante neuve – elles sont encore rares dans l'armée française, partie en guerre dans l'improvisation. Il l'a fait débarquer la première, et mettre aussitôt en service au pied du ballast, par souci du moral des troupes. La bonne odeur du jus attire les hommes qui se présentent en file, le quart à la main. Les chasseurs à cheval du régiment de Clermont prennent leur suite, après avoir débarqué leurs chevaux.

67

– Tiens donc! dit à Jean le trompette Simoneau. Pas un coup de canon, pas un aéroplane, pas une saucisse! On se croirait aux manœuvres.

– Les cavaliers de ton escadron seront les premiers à repérer les lieux, lui répond le caporal. Tu risques d'avoir des surprises. Ici, personne n'a l'air de redouter les Pruscos. Ne crois-tu pas qu'ils se tordent de rire en nous regardant, nous autres, si confiants, si repérables? Nous sommes là, à crier, à tambouriner sur les marmites en exhibant nos boutons dorés et nos pantalons rouges… Je les imagine très différents de nous. Des guerriers invisibles, tout de gris vêtus et le visage enduit de suie, qui nous observent dans la futaie, silencieux comme le chasseur de sanglier…

– Allons, tempère le trompette, tu as lu ça dans Jules Verne. Les Pruscos sont encore loin. Et nos troupes de couverture sont devant nous. Laisse là tes croquemitaines et pense aux choses sérieuses… Mais tu dois avoir raison. Les vert-de-gris préparent sans doute leurs mitrailleuses de l'autre côté de la colline…

– À toi d'aller voir, c'est ton affaire! Il est temps de montrer que tu mérites ton bourrin!

L'escadron des chasseurs monte précipitamment à cheval et part en reconnaissance. Simoneau, pour sa part, rabroué par le maréchal des logis, s'étouffe en buvant son café trop chaud et saute en selle pour sonner le départ. On compte sur les cavaliers pour éclairer les colonnes d'infanterie. Jean et son escouade regardent les chasseurs à cheval partir au trot, et gagner le chemin herbeux qui grimpe dans les collines dominant la cuvette régulatrice. Une cible idéale pour l'artillerie à longue portée, pour peu qu'un avion les repère…

Le 121ᵉ d'infanterie les rejoint. À peine les biffins du

premier bataillon ont-ils libéré le train que celui-ci quitte la voie pour laisser place aux deux mille hommes des convois des 2ᵉ et 3ᵉ bataillons. En moins d'une heure, la clairière grouille de troupes. La compagnie de Jean a croisé les fusils en faisceaux. Le lieutenant fait regrouper les siens au pied de la vaste colline, au débouché de la route, afin qu'ils puissent repartir à l'aise les premiers.

Il explique posément qu'il faut attendre les trains de munitions, les voitures de foin et de vivres, ainsi que les fourgons contenant le matériel de l'artillerie. Le colon compte sur une partie d'entre eux pour aider au débarquement. Des charrettes descendent déjà des wagons plats, prestement attelées à leurs chevaux, et tirant à leur suite des petites voitures de mitrailleuses, des caisses de balles pour les fusils.

Dans la confusion, les unités ne retrouvent pas leurs équipages. Les sapeurs du génie sont à la recherche des caisses plombées des mines, les infirmiers du service de santé de leurs voitures. Les capitaines comparent les indications portées à la craie au bas des wagons à celles inscrites sur leurs feuilles de route. Certaines voitures ont-elles été accrochées de façon non conforme au triage?

Une compagnie de territoriaux, levés dans la région de l'Est et équipés de bonnets de quartier et de bourgerons, déchargent les bottes de foin destinées à la cavalerie, et forment la chaîne près des wagons plombés pour évacuer les caisses de munitions.

Des canons de 75 sont descendus à bras d'hommes. On attelle les chevaux, par six, au caisson d'une pièce. Les caissons du premier groupe du 53ᵉ régiment d'artillerie à cheval de Clermont-Ferrand sont prêts à prendre la route.

Neuf batteries de quatre canons doivent suivre pour la division, soit plus de deux cents chevaux.

Le colonel Trabucco a voulu donner l'exemple en choisissant de voyager dans un wagon de marchandises. Il est monté avec son cheval, accompagné de son ordonnance, au lieu de s'installer dans la voiture réservée aux officiers. Le premier débarqué, indigné à la vue du désordre de la clairière, il marche au-devant du commandant d'artillerie et menace d'interrompre le déchargement de son matériel.

— Où vais-je ranger mes équipages? répond cet officier. On a prévu trop juste! Les lieux sont déjà saturés de troupes! Il me faut de la place pour manœuvrer mes pièces et les convois d'accompagnement. Un tir d'obus lourds de l'ennemi ferait un massacre, et leur portée est de trente kilomètres!

— Je ne vois qu'une solution, tranche le colonel. Le train doit faire marche arrière pour vous permettre de gagner un emplacement dégagé. Ici, c'est impossible. On a prévu trop juste, en effet. Les éléments déjà débarqués rejoindront. Qu'on leur fraie un passage!

Jean Aumoine a remarqué, du bout de la clairière, les tubes bleutés des canons sur les plates-formes. Il se faufile entre les fourgons. Le 53e est le régiment de Léon, qui doit attendre son tour, près de sa pièce, pour descendre du wagon. Jean a juste le temps d'apercevoir son aîné qui l'a vu aussi, et agite son képi. Mais le train recule déjà, lâchant sa vapeur à gros flocons.

Léon n'a pas pu approcher son frère. Il a dû repartir aussitôt avec les autres artilleurs. Les chefs ont décidé de débarquer le gros de l'artillerie dans une autre clairière, assez proche, en cours d'aménagement.

À l'arrêt de son train, Léon tire sa pièce hors du wagon, la poussant sur le plan incliné avec l'aide de son déboucheur, Nicolas Blasin, une grosse culotte des aciéries Saint-Jacques. Tous deux, une corde passée autour des reins, la retiennent dans sa glissade, tandis que les trois servants la recueillent au sol.

Pierre Courtade, le pointeur, fixe le timon à l'armon de l'avant-train du canon, moins lourd à manipuler quand il n'est pas chargé d'obus. Ce champion de la chasse au canard, venu de Saint-Saturnin dans le Puy-de-Dôme, ne manque jamais la cible à l'exercice, l'œil fixé sur la visée.

– Garnissez le caisson d'obus! crie Léon. Nous sommes en campagne, nous devons être prêts au tir!

– Nous n'avons que les soixante-douze obus de charge des alvéoles, signale Jules Bracon, le chargeur. Les autres caisses n'ont pas suivi!

– Garnissez toujours, elles ne vont pas tarder.

Jules Bracon, de son métier convoyeur des houillères de Saint-Éloi, hoche la tête. À la mine, le charbon ne se fait pas attendre, mais à l'armée, c'est autre chose! Il sait bien qu'en manœuvre, on patientait pendant des heures avant la fourniture des obus en bois. Augustin Lapierre et Justin Dagois, les pourvoyeurs, se hâtent d'atteler les chevaux. Vacher à Larequille, Augustin est plus adroit à installer les harnais. Justin, mélangeur de caoutchouc chez Michelin, est moins doué que son collègue, et il ignore tout du cheval. Il finira bien par apprendre. Atteler et dételer les animaux de trait, le plus rapidement possible, est vital en campagne.

Les quatre pièces de la batterie une fois réunies dans la

seconde clairière, les attelages, suivis par les fourgons de fourrages et les charrettes des porteurs d'obus, s'engagent sur un chemin de halage qui rejoint la route départementale vers Épinal.

Le 53e régiment d'artilleurs à cheval doit se présenter aux ordres du général Naulet, vieux polytechnicien commandant l'artillerie du 13e corps. Celui-là n'est pas un képi parmi les autres. C'est un expert, un cerveau de l'armée nouvelle. Les jeunes de l'état-major l'écoutent avec déférence quand il parle.

Pour cet augure, le nouveau canon est la force de frappe capitale de l'armée française. Aussi veut-il vérifier l'état des batteries avant d'entrer en campagne. De leur allant dépend la victoire en Lorraine. Les ordres de Naulet sont formels : il veut voir, de ses yeux, toutes les pièces sans aucune exception. Il a prévu les officiers. Le général Alix, chef du 13e corps, sera présent. Léon, en défilant devant Alix, va connaître d'un coup toutes les huiles de l'armée française.

Le commandant d'armée Dubail, dont le QG est à Épinal, veut savoir exactement de quels moyens d'artillerie il peut disposer pour ses divisions de tête avant le départ de l'offensive. Il enverra des officiers de son état-major faire l'inspection. C'est tout juste si le généralissime Joffre n'a pas expédié l'un de ses jeunes adjoints, pour rendre compte. Peut-être l'a-t-il fait. Il est capable de tout pour s'informer.

— Décidément, s'étonne Léon, nos chefs ont gardé leur mentalité des temps de paix. Ils veulent la revue du matériel avant les manœuvres.

Dubaujard, son capitaine, lui coupe la parole.

— Cela sent l'offensive, lui dit-il. Monte le cheval de tête de ton attelage et mène-le bon train. Nous avons pris du retard et les fourgons ne suivent pas.

Léon, droit sur ses bottes, enlève la pièce, entraînant les six montures, sans un coup de fouet, et les deux autres chevaux de main gauche montés par les servants. Courtade pique des deux derrière l'attelage. Les pourvoyeurs d'obus, assis côte à côte sur chaque caisson, se tiennent aux coudes pour ne pas tomber et gardent le mousqueton fiché entre les jambes. Autour d'eux, accrochés aux caissons, des seaux, des pelles, des toiles de tentes, cordes à chevaux et outils de toutes sortes.

Les attelages défilent, comme à la parade. Léon fait un tête-droite devant le général de corps d'armée Alix dont le visage ne lui est pas inconnu. Ce dernier se tient à cheval dans son uniforme noir, sur la place Jaude de Clermont, tous les 14 Juillet. Pas un poil de sa moustache ne bouge quand les équipages passent au trot.

Les deux autres batteries du groupe suivent. Le capitaine Dubaujard tire son sabre pour saluer, comme à la revue de Polytechnique. Promotion 84, ancien élève du lycée Blaise-Pascal et toujours premier en maths, ce Clermontois de bonne souche, fils de sous-officier d'infanterie, attend la guerre depuis vingt ans.

On voit à son visage de marbre, à sa cambrure de cavalier, au geste ample, impeccable, du salut au sabre, qu'il est sûr de sa force neuve. Il présente au général le nouveau matériel parfaitement mis au point. Le 75 est invincible. C'est l'arme secrète qui doit permettre à la France de l'emporter sur une armée très supérieure. Alix est un général de corps d'armée parmi tant d'autres ; Dubaujard est unique dans l'artillerie de campagne.

Le capitaine est entièrement dévoué à son arme de pointe, qu'il chérit comme s'il en était l'inventeur. Le moindre canonnier de la batterie où sert Léon sait parfaitement, pour l'avoir vu à la besogne, qu'il n'a pas son pareil pour dépanner, les mains dans la graisse, le frein hydropneumatique du canon, et qu'il est le seul à pouvoir le faire, tant le système est complexe.

Ce fanatique de la technique croit dur comme fer à l'arme nouvelle. Il surveille ses pièces d'un œil jaloux, comme les mécanos d'antan les premières machines à vapeur qu'ils appelaient des princesses. Convaincu que l'arme absolue doit être aux mains de servants d'élite, Dubaujard a repéré les dons d'observation de Léon, sa connaissance du cheval, son adresse dans la manœuvre et l'a proposé, à la fin de ses trois ans, au grade de maréchal des logis.

– Sommes-nous vraiment en guerre? se demande Léon sous sa casquette à liseré rouge. Ces bougres nous font perdre du temps. En attendant, l'infanterie est seule.

Dans le carrousel des 75, si les chevaux et les hommes sont épuisés par le voyage, les batteries sont au complet, rassemblées dans un champ de manœuvre, non loin du PC de l'état-major, au soir du 10 août.

À la popote, installée à la hâte sous un chêne aux branches basses, Léon ose interroger un sous-lieutenant, si jeune qu'il a l'air de sortir de l'école, à peine vingt ans sous son képi.

– Pourquoi ne partons-nous pas sur-le-champ en campagne?

L'autre, assis sur une souche, déguste sa saucisse sans se tacher les doigts, comme dans les beaux quartiers. Il tourne vers le solide cavalier ses yeux embués par la fumée du brasero.

– Je ne comprends pas votre question, dit-il d'une voix pointue. Un départ se prépare, et nous ne sommes pas tout à fait prêts! Pourquoi se hâter?

— Il ne nous manque pas une pièce.

— Et les obus, mon ami, dit le jeune gradé, les obus! Au début de l'année 1914, quand Joffre était chef suprême de l'armée, il en demandait mille cinq cents au moins par pièce, au ministère de la Guerre. Mais les généraux posent leurs conditions, et les bureaux disposent. Le budget a ses limites. Les exigences de Joffre n'ont pas été satisfaites. Il a obtenu à peine mille quatre cents obus de dotation, et il en faut trois mille pour une offensive! Calculez vous-même : seize obus à la minute, neuf cent soixante à l'heure pour un seul canon! Nous sommes équipés pour tirer une pièce à l'heure et demie. Est-ce vraiment suffisant?

Le polytechnicien retombe dans son silence et retourne à sa saucisse.

— Comment s'appelle ce cerveau? glisse Léon à Courtade.

— Il est arrivé la semaine dernière en renfort de cadres. Son nom est Henri Lejeune. Il est parisien.

Le trompette de la batterie sonne le rassemblement. Pas question de dresser les tentes sur place, il faut partir. L'artillerie, selon les ordres du général Alix, doit être réunie sur la zone de Charmes, à cinquante kilomètres de là.

— Enfin! dit Léon sautant à cheval et dirigeant la manœuvre du canon.

Il s'inquiète subitement du retard anormal des convois de munitions. Les pièces sont toutes alignées, mais les renforts d'obus font défaut. Toujours le désordre. La pièce nécessite au moins six mille obus de toutes sortes : les «pots de fleurs» garnis de balles, explosifs en acier bourrés de mélinite, les

incendiaires, les fumigènes et les fusées fusantes et percu-
tantes… Il ne sera pas tranquille tant qu'il n'aura pas son
stock de caisses bien alignées dans les fourgons, et celles-ci se
font attendre.

Il espère vaincre l'ennemi au premier choc, d'un tir
rapide et destructeur. Léon veut rentrer chez lui, boucler la
campagne en canonnant vite et dru. Il sait que les explosifs
hachent le terrain et arrosent l'armée adverse d'infimes
particules dans un rayon de vingt mètres, qu'un seul fusant
peut couvrir deux cents mètres d'une pluie d'acier infernale,
transperçant les casques à pointe de cuir bouilli. Il dispose
d'un feu efficace. Pourvu que l'intendance suive et que les
munitions ne lui manquent pas. Il ne peut s'empêcher
d'interpeller son pâlichon de sous-lieutenant qui le talonne à
cheval botte à botte, comme s'il recherchait sa protection.

— Sans nous, lui dit-il, l'infanterie est foutue. Sans nos
obus…

— Ne soyez pas aussi inquiet, répond Lejeune. Les trains
nous attendent sans doute à Charmes. Joffre a tout prévu.

— Joffre, sans doute, mais les autres, sur le terrain ?

— Nous verrons bien !

Le soir tombe. Le convoi stoppe sa marche, avec les autres
batteries de la division, au pied du village de Vaumécourt,
non loin de Rambervillers. Le lieutenant fait savoir aux
officiers que la marche de l'unité est détournée de la route de
Charmes pour un départ le lendemain, en direction de
Raon-l'Étape, exactement à l'opposé. Si le train de munitions
a été orienté vers Charmes, on peut le chercher longtemps !

— Il faut renforcer Charmes, se dit Lejeune, très étonné
par la contremarche. La région est stratégique : entre Nancy
et les Vosges, les Allemands peuvent s'engouffrer dans cette

« trouée de Charmes », une plaine vallonnée entre Moselle et Meurthe. Il est donc indispensable de concentrer de gros moyens sur ce boulevard qui ouvre l'une des portes de la France. Mais il ne sert à rien de débarquer les munitions d'artillerie près de Charmes et de conduire nos pièces dans la direction de Raon-l'Étape, beaucoup plus à l'est.

Quand les artilleurs font pied à terre, le village de Vaumécourt où ils doivent bivouaquer est déjà occupé par une unité d'infanterie.

– Impossible de se loger, dit le sous-lieutenant. Il faut dresser les tentes.

Celles-ci sont montées à l'entrée du village, en quelques minutes. Léon veille en premier lieu à conduire ses chevaux à l'abreuvoir et à leur fournir du foin. Pas de roulante en vue pour les hommes.

Dubaujard négocie déjà avec un commandant d'infanterie pour obtenir des vivres, du café et du vin. L'autre se fait tirer l'oreille. Il a tout juste, assure-t-il, de quoi nourrir ses hommes, et les consignes sont de ne rien prendre chez l'habitant. Pas très solidaires, les fantassins.

Les hommes de la batterie n'ont pas attendu. Ceux de Léon ont fait la soupe eux-mêmes, en envoyant une corvée aux fontaines du village afin de remplir les marmites d'eau qui chauffent déjà sur les feux de bois. Augustin Lapierre, l'infatigable vacher de Durdat-Larequille, pourvoyeur à la pièce de Léon, a chapardé dans les jardins potagers des bottes de poireaux, déterré un bout de champ de pommes de terre. Le lard ne manque pas dans les musettes. Les servants ont accroché, par précaution, une bonbonne de pinard à leur caisson. Lejeune réprime un sourire sur ses lèvres minces :

– Les Français ne sont jamais pris au dépourvu pour la bouffe, se dit-il.

Le brillant polytechnicien accepte de popoter avec la troupe. À la guerre comme à la guerre! Après le repas, le clairon sonne. Non pas l'extinction des feux, mais le rassemblement. Faut-il déjà repartir? Dubaujard rassure discrètement les hommes. Ils sont seulement convoqués devant le commandant Guyard qui doit leur faire la lecture d'un ordre du jour étincelant, émanant du général Dubail. La frontière d'Alsace a été franchie le 7 août, à l'aube. Mulhouse a été reprise. Léon se sent le cœur empli de fierté, il en pleurerait presque. Ainsi, l'Alsace est déjà reconquise, la campagne à peine commencée.

Il ne peut savoir, pas plus que Joffre lui-même, si mal informé, que trois armées allemandes se préparent à fondre sur la Belgique, et qu'un plan général d'anéantissement de l'armée française est mis en œuvre. Il est loin d'imaginer que le recul des Allemands de Mulhouse est stratégique. Le sous-lieutenant Lejeune garde pour lui ses doutes. L'ennemi, à l'évidence, peut espérer retenir d'importantes forces françaises dans la région, pense-t-il. Voilà pourquoi il nous laisse avancer en haute Alsace.

Léon n'est pas un stratège, et son petit polytechnicien ne lui fait pas de confidences. Que pourrait-il dire, alors que les artilleurs ont la trogne illuminée par ces nouvelles? Le père Joffre a vu juste. Dubail regonfle, à coup sûr, en son nom, le moral de l'armée tout entière avec son communiqué de victoire et cette opération réussie en Alsace pour commencer la guerre.

À l'instant de regagner sa tente, Lejeune consent à dire à Léon que les ordres du lendemain sont d'avancer sur la

Meurthe, vers Raon-l'Étape. Il est prévu de marcher au pas, afin de ménager les montures. Il sera inutile d'aller vite, explique le sous-lieutenant : deux divisions d'infanterie éclairées par les chasseurs à cheval et les dragons vont rondement de l'avant et l'attaque générale est prévue pour le 14 août. Plusieurs jours de délai. Pour Léon, l'information a son prix : dans l'une de ces divisions marche son frère, Jean.

Le clairon, sur ordre du colonel Trabucco, sonne le rassemblement, au matin du 10 août. Jean comprend qu'il faut partir aussitôt, en rangs par deux, sur la route de la montagne, sans attendre le train qui suivra avec les vivres, les munitions et les fourrages. Non pas pour aborder aussitôt l'ennemi, encore éloigné, mais pour évacuer la zone de la gare terminus au plus vite. Les chefs n'ont pas su prévoir une zone de débarquement à hauteur des effectifs d'une division : les trois autres régiments d'Auvergne de la 26ᵉ se présentent déjà sur les voies. Il faut leur faire place nette.

Les colonnes par deux du 121ᵉ ont pris la route sur le bas-côté pour laisser passer les voitures d'état-major et les convois de matériel. La première étape est longue pour les éléments de pointe, trente-sept kilomètres jusqu'à Moriville. Le parcours du bataillon est en dents de scie, sur des routes secondaires. La route principale ayant été réservée à l'artillerie, dont on espère la mise en place rapide, le 121ᵉ est condamné à chercher son chemin en louvoyant. Aux seigneurs du canon toute la place!

Quand les soldats gagnent enfin les rives de la Moselle à Chalet, personne ne peut les retenir. Au sifflet du capitaine, ils lâchent sacs et fusils, enlèvent képis et vareuses, ouvrent leurs chemises, arrachent leurs chaussures et plongent dans l'eau. Les gradés laissent faire, et bientôt les imitent, tant la chaleur est forte. Les blanchisseuses stupéfaites interrompent un instant les coups de battoir sur le linge pour acclamer ces hommes jeunes qui envahissent leur rivière. Certains veulent s'approcher des femmes, pour prendre un baiser. Ils n'en ont pas le temps : le sifflet strident du juteux Castaldi les rappelle à l'ordre. Jean, qui espérait profiter de l'eau claire pour se raser, rejoint les vingt-cinq soldats de la section qui grimpent déjà sur la rive, pieds nus et en caleçon. La récréation est terminée.

Ragaillardis par la baignade et stimulés par l'adjudant Castaldi, ils reprennent la route. Le capitaine de la Porte du Mail surveille la manœuvre, la pipe au bec et l'œil irrité.

Cet ancien du 121ᵉ n'a jamais connu, depuis Saint-Cyr, que la vie de garnison. Pas d'aventure exotique inscrite sur le livret militaire de cet officier d'active. Il ne s'est jamais porté volontaire pour la colonie sous prétexte que son épouse est de constitution fragile. Il a pourtant le teint bilieux et parcheminé d'un ancien du Tonkin. À près de cinquante ans, il sait qu'il ne commandera jamais un bataillon, à moins que la guerre ne lui ouvre des voies. Aussi tient-il à faire du zèle.

– Ces bougres-là nous feraient manquer le rendez-vous d'étape que j'ai promis au colon, dit-il au lieutenant Gérard, qui commande en second sa compagnie.

Il ordonne à ses deux cent cinquante biffins de presser la cadence malgré la canicule, alors que son cheval donne déjà des signes d'essoufflement.

Une file d'autobus parisiens, chargés de viandes fraîches et de vivres, les dépasse pour atteindre les premières lignes. Ceux-là ne sont pas pour eux. Des voitures à cheval suivent, pleines à ras bord d'équipements, de caissons de munitions, puis les voitures de mitrailleuses. Les troupes de couverture sont sans doute sérieusement accrochées dans les cols des Vosges, qu'on cherche déjà à les secourir de toute urgence.

Les biffins du 121ᵉ sont soulagés à la vue des chars à bancs réquisitionnés dans les villages avoisinants pour transporter leurs sacs. Edmond Prost, l'ami de lycée de Jean, a été le premier à hisser le sien. Cet étudiant en droit n'avait jamais pu intégrer le peloton des élèves caporaux en raison de sa déficience physique. C'est miracle qu'on l'ait recruté dans l'infanterie. Il ne garde avec lui que son fusil, sa couverture et sa toile de tente. Jean reste à son côté, pour le soutenir dans son effort. Mais il perd pied, tombe vite en queue de colonne.

– Donne-lui ta gourde. Un peu de gnôle le remontera, dit André Biron.

– Non pas. L'alcool le ferait tomber raide. Il n'a pas l'habitude.

Le pas des paysans du bataillon se ralentit. Le rouge en est la cause. Le vin, au lieu de donner de la jambe, comme ils le pensent tous, affaiblit. Ils suent, peinent, traînent leurs lourds godillots, trébuchent sur les cailloux. Le juteux peut hurler, rien n'y fait.

Il a lui-même déployé son mouchoir à carreaux sur sa nuque, comme au Maroc, pour ne pas être assommé par le soleil. Non seulement il ne peut imposer le pas redoublé, mais il doit dépenser sa belle énergie à rabattre les derniers. Seuls les sportifs entraînés résistent à une telle épreuve, les ouvriers cyclistes ou les paysans chasseurs. Les autres, si costauds soient-ils, ont de la peine à poursuivre la marche, même débarrassés de leur charge. Ils savent lever cent sacs de blé, pas faire cent kilomètres à pied.

Le capitaine de la Porte du Mail, toujours à cheval, regarde le bataillon étiré sur une demi-lieue. Il ordonne à la clique de jouer *Auprès de ma blonde* pour ranimer les courages. Seuls les premiers rangs maintiennent la cadence. Le lieutenant Gérard se débat pour ramener les siens. Jean, qui se révèle un marcheur tenace, l'aide de son mieux.

Jules Bousquin de la Genebrière, le plus solide de l'escouade, raconte des blagues en marchant, comme si l'effort lui coûtait peu. Maurice Duval, de Champignier, un bon garçon, ne paie pas de mine. C'est un athlète infatigable. Le visage en lame de couteau, la barbe hirsute et le dos voûté, il a pourtant couru le Tour de France cycliste de 1913, pour l'honneur du régiment, par permission spéciale du colonel. Quant à Robert Nigier, des Ferrières, il est mineur de fond et tellement heureux d'être à l'air libre qu'il trotte sac au dos comme un gosse en retard pour l'école.

Ils ont pris la tête de la colonne et arrivent les premiers, conduits par le sergent Massenot, en vue du bourg de Moriville, quand les rayons du soleil plongent derrière les arbres de la grande forêt de Rambervillers. Jean est en queue, soutenant Prost. Parmi les derniers, le capitaine de la Porte du Mail, épuisé, marche à côté de sa monture sans pouvoir la tirer par la bride. Le cheval, qui ressemble à une haridelle, ne veut plus rien savoir et ne montre aucun respect du grade.

Comment les soixante habitants restés au bourg pourraient-ils abriter et nourrir un bataillon? On fait aux soldats un accueil chaleureux, les femmes leur offrent de l'eau et du vin, les enfants les acclament en brandissant de petits drapeaux tricolores, mais les soldats doivent s'entasser dans les granges, les écuries, les caves et les greniers. Seuls les officiers ont des lits dans des chambres.

Tous apprécient de coucher au moins sous un toit quand un orage transforme en bourbier la place et les rues du village. Ils s'endorment dans la paille au soir du 10 août. Edmond Prost s'est installé le premier dans une étable à vache. À cette saison, par cette chaleur, les bêtes restées au pré ne le dérangeront pas.

La compagnie des mitrailleuses, force de frappe d'un bataillon d'infanterie, est retenue sur le qui-vive. Le capitaine a décidé de réviser une fois encore le matériel avant d'aborder la nouvelle étape. Les Saint-Étienne s'enraient trop souvent pour qu'on n'en prenne pas soin. Les sous-officiers d'active, qui savent démonter les yeux bandés les mille pièces de l'engin, refont l'exercice devant les rappelés dont les paupières tombent de fatigue. Aussi zélé soit-il, le lieutenant Gérard ne peut rien imposer de semblable à ses hommes qui ne sont armés que de fusils Lebel. À quoi servirait-il de faire graisser les magasins ?

Le lieutenant veille longuement avec Jean Aumoine et le sergent Massenot dans la grange où ils ont pris leur repas. Il a tenu à partager le menu de la troupe, la soupe chaude de la roulante, le vin arrosé de poivre, pour lui faire oublier les tracasseries de l'adjudant corse. Le jeune homme a Lyautey pour livre de chevet et croit au rôle social de l'officier.

– Quand verrons-nous l'ennemi ? hasarde Massenot le plombier, impressionné par les forêts obscures qui bordent la route vers l'est. A-t-on une idée de la distance de ses premières lignes ?

Le lieutenant Gérard ne répond pas directement. Il espère seulement que le colon a fait effectuer des reconnaissances dans les bois.

— Le communiqué du soir est encourageant, lâche-t-il. Je reviens du PC du colonel, installé dans la mairie. Il nous en a donné lecture.

Trabucco s'est bien gardé de dire à ses officiers que les Allemands avaient repris Mulhouse, où les Français du 7e corps avaient pataugé. Il a appris que le général Bonneau, qui commandait l'unité, était mis au rancart. Expédié à Limoges. Certains, à l'état-major, disaient déjà limogé. Mais il est interdit d'employer ce terme de mépris, qui ne circule pas encore dans la troupe, en parlant des généraux. Interdit d'évoquer les erreurs de commandement.

D'autres éliminations brutales ont été annoncées aux commandants de grandes unités, et répercutées au niveau des régiments. Le lieutenant Gérard, informé, a songé que Joffre allait être furieux d'être ainsi contraint de saquer pour incapacité des chefs aussi haut placés. Qu'en penserait la troupe? Le communiqué ne s'étend pas sur les limogeages. Il ne parle que de la formation d'une nouvelle armée d'Alsace, confiée au général Pau.

— Un bon chef, dit le lieutenant. Il a commandé en 70. Un vrai patriote.

— Encore un général chenu, se risque Massenot. Pourquoi ne pas nommer général un bon colonel?

— Pau vient du Conseil supérieur de la défense, la plus haute instance de l'armée. Il faut à la tête d'une grande unité un chef qui en connaisse à fond les rouages. Pau a la confiance de tout le monde. Je serais heureux qu'il eût aussi la vôtre.

Jean ne pipe mot. Tout ce que dit un lieutenant, si près de ses hommes et si simple dans ses manières, est pour lui parole d'Évangile. Avec celui-là, on peut aller au feu.

Massenot s'abstient aussi de tout commentaire. Il n'en pense pas moins que le désordre est déplorable, et sans doute imputable à certains généraux. Une telle armée a besoin d'une organisation de fer et de chefs en acier trempé. Il espère sincèrement que Pau sera l'un de ceux-là.

Le lendemain, lundi 11 août, la diane sonne au lever du jour sur le village endormi. Des filles en corsage blanc, des cocardes tricolores dans les cheveux, se proposent aux cuistots en bonnets d'âne de la roulante, pour porter le café dans les cantonnements :

— Comment t'appelles-tu ? demande Jean Aumoine à une blonde aux cheveux nattés qui remplit son quart avec grâce.

— Marie-Louise. Je suis la fille du maire de Moriville.

— Pas de panique à Moriville, pas de départs de la population ?

— Pour quoi faire ? dit-elle. Vous êtes là pour nous défendre, comme nos chasseurs à pied du 21e bataillon, tous des gars de Moriville et de Raon-l'Étape. Ils sont juste devant vous, au contact des Allemands. Mon frère est avec eux, un diable bleu. Nous, nous sommes là pour vous aider. En souvenir de notre village, voilà des brioches et du vin gris de Toul. Je vous donne cette médaille bénite, vous la remettrez à mon frère Michel, quand vous le verrez. En voilà une aussi pour vous.

— Merci pour la vierge de Moriville, dit Jean, et surtout merci pour les sourires et les fleurs.

Trabucco, à cheval le premier, lisse sa moustache brune à la Foch, et constate l'heureux effet sur la troupe des attentions du maire, qu'il a un peu sollicitées. Il dresse rapidement le plan de route avec le capitaine Migat, qui lui sert de chef d'état-major, bien qu'il soit d'abord en charge du 3e bataillon. Il le préfère au capitaine de la Porte du Mail, et même au commandant Robert Montagne, à la tête du 2e. Le premier, saint-cyrien, est trop soucieux de se mettre en avant pour rattraper son retard au tableau d'avancement, le second, sorti de Saint-Maixent, trop rigide, trop «consigne consigne», meilleur à la manœuvre qu'à la guerre.

— En tête, la compagnie de mitrailleuses, les fourgons de munitions et de ravitaillement. N'oubliez pas la roulante. Elle doit être la première en place.

Le colonel admire son ancien professeur à l'École de guerre, Ferdinand Foch, le théoricien de l'offensive. Il soigne le moral de ses fantassins parce qu'il compte sur eux, à la première charge, pour enfoncer l'ennemi et créer le choc qui décide de la victoire. Il sait que Joffre n'a donné à Foch qu'un commandement secondaire, celui du 20e corps de Nancy, par prudence, redoutant sans doute sa fougue excessive.

Trabucco le regrette. Il préférerait obéir à Foch plutôt qu'à un Signole, un général de la politique qui passe pour devoir sa carrière à son frère parlementaire. C'est ce Signole, qui commande la 26e division, dont il dépend. Il espère cependant, si son régiment est en tête, créer tout seul l'événement de la percée. Il croit à la force des baïonnettes, bien soutenues par les mitrailleuses.

Le régiment prend la cadence devant le colonel immobile comme à la revue. Le sergent Massenot, toujours bon observateur, glisse, un peu inquiet, à Jean Aumoine :

— As-tu remarqué ? Pas d'agent de liaison de chasseurs à cheval dans l'état-major du colon. Pas un seul uniforme de cavalerie. A-t-il perdu son escadron de reconnaissance ?

— Et pas un de ces foutus avions dans le ciel, dit Jean. Je me demande si nous ne marchons pas à l'aveuglette, sans savoir au juste où sont les Allemands.

— Nous n'avons pas encore entendu le canon. Pourtant nous ne sommes pas loin des Vosges.

— Ils se battent sur l'aile droite. Le communiqué disait que les cols étaient tenus par nos troupes.

— Les premiers combats ne sont pas pour nous. La forêt nous en sépare. Il faudra ouvrir l'œil à la sortie. C'est là qu'ils nous attendent, les Pruscos, comme des chasseurs à l'affût.

— Nous les recevrons, et nous leur ferons un brin de conduite, dit Jean en montrant son Lebel.

La prochaine marche n'est pas la plus longue : quelque vingt kilomètres, cinq heures de piétinements jusqu'à Rambervillers, où doit rejoindre l'artillerie. Mais la chaleur est accablante et la route grimpe et descend sans arrêt.

Instruit par l'expérience, le colonel a fait disposer les sacs dans des voitures à cheval réquisitionnée pour alléger la marche de ses hommes. Il n'y a pas un fantassin du Bourbonnais qui ne lui en sache gré. Edmond lui-même prend presque joyeusement le départ, avec les copains, le fusil à la bretelle, la toile de tente en sautoir. Il espère arriver en bon état et ne pas décevoir son caporal si plein de fougue.

Hélas, à l'étape, totalement épuisé, incapable de faire un pas de plus, il doit être expédié chez le médecin-major du régiment. L'officier fait découper par un aide les chaussures du blessé au rasoir. Les pieds sont enflés, saignent à cause de dizaines d'ampoules éclatées. Il est le premier évacué du 121e, inapte à prendre le départ du lendemain, 12 août pour Raon-l'Étape. Encore vingt kilomètres sous la canicule, dans des conditions plus pénibles à cause de l'importance croissante des convois d'artillerie et de ravitaillement. Toutes les unités d'infanterie des 25e et 26e divisions, soit plus de vingt-quatre mille hommes, font désormais marche commune, en un immense chapelet de biffins.

Éreintés par les kilomètres accomplis en moins de trois jours, les pantalons rouges couverts de poussière s'arrêtent pour lacer la paire de chaussures de secours sortie du sac. Sur les képis cabossés, on reconnaît tout juste le numéro du régiment.

Les biffins sont asphyxiés par les nuages de poussière que soulèvent les fourgons, abrutis par le klaxon des automobiles des officiers pressés, bousculés par des détachements de cavaliers appelés en tête de colonne pour éclairer la marche. Les artilleurs à cheval jurent en dégageant la route afin de laisser passer les pièces attelées. Jean Aumoine interpelle les artilleurs : êtes-vous de Clermont? Non pas, ils viennent de Moulins pour soutenir la division de Saint-Étienne. Où sont ceux du 53e? Ils ne savent pas.

Lorsqu'un autre peloton surgit au trot, le cavalier de pointe, Léon, adresse des signes joyeux à son frère Jean.

— Où allez-vous?

— Col de la Chapelotte, en renfort. Nos chasseurs alpins y sont enfoncés.

Il presse son cheval, et fait de grands signes à Jean qui reste perplexe. Si l'artillerie de la division, à laquelle appar-

88

tient le régiment de Léon les abandonne, quel soutien auront-ils?

Des sapeurs du génie frayent un passage à leurs charrettes chargées d'éléments de ponts. Les Allemands ont-ils fait sauter au canon les ouvrages de la Meurthe, plus près encore, sur la rivière Mortagne? À l'étape, les communiqués sont de plus en plus laconiques. On évoque seulement les progrès de l'armée d'Alsace dans les Vosges. Rien sur la bataille des cols.

Au soir du 11 août, les haut gradés des régiments, des brigades et de la division, réunis à l'hôtel de ville de Raon-l'Étape, en ont longuement discuté avec un certain commandant Bourinat, un envoyé spécial de l'entourage immédiat de Joffre, expédié à cheval. Celui-ci est venu distiller d'une voix métallique l'avertissement du ciel aux généraux et colonels commandant les unités. Les gradés le connaissent bien, ils savent que son rôle est aussi de les surveiller... Ils détestent ces jeunes arrogants, généralement inférieurs en grade Ils les accusent de voir la guerre sur leurs cartes, et les soupçonnent d'orchestrer la disgrâce rapide des généraux du front.

Les chefs d'unité, ce soir-là, ont décidé de ne pas mâcher leurs mots. Pourquoi, disent-ils à Bourinat, ces silences de l'état-major de Vitry-le-François? Pourquoi ne pas tenir tous les responsables de terrain au courant de l'ensemble des opérations? Pourquoi ne pas parler des renseignements recueillis sur la marche des armées allemandes? Le bruit court qu'elles s'approchent de la Belgique.

– La Belgique? leur répond Bourinat en ajustant ses lunettes. Mais, en ce 11 août, Joffre lui-même n'est pas encore sûr de l'invasion de la Belgique. Pourquoi l'évoquerait-il devant ses chefs d'armée? La question n'est pas à l'ordre du jour. Joffre ne parle que d'une chose, quand il parle, ce qui est rarissime… c'est de la grande offensive prévue le 14 août en Lorraine, ici même «dès le jour». L'attaque se fera en liaison avec le 8ᵉ corps du Berry. Joffre a l'œil fixé sur vous.

Il salue les colonels en claquant des talons, laissant entre leurs mains l'ordre d'attaque signé de Joffre. Le bruit de ses bottes à éperons s'éloigne sur les dalles de pierre de l'hôtel du XVIIIᵉ siècle.

Le colonel Trabucco, au matin du 12 août, médite sous les arcades de l'hôtel de ville de Raon-l'Étape avant de monter à cheval. Ceux qui commandent à la division, au corps d'armée, à l'armée, seront-ils demain, comme on commence à le dire, écartés à leur tour, expédiés à Limoges avec les égards dus à leur âge? Restera-t-il seul en ligne, pour contenir l'ennemi, avec les colons des régiments de Clermont et de Riom? L'épreuve approche, les hommes le savent. Une dernière marche, et ils entendront le canon.

Il monte à cheval et parcourt du regard la petite cité déjà réveillée. Dernière image de paix : les fleurs aux fenêtres, les drapeaux partout, les femmes remplissant leurs cruches aux fontaines jaillissantes ornées de statues du Grand Siècle. Demain l'artillerie lourde allemande, déjà mise en place, détruira tout cela.

Sur la place d'armes, les troupes prennent l'alignement pour le départ. Trabucco s'avance en tête de son 121ᵉ régiment qui va marcher vers Neufmaisons et Badonviller, sur le flanc ouest des Vosges. Les femmes lancent des fleurs aux soldats, les enfants les accompagnent jusqu'aux portes de la ville. Le colonel a fait donner la clique. Les hommes marquent le pas, d'instinct, aux accents de la *Marche lorraine* pour prendre la cadence du défilé. Une fille brune aux bras dorés de soleil se jette au cou de Jean. Il ne manque à ce départ au front qu'un arc de triomphe. Ils sont fêtés comme s'ils avaient déjà gagné la guerre.

Jean entend pour la première fois le canon quand le régiment passe près de Badonviller, le 12 août. Le son vient de très loin, du col de la Chapelotte vers l'est. Les hommes baissent la tête. Cette fois, ils approchent de la bataille et les obus peuvent tomber. Mais les lieux des combats engagés dans les Vosges, à l'est de la colonne, ne sont pas leur objectif. Le colonel l'a dit : nous marchons sur Sarrebourg.

Le bataillon de tête n'a pas encore rencontré d'Allemands, pas la moindre flamme de uhlan, durant la traversée des bois de Reclos. L'ennemi guette-t-il leur marche ? Un parti de cavaliers français sort à ce moment précis des bois pour éclairer la forêt.

— Nos chasseurs ? demande Jean.

— Des dragons, dit Massenot. Ils portent le casque et la lance. Les chasseurs à cheval se sont volatilisés. On ne les a pas revus depuis leur départ de la gare terminus.

On entend un feu de mousqueterie, très bref, du côté d'une grange isolée dans une petite clairière, au milieu des bois :

— Les gendarmes ont encore fusillé un espion, commente le sergent qui a fait causer, la veille, les femmes de Raon-

91

l'Étape. Ils pullulent dans ces bois. Des paysans d'origine allemande qui ont repris des fermes abandonnées. Il paraît qu'ils se servent même des troupeaux de moutons, disposés selon des figures convenues à l'avance, pour donner des signaux aux aviateurs.

– Nous n'avons pas vu un seul avion.

– Il n'est pas trop tard. Tiens! voilà ton baptême de *Taube*! Prépare ton Lebel, ils volent bas.

Le régiment, sur ordre, gagne les fossés de la route. Une voiture tirée par deux cavaliers s'approche au galop de la tête de colonne. Les dragons mitrailleurs, qui suivaient le régiment prêts à intervenir à la moindre alerte, se mettent aussitôt en batterie. Mais le *Taube* aux ailes d'oiseau, marqué de la croix noire de Prusse, se redresse, échappe à leurs rafales et passe la colline boisée.

– Un albatros, dit le lieutenant Gérard. Ils s'en servent pour l'observation d'artillerie. Les voilà prévenus de notre approche. Ils n'ont pas besoin d'espions.

La colonne s'arrête. Il faut reconnaître à l'ouest le haut du Viembois, où l'ennemi a pu placer des observateurs, et peut-être quelques batteries aventurées. Les lances des dragons brillent au soleil quand ils s'avancent sur la route en lacet avant de disparaître dans la sapinière.

Le bataillon de Jean se repose dans le fossé pour une halte improvisée. Il doit faire place non pas à des véhicules en marche vers l'avant, mais, pour la première fois, à une colonne descendante. Des charrettes chargées de blessés, suivies par une file informe et claudicante de soldats sans armes, s'aidant de bâtons pour marcher. Les visages sont couverts de sang, défigurés par les pansements de première urgence. Des cavaliers démontés, sans képi, dont le dolman bleu ciel a perdu ses brandebourgs. Les uniformes sont en pièces. Des chasseurs à cheval ont échangé leurs bottes contre des godillots d'infanterie sans lacets, et traînent le pas.

Les biffins du 121ᵉ se lèvent pour découvrir l'horreur du sang versé, des chairs arrachées, des visages déformés. Dans la file sinistre, Jean croit reconnaître un homme qui boite, le pied entouré d'un bandage sale, la chemise ouverte et sanguinolente. C'est bien Henri Simoneau, le fringant trompette du 3ᵉ chasseurs. Il l'appelle. L'autre tourne vers lui des yeux vides, sans expression.

— Je n'irai pas au bout, dit-il en s'écroulant. Je n'en peux plus.

Jean ouvre sa gourde de gnôle, l'approche de ses lèvres, demande un brancardier. Par bribes, Henri raconte : son escadron était en découverte près des étangs de la Pierre-Percée. Ils sont tombés sur les uhlans, qu'ils ont mis en fuite. Mais une grêle d'obus de 77, chargés à mitraille, s'est abattue sur eux, sans qu'ils voient l'ombre d'un ennemi.

— Faites gaffe, dit-il en cherchant ses mots. Ils sont cachés dans les bois, enfouis dans des trous profonds. La moitié de l'escadron était à terre. Les autres ont tenté de poursuivre. Ils se sont fait hacher par les mitrailleuses.

— Est-ce loin ?

— Une heure de route.

Il marche depuis trois kilomètres, la cheville touchée par un éclat, la poitrine percée d'une balle. Il souffre le martyre. Il veut mourir là, au bord du chemin. Il tend à Jean son matricule.

— Je n'en ai plus besoin, lui dit-il. Tu diras à ceux de Durdat que la guerre est une saloperie.

On le charge sur une civière. Il a déjà fermé les yeux. Le cœur a lâché, dit l'infirmier.

Jean rejoint son rang, la gorge serrée. Les ordres claquent.

– Dispersion en éventail dans le bois. Sortez les pelles. Trous individuels.

La guerre commence. Jean Aumoine a vu le premier homme mourir dans ses bras. C'était son ami. Henri ne reverra plus jamais les toits de tuiles rouges de Durdat-Larequille.

Le feu tue

Les convois d'artillerie se succèdent sur la route du col de la Chipotte. Pas de pitié pour les chevaux écumants. Les servants, qui ont sorti les fouets de cuir, éperonnent les flancs à les vermillonner, en bousculant les colonnes compactes de fantassins qui occupent la route étroite. Il faut faire vite. Le feu n'attend pas.

Le capitaine Dubaujard chevauche en tête de batterie. Désireux d'engager la conversation, il fait signe au sous-lieutenant Henri Lejeune de le rejoindre.

— Nous n'avons, ni vous ni moi, aucune expérience vraie de la guerre, lui dit-il d'un ton familier, en camarade issu de la même école. Vous rejoignez tout juste le corps. Nous sommes presque au baroud. Quel est votre début de carrière d'artilleur ?

— J'ai refusé l'artillerie lourde.

— Vous avez bien fait. Ils n'ont que des pièces vieillies, de vieux Debange, sans aucune mobilité. Vous auriez été coincé en forteresse à Maubeuge, où vous auriez perdu votre temps. Où avez-vous été affecté ?

— Après mes classes au 35ᵉ de campagne à Moulins, j'ai rejoint l'école d'artillerie de Fontainebleau, avec des collègues de Polytechnique. Mais nous avions aussi pour camarades trois cents brigadiers et sous-officiers sortis du rang, sélectionnés par examen spécial.

— Très bonne école! dit Dubaujard, en adepte de l'amalgame, indispensable pour l'armée de la mobilisation qui comptera plus d'un million d'hommes au front sous les armes. Les cadres sont si peu nombreux. Il faut les former très vite, envoyer aux écoles d'application ceux de Polytechnique, mais aussi les bons sous-officiers qui viennent de quitter les usines, les ateliers et les champs…

« Je ne doute pas de vos connaissances, lance-t-il encore à Lejeune d'une voix amicale, mais vous avez peu d'expérience de la manœuvre. Collez aux bottes d'Aumoine. C'est le meilleur maréchal des logis du régiment. Je compte l'envoyer à Bleau après les premiers combats. Nous allons avoir un besoin urgent d'officiers. Il fera un bon lieutenant. Il a un don rare, l'instinct du cheval. C'est de naissance. Aumoine est un centaure.

Le canon tonne au loin, dans le bleuté des sapins. L'étape sera longue et dure. Plus on approche du col, plus les colonnes de blessés évacués s'étirent sur la route sinueuse et détrempée par l'orage.

— L'infanterie de la couverture n'a pas tenu le coup, maugrée le capitaine. Les nôtres auront manqué d'obus pour les soutenir.

— Nous ne sommes pas plus riches que les artilleurs en ligne dans le col, dit le sous-lieutenant. Pas plus de réserves de munitions. Nous montons en renfort sans excès de moyens!

— Il faudra faire au mieux. Le convoi de ravitaillement vient de nous rejoindre. Il s'était égaré du côté de Charmes.

La pagaïe, toujours la pagaïe! Si Joffre l'apprend, des têtes vont tomber!

Le capitaine n'envisage pas une seconde que, si les soixante-quinze engagés dans le combat du col n'ont pu faire face, c'est pour cause de portée trop courte. Il préfère mettre l'intendance en défaut. À son jeune camarade, il assure qu'il dispose maintenant d'un minimum de 1 300 coups par pièce, et que les Pruscos n'ont qu'à bien se tenir.

– À condition de manœuvrer rapidement, ajoute-t-il, et de changer souvent d'emplacement. Il ne faut jamais être pris par surprise. Ils ont tôt fait de nous repérer du haut de leurs maudites saucisses, avec leurs jumelles sorties toutes neuves de l'usine d'Iéna, et de nous arroser avec une précision tudesque. Mais n'ayez pas d'inquiétude, notre batterie est bien rodée, elle ne se laissera pas écraser. Chacun connaît parfaitement son rôle.

Lejeune se demande ce que cet entraînement donnera au feu, lorsqu'on découvrira les ressources de l'artillerie allemande. Il esquisse un pâle sourire, avant de pousser son cheval en tête près d'Aumoine, qui mène le sien par la bride, dans la côte.

Dubaujard file en queue de colonne, afin de s'assurer que les fourgons de munitions suivent sans anicroche. Comme ils peinent à la montée, il faut renforcer les attelages : deux chevaux de plus par voiture. Les hommes s'affairent. En un quart d'heure, les montures de réserve sont alignées et harnachées par les soldats du train. Dubaujard fait rappeler Lejeune, qui pressera la colonne des fourgons.

– Ils doivent suivre, à toute force! lui dit-il. Ne tolérez aucun retard!

Pris de remords, il tourne bride. N'a-t-il pas mieux à confier à Lejeune? Il revient vite à hauteur du sous-lieutenant.

— Montez-vous bien?

— Convenablement, mon capitaine.

— Prenez ce sauf-conduit, et partez au galop. J'ai besoin d'un homme de confiance. Remettez ce pli au général Naulet, chargé de l'artillerie divisionnaire au PC du général d'armée Dubail, à Thaon-les-Vosges.

Dubaujard veut s'assurer que les renforts supplémentaires de munitions sont en route, en particulier les obus explosifs, les plus efficaces. Il n'en a rien laissé entendre au sous-lieutenant, mais il redoute d'en manquer sous peu.

— Je n'ai pas le temps, explique-t-il, de passer par le colon, ni par la brigade. Naulet comprendra. Un camarade d'école. Le temps presse trop pour s'encombrer de la voie hiérarchique!

Le son du canon s'intensifie sur les pentes des Vosges. On entend bientôt le craquement sinistre des sapins hachés par les obus lourds. Au loin brûlent les fermes de Badonviller incendiées par l'ennemi. À peine Lejeune est-il parti que Dubaujard est rejoint par un officier à cheval portant le brassard de l'état-major du général d'armée Dubail.

— Ordre aux batteries de se porter plus au nord, en direction du Donon, par la route de Bionville et de Luvigny!

Il faut rétrograder de trente kilomètres, au plus fort de la montée. Léon se demande si les généraux ont perdu la tête. Il doit faire demi-tour avec ses quatre pièces et redescendre la pente vers Raon-l'Étape avant d'emprunter la chaussée étroite qui remonte la rivière Plaine sinuant depuis le Donon, ce géant des Vosges. Ainsi l'exige le dispositif de l'offensive du 14 août, décidé de loin et sur la carte par

Joffre, modifié sur le terrain à la dernière minute par le général Dubail. Six heures au moins de perdues.

À Thaon-les-Vosges, Henri Lejeune atteint le PC du général d'artillerie Naulet. Le désordre est à son comble. Le général Alix, chef du 13e corps, vient de toucher en renfort des unités de la brigade coloniale. Il ne sait que faire de ces zouaves et de ces tirailleurs, qu'on lui envoie en plein mouvement de ses propres troupes.

Naulet, quant à lui, est introuvable. À son PC, Lejeune reconnaît un camarade de Fontainebleau, Bastien Dufaure, penché sur une carte. Celui-ci le salue d'un simple signe de tête, comme s'ils s'étaient vus la veille, et lui arrache son enveloppe jaune des mains. Il l'ouvre sans aucun égard pour la mention manuscrite «Urgent et personnel» inscrite par Dubaujard.

— Des munitions! Où veux-tu que Naulet en dégotte? Il a le plus grand mal à récupérer la dotation initiale des unités perdues dans la nature, et les affaires sérieuses ont commencé au nord de la Meurthe. Les Allemands ont envoyé des renforts sur le Donon. Ils veulent reprendre tous les cols, et sans doute descendre sur la Meurthe. Une course de vitesse est engagée.

— Sans les moyens nécessaires?

Survolté, le regard perdu, Bastien se redresse dans son uniforme sombre d'artilleur marqué au bras par le brassard d'état-major. Il est trop occupé pour se poser des questions d'intendance.

— Qui te dit que les Allemands ont plus de moyens que nous? Ils ont été chassés de Badonviller et nous tenons désormais tous les cols, même le Bonhomme.

— Et en Alsace ?

— Je vois que les nouvelles vont vite, chez toi. Prends garde. Les grands chefs n'aiment pas ici les blancs-becs comme nous. Surtout s'ils donnent dans le défaitisme. Joffre a manqué son coup en Alsace. À vous de rattraper en Lorraine. N'attends pas Naulet. Dis à Dubaujard qu'il économise ses salves...

— En entrant en campagne ?

— Après la mise en place des unités sur le front d'attaque, les convois iront plus vite. Toutes les routes sont embouteillées et les dépôts ne sont pas reconstitués. Il faut tenir quarante-huit heures.

— Mais l'offensive commence au jour.

— Fais comme Naulet, une prière à saint Soixante-Quinze.

Henri Lejeune ne peut détourner son regard des fascinants drapeaux de couleur plantés au mur sur la grande carte d'opérations. Il repère immédiatement les unités du 13e corps, le sien.

— À propos, sais-tu que votre ordre de marche a été modifié ? Pas question de vous établir demain soir sur le front Blamont-Cirey, vous devez attaquer sur le Donon, prévient le sous-lieutenant Dufaure sans quitter sa chaise, comme si, connaissant la carte par cœur, il n'avait pas besoin de s'en approcher pour retrouver les noms des plus minuscules villages.

Il semblait aussi calme, se rappelle Henri, au baz'Louis, quand il passait des colles de maths au tableau. Il voulait toujours être considéré en cacique. Il avait réussi : major de sa promotion. M. Je-sais-tout n'avait en rien rabattu de sa superbe d'incollable. En uniforme, il restait taupin.

— Le général Dubail, commandant la première armée, poursuit-il, s'apprête à installer son état-major au château de

Magnières, à proximité de Rambervillers. Tu vois bien que vous êtes aux premières loges.

— En ce cas, répond Henri, pour coller l'incollable, que font nos batteries sur les routes des Vosges?

— Elles renforcent le 21e corps d'Épinal, parti enlever le Donon avec ses chasseurs alpins, sous les ordres de Legrand-Girarde. Les chasseurs sont parmi les meilleures troupes. Les diables bleus, comme on les appelle, sauront prendre et garder le Donon. C'est un combat fait sur mesure pour les alpins.

La plus grande stupéfaction marque le visage d'Henri :

— Legrand-Girarde? Il doit avoir fêté ses quatre-vingts ans avant de partir en campagne. Peut-il encore monter à cheval?

— Tu exagères. Il n'est pas si âgé.

— Soixante-six ans au moins. Mon père, inspecteur des Finances, était détaché auprès de Félix Faure, président de la République, quand ton Legrand-Girarde était au cabinet militaire. En 1898, au temps de l'affaire Dreyfus. Il a fait son chemin depuis, grâce à ses appuis. Il a obtenu un corps d'armée. Encore une promotion politique. Le pauvre Joffre est bien mal loti.

Henri, soudain, se tait. Un officier du grand quartier général entre dans le bureau. Un de ces *missi dominici* de Joffre, venant de Vitry-le-François, avec tout pouvoir de couper des têtes. Il avise l'enveloppe jaune que Bastien Dufaure tient encore en main.

— Un courrier personnel de Dubaujard à Naulet! dit-il dans une grimace. D'où venez-vous?

— Du col de la Chipotte, mon commandant.

— Dubaujard est-il devenu fou? Ne sait-il pas que l'ennemi

s'est retiré de là, et que les ordres pour son régiment sont de se détourner de son 13e corps, 26e division, pour aider Legrand-Girarde vers le Donon?

— Nous étions partis vers la Chipotte, et non vers le Donon. Mais le capitaine Dubaujard a peut-être reçu les nouveaux ordres depuis mon départ. Je l'ai quitté ce matin. Il aura certainement changé de route.

Le commandant grommelle dans sa moustache que si les ordres sont si lents à parvenir aux intéressés, Dubail, Naulet et Alix feraient mieux de se rapprocher encore plus du front, de coller aux unités de pointe. Les marches et contremarches dues à l'insuffisance des liaisons entre l'état-major et les unités et des unités entre elles ont déjà causé l'échec de l'armée d'Alsace. Elles ont épuisé les troupes sans profit. Il ne faut pas recommencer en Lorraine!

— C'est bon, dit-il. Rejoignez Dubaujard sur la route du Donon, et dites-lui d'activer. Je serai moi-même à la première heure sur cette partie du front. Ceux d'Épinal manquent de canons. Il faut les renforcer d'urgence. Pour les approvisionnements en obus, nous aviserons.

Ainsi, se dit Lejeune, le général Alix, chef du 13e corps, s'est laissé déposséder d'une partie de son artillerie de corps d'armée, la nôtre, notre 53e régiment, au profit de Legrand-Girarde. Il nous a laissé détourner. Qui a fait le coup? Cet arrogant officier d'état-major, simple commandant doté de pouvoirs extraordinaires! C'est sans doute lui qui a pris l'initiative, parlant au nom de Joffre, de changer sans vergogne de corps d'armée la batterie de Dubaujard.

Même confusion dans l'infanterie de la 26e division. Ils sont nombreux, les pantalons rouges, dans la plaine de la Meurthe. Trop nombreux peut-être pour des itinéraires surchargés. Leurs lignes colorées s'étalent autour des campements, bien visibles sur le vert tendre des prés. Elles sont précédées de groupes de cavaliers aux uniformes multicolores, fort heureusement couverts de poussière. Des cibles idéales pour l'artillerie à tir rapide.

Les colonnes se chevauchent, d'autant plus que certains régiments changent de route sans crier gare, qu'ils se soient égarés ou qu'ils aient reçu des ordres contradictoires. Il est prévu par le GQG que le 13e corps d'Alix doit suivre, sur les mêmes routes, et, le cas échéant, prêter main-forte au 8e corps de Bourges dans son avancée vers Sarrebourg. Il est donc tout à fait inévitable que les colonnes attardées d'approvisionnement du 8e corps rencontrent les unités de pointe du 13e, qui les suivent.

Sur la route, le lieutenant Gérard est interpellé par un capitaine isolé, qui semble perdu. Il se présente : Paul Rimbaud, natif d'Argenton-sur-Cher et chargé de l'approvisionnement en vivres du 95e d'infanterie de Bourges, il a égaré son convoi de bœufs. Il appartient précisément à la 16e division du 8e corps.

– Nous n'avons pas rencontré de troupeaux, lui dit le lieutenant en souriant. Les poussez-vous vivants, à l'aiguillon, jusqu'aux premières lignes ?

– Pour sûr ! Le plus loin possible, pour éviter les transports de viande. Ils sont tués en chapelle le masque devant les yeux, et dépecés immédiatement. Les convoyeurs n'auront pas voulu risquer de les voir tomber dans les bras des Prussiens. À l'heure qu'il est, enchaîne-t-il en sortant sa montre, mes bovins ont rebroussé chemin et, du coup, je n'ai plus rien à fournir au régiment.

— Où se bat votre colonel? demande le lieutenant Gérard, sans complaisance devant le désarroi de ce riz-pain-sel de l'intendance qui encombre les routes de l'avant avec son bétail.

— Nous progressions vers Domèvre, un petit village à vingt kilomètres d'ici, sous Blamont. Nous y avons rencontré les Allemands pour la première fois. Nous les avons vivement repoussés en faisant quantité de prisonniers sans compter les carrioles. Ma division est sans doute maintenant disposée en pointe pour l'attaque sur le couloir de Blamont. Elle aura fini le travail quand vous vous présenterez.

— Avez-vous repéré l'ennemi? Des Prussiens? des Saxons?

— Les Bavarois. Ils sont pugnaces, et ils ont du canon. Ils sont déjà passés par ici. Regardez les poteaux du télégraphe abattus. Les uhlans vous ont précédés pour couper vos communications.

— Ils ont coupé le téléphone de ville à ville, celui des civils, dit le lieutenant. Nous ne l'utilisons qu'aux étapes. Vous savez bien qu'avec Joffre, les ordres arrivent aux unités par courriers.

Gérard évoque une réflexion de son colonel, Trabucco. Joffre, paraît-il, répugne au téléphone. Pour être incontestable, un ordre doit être écrit, estime le général en chef. Ainsi peut-on le respecter à la lettre.

Débarrassé du malheureux riz-pain-sel, Gérard donne l'ordre de départ aux biffins de la compagnie allongés dans les fossés. Encore deux heures de marche avant d'atteindre les lisières de Montigny, objectif fixé au 121e. Aussitôt arrivé, le lieutenant est convoqué au PC du colonel.

Sous la tente de commandement de Trabucco, les officiers des trois bataillons tentent d'y voir clair sur la carte d'état-major déployée sous leurs yeux. Ils sont perplexes, car les ordres sont hésitants, contradictoires. On les pousse et on les retient. Le lieutenant Gérard et son chef de compagnie, le capitaine de la Porte du Mail, s'efforcent de suivre les explications.

Le 121ᵉ s'est d'abord dirigé, selon les ordres, sur les hauteurs de Rambervillers, au prix d'une marche épuisante. Le régiment a obliqué ensuite vers le nord-est, vers Raon-l'Étape, parce que le général Dubail voulait alors soutenir la bataille des cols des Vosges.

Nouveau changement d'objectif. Plus question des Vosges. Recul imposé par le Grand État-Major : la 26ᵉ division a reçu l'ordre de ne pas dépasser la Meurthe.

– Dommage, dit le capitaine de la Porte. Le général Signole était prêt à foncer immédiatement. Il a dû ronger son frein. Pour un chef de cet allant, c'est dur.

Le ton du capitaine irrite Trabucco. Se croit-il dans un salon de sous-préfecture en temps de paix, pour ne manquer ainsi, même en son absence, aucune occasion de flatter Signole, un général réputé politique ?

– Le QG de Joffre, alerté par un de ses envoyés spéciaux, a immédiatement réagi, coupe-t-il d'une voix sèche. Il a demandé à Dubail de faire respecter ses ordres. Il n'aime pas qu'on fasse du zèle. Le commandant Bourinat est venu de sa part nous ordonner de nous placer dans la suite de la 16ᵉ de Bourges. Les directions de marche entre les deux divisions sont désormais semblables. Nous suivons scrupuleusement celle de Bourges sur Blamont et Lorquin. Le départ de l'offensive est fixé au 14 août, c'est-à-dire après-demain matin à l'aube.

Le lieutenant Vincent Gérard se redresse fièrement. Enfin, la guerre va commencer pour lui. Ce jeune homme natif du 7e arrondissement de Paris (paroisse de Saint-Pierre-du-Gros-Caillou) était destiné à l'école libre des sciences politiques, toute proche de son domicile du boulevard Saint-Germain. Sa mère avait insisté pour qu'il y fût inscrit. Son père notaire y avait finalement consenti bien qu'il eût préféré pour son fils des études de droit, malgré son ancêtre général.

Avec plusieurs de ses camarades, Vincent Gérard a plaqué la rue Saint-Guillaume l'année de la crise d'Agadir, en 1911, quand on parlait déjà de guerre. Il s'est présenté au concours de Saint-Cyr pour servir dans l'active et a souhaité faire ses preuves dans l'infanterie, l'arme la plus dangereuse.

Le prestige de la guerre était alors irrésistible pour la jeunesse dorée des beaux quartiers de Paris. Une vogue pour certains, mais une tradition, une conviction bien ancrée, pour Vincent Gérard. Il se souvenait de son lointain trisaïeul soldat de la République, qui avait suivi et servi Napoléon jusqu'à Waterloo sous ses épaulettes de général.

– Dubail a sur le cœur son échec en Alsace, poursuit le colonel Trabucco, les yeux fixés sur la carte. Il veut faire remonter notre 13e corps plus loin vers le nord, jusque vers le village de Lorquin, pendant que le 21e corps d'Épinal, aux ordres de Legrand-Girarde, attaquera sur la droite les pentes du Donon. Vous pouvez voir qu'il est vital de s'emparer de ce sommet pour couvrir la droite de notre offensive sur Sarrebourg.

– Alors pourquoi notre avance est-elle stoppée ? demande le capitaine de la Porte du Mail.

– Parce que Signole, respectueux des ordres du quartier général visant à cantonner le régiment sur place, doit interrompre sa marche en avant pour maintenir à tout prix l'alignement des unités dans l'offensive. Qui pourrait lui donner tort ?

— Le Royal-Berry à gauche, le Royal-Bourbonnais à droite, dit le lieutenant Gérard. Deux régiments de tradition. Il n'y manque même pas le Royal-Auvergne, celui de Clermont-Ferrand qui suit de près. Le vieux pays monte en ligne. Comme au temps du chevalier d'Assas.

— Mais face aux mitrailleuses ennemies, dit Trabucco, le chevalier serait mort avant d'avoir eu le temps de crier : « À moi, d'Auvergne ! » L'exploit individuel n'est rien dans la guerre de masse. Chacun doit obéir collectivement aux ordres, sans rechercher un éclatant fait d'armes.

Le 12 août au soir, Jean s'installe avec ses hommes dans une grange tapissée de paille bien sèche, à l'est du village de Montigny. Son régiment est à l'avant de la 26ᵉ division. Le lieutenant les a prévenus de n'emporter que l'équipement allégé, et deux jours de vivres. Les cartouchières, les Lebel doivent être vérifiés, les baïonnettes aiguisées et les godillots en bon état. On leur a distribué les premières calottes d'acier pour garnir le fond des képis.

— Elles sont lourdes, dit Jean, et les hommes n'en veulent pas.

— Ils ont tort. Quand ils verront quel genre de dégâts les éclats d'obus causent aux crânes, ils changeront d'avis.

À la veille de la première attaque, le caporal n'est pas le seul à chercher le sommeil. Les hommes de son escouade ne cessent de tourner et se retourner dans la paille, qu'ils font crisser. Massenot délaisse, pour aller respirer un peu d'air frais, le bout de la grange où il s'était aménagé un gîte à l'écart. Il s'endort finalement à la belle étoile, assommé par la fraîcheur de la nuit.

Maurice Duval tire de sa gourde une goulée de goutte. Bousquin rêve de collets à tendre. Robert Nigier griffonne au crayon, à la lueur du quinquet, une lettre qu'aucun vaguemestre n'est encore prêt à recueillir. Le seul à ronfler bruyamment est l'adjudant Castaldi. La proximité du baroud ne le trouble en rien. Il croit en avoir vu d'autres.

Jean serre au creux de sa main la petite médaille de Marie-Louise, la jeune fille blonde de Moriville. Tendresse du regard, lumière du sourire. Il enfouit cette image dans son cœur, et la médaille dans sa poche. Il n'a guère ce qu'on appelle la foi ; il croit à la vie, à la beauté, à la bonté. Premier miracle de la médaille : il s'endort enfin.

Son sommeil est pourtant fragile. Ses sens restent en alerte. Le moindre bruit lui fait dresser l'oreille. Le ululement de cette chouette serait-il un signal ? La nuit est claire, la lune froide. Au bout du champ, une tour médiévale à toit pointu servait jadis à prévenir le château de l'arrivée de bandes ennemies. Un reflet sur une vitre. Jean, tendu, songe aussitôt à quelque message d'espion.

Il pousse du coude Robert Nigier, pour le réveiller. L'autre grogne, se retourne, replonge dans le sommeil. Impossible de secouer la masse d'un homme épuisé. Jean décide de ramper vers la tour. Si l'ennemi a été informé, par signaux optiques, du lieu de cantonnement des Français, il peut bombarder de nuit. Il faut aller voir.

Mais que font les gendarmes ? Ils se tiennent à l'arrière, pour traquer les fuyards ; rarement à l'avant. On dit pourtant qu'ils ne sortent en patrouille que la nuit, quand les espions s'activent. La tour est maintenant tout près de Jean, dont le pantalon s'est accroché à des ronces. Il contourne l'édifice et découvre des marches de pierre qui donnent accès à l'escalier.

Au moment où il pousse la porte vermoulue, une nuée de chauves-souris déguerpit en poussant des cris aigus. Assourdi, effrayé, il grimpe quatre à quatre, au risque de se rompre le cou. Nulle trace de vie dans la ruine. Quelques marches plus haut, l'escalier craque et s'effondre à moitié. Dehors, la pierre blanche est éclairée par la lune. Jean, qui a repéré, sous le toit, une lucarne au carreau brisé, est furieux contre lui-même : un simple reflet sur une vitre, et il a perdu tout contrôle...

Il s'en veut de sa fébrilité. S'il avait rencontré le moindre rôdeur, il était prêt à tirer, à tuer peut-être un innocent, un poseur de collet, quelque chapardeur nocturne...

La guerre rend fou car la troupe est aveugle. Tenue d'obéir sans discuter, mais aussi sans savoir qui est en face. Pour assurer le secret des ordres, les chefs en disent le moins possible. À croire que l'ennemi est toujours absent. Cette ignorance pousse les plus sensibles aux pires angoisses et aux fantasmagories, surtout la nuit.

On imagine l'adversaire plus rusé qu'il n'est, mieux organisé qu'il n'y paraît. Bien sûr, rien ne dit qu'il n'a pas dépêché quelques éclaireurs postés au cœur de la nuit, dans ce champ de blé, afin de repérer le cantonnement et de renseigner les batteries, mais c'est tellement improbable! Les Allemands ne font pas une guerre de Sioux!

L'angoisse sourd assurément de l'incertitude dans laquelle se trouvent les Français quant à la position exacte de l'ennemi et à l'ampleur de ses effectifs. Si le colonel

Trabucco n'est pas mieux renseigné sur ce double mystère, comment Joffre le serait-il ?

La sonnerie du clairon réveille l'escouade avant l'aube du 13 août. Jean reconnaît, à la porte de la grange, la silhouette trapue d'André Biron, son conscrit, un des invités de la noce de Léon.

— Je croyais qu'on avait versé les trompettes dans la brancarderie, lui dit-il.

L'autre sonne la diane de toutes ses forces, fier d'être le premier à appeler au combat. Il parcourt ainsi tout le cantonnement, marquant un arrêt devant chaque section. Les hommes, qui s'étaient couchés tout habillés, se rajustent à la hâte. Le café de la roulante répandant sa bonne odeur alentour, chacun se précipite, le quart en main. Les aides-cuistots, à la louche, ajoutent au noir une ration de gnôle.

Arme à la bretelle, sac au dos, ils prennent la route en direction de la colline verdoyante du bois des Haies, pour une nouvelle étape. La colonne est détendue, presque insouciante. Le 121e n'est pas en première ligne et ne marche pas directement au feu. Il ne doit intervenir qu'en soutien, si ceux de Bourges se font enfoncer. Le canon tonne au loin sur les Vosges, mais aussi sur leur gauche. C'est la division de Bourges qui trinque, du côté de Blamont.

Un officier d'état-major arrive au galop. Il faut presser le pas, dit-il. Ce sont les consignes. Trabucco fait aussitôt battre le tambour, pour faire prendre à la colonne le pas cadencé. Le lieutenant Gérard se porte en tête de la première compagnie, au côté du capitaine de la Porte du Mail.

— Cette fois, nous les tenons. Les chasseurs ont fait cinq cents prisonniers dans les Vosges et pris le Donon. La route est libre.

Un aéroplane à croix noire, qui a surgi de la montagne, survole le régiment. Les mitrailleuses aussitôt mises en position tirent des rafales vers le ciel.

— Mauvais présage, dit Jean au sergent Massenot. Nous voilà repérés.

— Les artilleurs boches vont battre méthodiquement le secteur, assure le lieutenant Gérard au capitaine. Sans même nous voir, renseignés par le pilote. Il faut nous attendre à de la casse.

Les obus soulèvent bientôt des gerbes de terre sur la gauche de la colonne. Une nouvelle salve de quatre explosifs, plus précise, laboure le bas-côté de la route.

— Dans les fossés! Couchez-vous!

L'ordre circule, du colonel aux caporaux. Les pantalons rouges basculent les uns sur les autres, dans un fracas de fusils, de sacs et de baïonnettes. Pas un seul avion français en vue, pas un canon de 75. L'ennemi, invisible, accentue son tir. Impunément.

Jean, allongé dans le fossé, son sac sur la tête, sent battre son cœur. Il comprend qu'il vient de plonger, sans crier gare, avec ses camarades, dans la pire des situations : encaisser sans pouvoir répliquer. Un baptême du feu qui ne laisse aucune chance. Il entend le déchirement soyeux des obus dans le ciel.

— Quand ils sifflent, crie l'adjudant Castaldi, il n'y a pas de danger! Ils vont éclater plus loin. C'est le silence qui tue! N'ayez pas peur, ils visent comme des cochons!

Massenot lève la tête. Il aperçoit de nouveaux nuages en losange. Un éclat frappe son sac. Il bondit dans le pré, où

111

d'autres fantassins ont rampé, pour s'éloigner de la route. Les obus les talonnent, comme si l'ennemi les suivait à la trace, et alors que le lieutenant Gérard, dans ses jumelles, ne distingue aucune flamme de départ dans les tubes. Nulle batterie n'est assez proche pour être repérable. Les artilleurs allemands bombardent en tir courbe, bien à l'abri de l'autre côté des collines.

– Des 130 ou des 150, grommelle Vincent Gérard. Ils ont une portée de plus de dix kilomètres.

Le tir devient assourdissant. L'air craque. Une fumée âcre, jaune, se mêle à la poussière de la route et dessèche la gorge des hommes à l'abri dans les fossés. Bousquin et Nigier, paniqués, courent d'un arbre à l'autre, en bordure d'un champ, à la recherche d'une illusoire protection.

Rouge de colère, l'adjudant Castaldi les couvre d'insultes. Ils ne savent pas encore que le seul moyen de survivre est de se terrer, le crâne caché sous le sac. Maurice Duval creuse fébrilement un trou avec sa pelle dans le champ moissonné. Le capitaine de la Porte du Mail, demeuré crânement à cheval comme pour montrer son mépris du danger, s'indigne de cet ordre. Le bombardement, selon lui, va s'arrêter. Il demande aux soldats de rester groupés. L'ennemi pourrait à présent attaquer. Ordre inexécutable qui se perd dans la déflagration accrue des obus, dont le tir a été mieux ajusté. Le capitaine roule à son tour dans le fossé, pendant que son cheval, gravement touché, perd ses entrailles. Nul ne songe à lui brûler la cervelle.

Un «gros noir» soudain s'abat. Le sergent Massenot est frappé de commotion. Il s'écroule sous un mirabellier arraché par l'explosion. Jean s'approche de lui en rampant. Le sergent n'est pas mort, seulement estourbi par le souffle.

Il tamponne les tempes du soldat de gnôle. Le plombier demeure inconscient, près d'un cratère large de deux mètres. Les éclats ont giclé autour de lui, presque sous ses pas, sans le toucher. Il a frôlé la mort.

Le clairon Biron, sur ordre du colonel, sonne le rassemblement. Les hommes se traînent jusqu'à la route. Le bombardement a cessé.

— Debout, vous autres! intime l'adjudant Castaldi à plusieurs pantalons rouges allongés dans le champ.

Les soldats ne répondront pas. Ils sont morts. L'un d'eux a une sorte de soubresaut, mais retombe face contre terre, le visage aveuglé par le sang. Il ne se relèvera plus.

Le régiment vient de perdre cinquante des siens en un quart d'heure. Les blessés crient à l'aide. On les installe au bord du fossé, en attendant les civières. Ils risquent de mourir dans des souffrances atroces. Les charrettes du service de santé se relaient pour les évacuer. Les traumatisés légers, s'ils le peuvent, suivront en clopinant. Les familles montluçonnaises n'apprendront que longtemps plus tard la mort des leurs, au premier jour de la bataille.

Il est difficile de reprendre la marche. Jean se sent meurtri et sonné. Il dénombre un par un les seize hommes de son escouade, hagards mais miraculeusement indemnes. Le sergent Massenot émerge enfin de sa torpeur. Il a perdu dix hommes, blessés ou morts, sur une section de trente-deux. La deuxième escouade, à vingt mètres de là, a été anéantie de plein fouet, en un instant, par une gerbe d'éclats.

Les nerfs des biffins, mis à mal par l'épreuve, lâchent d'un coup. Tout danse dans la tête de Jean. Les images en accéléré du bombardement tournoient devant ses yeux. Est-ce ainsi que l'on meurt à la guerre, sans jamais voir l'ennemi? Les ordres pleuvent, les sous-officiers aboient : «Serrez les rangs, allongez le pas!» Le 121ᵉ, provisoirement épargné, se regroupe, non sans avoir récupéré les armes et les sacs. La discipline reprend âprement ses droits.

Les hommes marchent en deux files sur le bord de la route, prêts à sauter dans les fossés si les obus reprennent leur tir d'extermination. Le colonel a recommandé de se mettre à l'abri au moindre vrombissement d'un aéroplane ennemi.

Mais rien ne se produit. Le bruit du canon se déplace sur la gauche, du côté des régiments berrichons. Les hommes avancent le dos voûté, leur pas est lourd, leurs pantalons garance gris de terre et de poussière. Ils croisent la roulante pulvérisée par un obus. Rien de plus éprouvant que cette carcasse calcinée : elle faisait la joie du bataillon, il faudra s'en passer.

Le régiment fait une halte dans les ruines d'un village endommagé par le bombardement. Des maisons aux toits écroulés fument encore. Pourtant, les habitants sont là, réfugiés dans les caves ou regroupés dans quelques fermes épargnées.

Le colonel ordonne une distribution de boules de pain et de quartiers de viande. Les vivres ne manquent pas, mais la soupe? On réquisitionne des légumes, on fait bouillir l'eau dans les marmites. Certains avisent une échoppe indemne et s'y ruent pour acheter sucre et chocolat, d'autres obtiennent des œufs chez les villageois contre argent comptant. Il est interdit de chaparder. On doit payer ce qui n'est pas officiellement saisi par l'intendance.

Les besoins vitaux se font sentir. On a entamé les porte-monnaie pour améliorer l'ordinaire. Les hommes, sans piper mot, beurrent leurs tranches de pain ou les garnissent de tranches de fromage achetées aux paysannes. Les plus près de leurs sous doivent se contenter de saucisson sec sorti de leur musette, avant d'attaquer les conserves peu ragoûtantes du ravitaillement.

À cause de sa bonne connaissance de la langue allemande, le lieutenant Gérard est appelé auprès du colonel pour l'interrogatoire d'un prisonnier qui vient d'être capturé en tête de colonne par les chasseurs à cheval.

L'homme est un Alsacien de Sélestat, pays annexé en 1871. Ses papiers militaires mentionnent le nom de Sieffert August. Il a été recruté dans les règles, comme ses camarades de l'armée allemande, et se dit rescapé de la bataille du col du Donon. Réserviste, il a tout de suite été versé dans une division d'attaque, d'abord en Alsace, à Mulhouse, puis sur les Vosges.

Le colonel fronce le sourcil : l'état-major français a toujours soutenu que les Allemands n'envoyaient pas leurs réservistes en première ligne. Les généraux l'ont-ils assez seriné, pour se rassurer eux-mêmes dans leurs calculs d'effectifs! À la seule condition de ne pas comptabiliser les régiments de réserve adverses dans les effectifs en campagne, on peut estimer l'armée française à peu près en équilibre. Tout change si ces régiments de *Landwehr* sont d'ores et déjà intégrés aux unités combattantes. La supériorité allemande est alors considérable.

— Mais si ! Je suis de la deuxième réserve, celle des trente ans, insiste l'Alsacien qui, pour être mieux compris, décide d'articuler en français, malgré son fort accent. J'ai trente-trois ans, et j'ai été rappelé tout de suite. Nous marchons avec les jeunes, dans des régiments dédoublés.

L'information est une révélation. Joffre doit en être immédiatement averti. Un courrier est détaché du PC d'armée de Dubail à Badonviller, afin de transmettre le renseignement à Vitry-le-François. Si des unités de réservistes tiennent les lignes en Lorraine, calcule Trabucco, cela signifie que von Moltke, le général en chef allemand, dispose d'un grand nombre de divisions supplémentaires pour attaquer, par exemple, en Belgique. Des divisions que le service de renseignements de l'armée française n'avait pas prises en compte, et dont Joffre ne peut donc avoir soupçonné l'ampleur.

Porteur du rapport succinct mais précis du colonel, le maréchal des logis de chasseurs à cheval s'est éloigné au galop, pendant que le lieutenant Gérard reprend l'interrogatoire. Le prisonnier explique qu'il s'est trouvé seul dans les bois, après l'attaque des chasseurs alpins à Donon. Puis il s'est enfui dans la montagne entre les sapinières.

Sans carte, sans boussole, il est tombé, exténué et affamé, dans les lignes françaises. Les alpins, ne sachant qu'en faire, le confient aux cavaliers. Il ne souhaite pas, dit-il, la victoire de l'Allemagne, mais il signale au colonel qu'il a vu défiler de nombreuses batteries sur la route de Sarrebourg, et que les Bavarois ont reçu des renforts. Les Allemands seraient décidés à ne rien céder, pas plus en Lorraine qu'en Alsace.

Le soldat parle d'abondance, sans omettre de détails. Prisonnier, il se sent soudain libéré du poids de la guerre et n'a personne à ménager, rien à perdre. Un verre de vin, un sandwich au poulet le rendent intarissable.

— Je ne suis, précise-t-il, qu'un honnête commerçant de Sélestat (il prononce Chlechtat), ni français ni allemand, mais alsacien. Je n'aspire qu'à la fin de la guerre et à la liberté de vivre tranquille chez moi, tout comme les Palatins, les Badois ou les Sarrois.

Vincent Gérard l'interrompt. Il connaît ces frontaliers qui redoutent toujours, en temps de guerre, les représailles en provenance d'un camp comme de l'autre. Il ne veut pas entendre le discours régionaliste. Pour lui, un bon Alsacien est celui qui attend sa libération par la France, dans le but de redevenir français. Cet August ne lui paraît pas cultiver cet état d'esprit. Pour le lieutenant patriote, il n'est, au pire, qu'un espion.

— Comment avez-vous perdu le Donon?

— Les canons! Vos 75! On les appelle les **marmites** d'enfer. Vous en aviez des centaines dans la montagne. Impossible de les combattre, ils changeaient de place dès qu'une salve était tirée.

Le lieutenant comprend pourquoi l'artillerie française n'a pas riposté à l'attaque dont son régiment vient d'**être** victime sur la route de Blamont. En position sur la route du col, les batteries de la 26ᵉ division ne pouvaient évidemment être partout…

— N'avez-vous pas reçu des renforts?

— Pas assez vite. Les bleus (il désigne ainsi les chasseurs alpins français du 21ᵉ bataillon) ont aussitôt mis les mortiers en batterie et les mitrailleuses, un feu d'enfer! Ceux de ma compagnie sont tous morts. Je suis le seul survivant. Un obus m'a enterré dans la tranchée. Quant à ceux des autres compagnies, ils se sont enfuis comme des lapins, en proie à la panique.

— Vous aviez creusé des trous individuels ?

— Naturellement. Dès que nous sommes en position, le *Feldwebel* l'exige, même si nous devons quitter les lieux une heure plus tard. Un vrai supplice, de creuser ce sol rocailleux, et des cals plein les mains. Quand un orage s'est abattu, nous avons grelotté comme des oies dans la boue. Mais sans mon trou, je serais mort. J'ai été recouvert de cailloux et de terre…

— On vous a cueilli dans votre trou ?

— Non, pas tout de suite. Les alpins me tiraient dessus lorsque j'essayais d'en sortir. Je me suis jeté dans un torrent et je suis resté là, glacé au fond de l'eau, avec les perches et les truites… De temps en temps, je remontais à la surface, respirer une goulée d'air quand j'étouffais. Puis j'ai fui dans la forêt. J'ai marché, marché. Il faut croire que je n'étais pas le seul à tenter de fuir. Vos canons crachaient aussi dans les bois. Les branches s'écroulaient sous mon passage. En fait, j'ai fini par comprendre que c'étaient les Allemands qui tiraient, pour empêcher vos renforts de pénétrer la forêt. Quand j'ai voulu sortir du bois, je suis tombé sur une colonne française. Je me suis rendu aussitôt, et me voilà.

Devant la mine soulagée du prisonnier et l'empressement avec lequel il a fait son récit, le lieutenant Gérard pense que celui-ci dit la vérité, et n'a même pas cherché à rejoindre les lignes allemandes. Il a voulu se rendre, pour ne plus avoir à combattre. Il n'est pas dans les habitudes des services de renseignements d'utiliser les déserteurs, et celui-là n'a l'air d'avoir qu'une patrie : Sélestat.

Autour du village montagnard de Grandfontaine, au débouché du col du Donon, Léon Aumoine ajuste sa pièce pour pointer la route du col. Les renforts allemands sont annoncés.

Les chasseurs alpins affectés au corps d'armée du général Legrand-Girarde ont bien rempli leur office. Ils ont repris et agrandi les tranchées allemandes, installé des nids de mitrailleuses et construit des positions de mortiers. Pas question de se laisser surprendre. Les ordres sont de tenir le col à tout prix, il a coûté assez cher de l'enlever. Les cadavres de soldats français et allemands témoignent de la dureté de la bataille. Aucun n'a pu encore être enterré, car le duel d'artillerie se poursuit sans relâche.

— J'ai tiré huit cents cartouches par pièce, jusqu'à présent, dit Léon à Dubaujard, qui vient se rendre compte sur place de l'état du matériel. Il y a un risque que les tubes éclatent, ils ont perdu leurs rayures.

— Ne vous inquiétez pas, dit le capitaine qui vient d'être promu commandant au feu. Dites au pointeur de corriger lui-même le tir. Le tube ne devrait pas chauffer, et les ceintures d'obus tiendront. D'ailleurs, nous allons recevoir du renfort.

— En munitions ?

— Dubail a veillé à la régularité des approvisionnements. Il a mis la main à la pâte de la logistique. Les convois grimpent sans discontinuer. Nous aurons les caisses sous peu.

Il braque alors ses jumelles sur un ballon captif qui vient d'apparaître dans le ciel.

— Le *Drache*! Ne le manquez pas!

Léon n'a pas le temps de pointer. Une explosion, puis deux, puis trois. Un tir nourri de pièces lourdes accable les 75. Léon veut riposter mais ne distingue pas de cible. Le ballon s'est volatilisé.

— Attelez! crie-t-il. Nous sommes repérés!

Les explosions se rapprochent. D'épais amas de gravats et de débris jonchent les abords de Grandfontaine. Dans le village plombé de fumée, les toitures sont en flammes, des pans de murs s'écroulent.

Pendant une heure, le bombardement méthodique des lignes françaises s'intensifie. Aucune zone n'est épargnée. Les positions de batteries sont repérées, aussitôt matraquées. Les canons aventurés en haut de la pente, au-dessus du village, sautent les uns après les autres. La résistance des alpins faiblit. L'ordre de repli arrive du PC du commandant du bataillon, apporté par un coureur. Il est temps de se reformer plus bas.

Léon a fait diligence. Trois pièces sont déjà en route, emportées par les chevaux. Mais la dernière a une roue cassée.

— Dételez! ordonne-t-il aux servants. Et partez!

Le commandant Dubaujard, gris de poussière, lui crie :

— Remettez en batterie à deux cents pas! Tirez à mitraille, leur infanterie attaque!

On entend déjà les hourras des assaillants de première ligne qui tombent sur les tranchées des alpins, très éprouvés par le bombardement. D'abord retenus par ces rafales venues des nids français de mitrailleuses, les attaquants en

Feldgrau sont bousculés et submergés par leurs propres renforts qui les poussent en avant, en direction du village.

Les trois pièces de Léon ripostent en même temps. Un déluge de feu s'abat sur les têtes de colonnes.

Les ordres de dispersion des *Feldwebel* claquent. Les soldats allemands s'éparpillent et se jettent à terre.

Les *Feldgrau* escaladent la rocaille comme des chamois. Impossible de tirer au canon sur ces groupes dispersés. Les alpins entament une poursuite au corps à corps. On retrouvera, après le combat, un Français et un Allemand morts debout, l'un et l'autre transpercés d'un coup simultané de leurs baïonnettes. La mêlée d'infanterie se déploie, se rapproche. Les alpins reculent devant le nombre, il faut de nouveau rétrograder.

– Pointez à cinq cents mètres! hurle Dubaujard en désignant la route du col.

Les batteries de 75 déplacées à grand-peine sur l'arrière reprennent leurs tirs, empêchant les renforts allemands de déboucher. Souvent la bêche de la pièce est rompue, la flèche brisée. Les hommes la manœuvrent à la main. Torse nu, le visage noir de poussière et de poudre, les servants chargent sans arrêt la culasse. Les ordres sont de matraquer la colonne montante jusqu'à épuisement des munitions.

De fait, sous l'intensité du feu des 75, les Allemands refluent, redescendent la pente en désordre. Les alpins reçoivent le renfort d'un bataillon de chasseurs à pied dont la compagnie de mitrailleuses se met aussitôt en place en haut de la côte. Les mortiers hâtivement déchargés du bât des mulets crachent le feu.

À une heure du coucher du soleil, deux Aviatik surgissent dans le ciel, autour du sommet du Donon. Les rayons rougissent leurs ailes. Ils tourbillonnent à deux cents mètres du sol, bravant les tirs de mitrailleuses, puis survolent les positions de l'artillerie avant de disparaître à l'horizon.

— Déplacez les pièces, hurle Dubaujard. Le tir va reprendre.

Léon fait tirer une dernière salve par le seul canon qui lui reste.

— Il faut partir, mon commandant, je n'ai plus de munitions.

— Rétrogradez de mille mètres, lance-t-il, les fourgons vont arriver.

À peine le mouvement de recul des Français a-t-il commencé que les éclats d'acier tombent du ciel. Des centaines, des milliers d'obus. Le tir de barrage de l'artillerie allemande s'est très vite mis en place, plus vite que Léon ne le pensait.

Ses artilleurs, plaqués au sol sous l'avalanche, observent la régularité de l'approche des obus. Les salves sont réglées comme par un métronome. Léon plaque son oreille sur le rocher. Il a appris que l'onde de choc arrive avant l'explosion, parce que le son va plus vite au contact de la terre que dans l'air. Il peut donner approximativement la distance d'impact au sol des obus tirés par les pièces lourdes de 150 ou de 77 que les Allemands ont sans doute avancées tout près de leurs lignes.

Cinq cents mètres : la distance des impacts se rapproche ; deux cents mètres, et cent mètres. Un sapin déraciné retombe, la cime la première.

— Couchez-vous tous ! crie Dubaujard aux servants. Les marmites sont sur nous.

Cinquante mètres. Des geysers de roche et de poussière. On n'y voit plus rien. Des membres des chevaux déchiquetés pendent aux branches des sapins. Deux de ses canons sont en lambeaux, quand Léon relève la tête. Près de lui, Henri Lejeune a le biceps sectionné par un éclat. Jules Bracon, le mineur de Saint-Éloi, lui fait une ligature avec sa ceinture. Plus de Dubaujard. Il a disparu.

Assourdi par le bruit du tir de barrage qui se poursuit sur les arrières, Léon rampe jusqu'au trou d'obus le plus proche. Dubaujard n'est pas là. Il a roulé à cinq ou six mètres, au dessus du lit du torrent. Face contre terre, il ne bouge pas.

— Il est mort? demande Pierre Courtade.

Léon Aumoine se hâte d'ouvrir la vareuse et la chemise ensanglantées. Le cœur bat encore. Mais une rigole de sang coule sur ses bottes. Courtade ranime le blessé en lui faisant respirer de l'alcool. Le commandant geint faiblement.

— Les reins, dit-il, je suis foutu.

Les tirs allemands de barrage reprennent, avec la même cadence, pour parfaire le nettoyage. L'ennemi juge insupportable que l'artillerie française ose encore tonner, même faiblement. Les obus se rapprochent. Pierre allonge à terre le commandant. Avec Léon, il lui fait un rempart de son corps.

Bientôt recouverts de débris de branches et de terre, ils se relèvent, indemnes. Leur premier souci est d'examiner Dubaujard.

— Il n'a rien au dos, dit Léon.

— C'est la jambe. Son pantalon est poisseux de sang.

Au couteau, ils découpent le cuir de la botte, déchirent l'étoffe, provoquant les hurlements de Dubaujard. Des brancardiers, déjà, relèvent les blessés alentour. Léon les appelle. Ils chargent le commandant avec précaution sur une civière.

Le tir n'a pas cessé. Un éclat d'obus vient se ficher dans l'un des bras du brancard. Sans lâcher leur fardeau, les brancardiers courent vers l'arrière. Le commandant gémit, secoué en tous sens. Léon Aumoine ne peut suivre, un éclat a traversé sa chaussure. Il avance en boitant, aidé par Henri Lejeune qui tient son bras en écharpe.

Ils arrivent ainsi près du chariot sanitaire où l'on a chargé le commandant. Perdant son sang d'abondance, celui-ci a été étendu sur une litière de paille, avec d'autres blessés.

— Il va mourir, crie Lejeune, si vous le laissez dans cet état.

— Pas le temps de s'arrêter, mon lieutenant, dit le conducteur qui fouette déjà les chevaux. L'antenne de première urgence est à moins d'une lieue.

Pas d'infirmier dans la charrette. En route, les brancardiers chargent d'autres blessés, dont certains agonisent. L'un d'eux perd ses intestins. Un autre a la mâchoire arrachée.

Henri suit à pied, alors que Léon a réussi à se hisser sur le plateau du chariot. Ce dernier s'approche du commandant, pour lui faire avec sa ceinture un garrot de fortune qu'il serre solidement. Le sang cesse enfin de couler.

Mais Dubaujard, le visage blême, a perdu connaissance. En vain Léon pose-t-il sa gourde sur ses lèvres. Il n'a plus de réactions. Son cœur bat faiblement.

Un infirmier grimpe en cours de route. Apercevant les galons du commandant sur sa vareuse, il vient lui prendre le pouls.

— Il n'en a plus pour longtemps, dit-il.

Il enroule la blessure de gaze. Il ne veut pas encourir le reproche d'avoir laissé mourir un gradé faute de soins.

– Je lui fais une piqûre d'alcool camphré.

Dubaujard cligne des yeux, sans pouvoir les ouvrir. Il respire faiblement et geint. Léon, qui n'a pas la foi, fait une prière à saint Antoine, celui que sa mère implore quand elle perd ses clés. Le seul saint qui rende vraiment service.

– Il a perdu la vie, rendez-la-lui, marmonne-t-il entre ses dents.

Il ne supporte pas l'idée que son commandant va mourir. Pas lui. Pas comme ça. Il donnerait volontiers son sang pour le sauver. Il oublie sa propre blessure, la souffrance de sa cheville. Il ne délace même pas sa chaussure où son pied clapote déjà dans le sang. Il sait que Dubaujard ne passera pas la nuit s'il n'est pas tout de suite opéré.

À l'hôpital de première urgence de Montigny, des prisonniers allemands aident à décharger les blessés, surveillés et houspillés dans leur langue par une longue femme sèche revêtue d'une blouse blanche et coiffée du voile de la Croix-Rouge.

Léon réussit à entrer, en montrant sa cheville blessée. Il s'approche du commandant étendu près d'une table d'opération éclairée d'une lampe à acétylène. Un tout jeune chirurgien, ganté de caoutchouc, opère les blessés à la chaîne depuis huit heures d'affilée.

– Je veux bien opérer encore une cheville, dit le jeune homme exténué, mais l'autre blessé ne tiendra pas le choc. Mettez-le à la morgue, on verra demain matin.

La morgue, c'est la grande tente où l'on dépose les blessés de la tête ou du ventre. Ils y attendent l'aube, dans un concert de plaintes. Léon n'a pas voulu quitter son commandant. Il a reçu un simple pansement. Dubaujard a tout juste repris connaissance, mais il est trop faible pour parler.

Par chance, en fin de journée, le chirurgien-major finissant sa tournée s'approche de son lit, le tablier rouge de sang. Il écarte le cerceau qui isole la jambe blessée du drap. Il prend le pouls, tâte les muscles. Connaît-il Dubaujard?

— L'animal est solide. Ramenez-le-moi en salle. C'est un risque à courir, dit-il à l'étudiant. Il a perdu trop de sang pour survivre s'il n'est pas transfusé. Vous avez entendu parler des travaux de Landsteiner.

— Je suis prêt à **donner** mon sang, dit Léon, qui a suivi le brancard en boitillant.

On les installe côte à côte, torse nu, sur le billard.

— Purge la pompe, dit le major, tout est prêt pour l'expérience. Si les hématies ne s'accumulent pas dans le plasma, il est sauvé. Ce gaillard, dit-il en désignant Léon, est de taille à supporter.

— C'est une première, mon colonel, dit l'étudiant au major.

— Pas tout à fait. Depuis 1910 j'en pratique au Val-de-Grâce. Mais les échecs sont encore très nombreux. Il faut bien l'avouer : nous ne maîtrisons pas la transfusion.

Une heure plus tard, le visage de Dubaujard a repris des couleurs. Il est sauvé. Léon Aumoine, au bord de l'évanouissement, peut enfin être opéré de la cheville. Il vient d'arracher son commandant à la mort.

Jean Aumoine, du 121ᵉ régiment d'infanterie, se prépare à quitter l'étape pour remonter vers le nord. Le premier assaut appartient aux Berrichons de la division de Maud'huy. Le régiment de Montluçon ne doit intervenir, avec ceux de la 26ᵉ, qu'après le premier choc. Il a le temps de boire le café chaud.

Le bruit court avec insistance que des espions renseignent l'ennemi dans les fermes. Les gendarmes ont patrouillé toute la nuit, à la recherche des déserteurs, des éclaireurs ennemis et des faiseurs de signaux.

— Ils ont arrêté trois personnes, dont une femme, dit Massenot. Il paraît qu'ils vont les fusiller dans une heure.

— Des Français?

— Pour sûr, le maire d'un village des Vosges, un vieux qui se sauvait dans les bois, un cavalier déserteur et une blonde de Raon-l'Étape. Naturellement pas de vrais espions prussiens, ceux-là sont trop malins pour se faire pincer.

Jean Aumoine sursaute.

— Quel âge, la femme?

— Jeune, très jeune. Elle a prétendu, à ce que m'a dit un gendarme, qu'elle était la fille du maire de Moriville. Et pourquoi pas la fille de Poincaré?

Jean pense aussitôt à Marie-Louise, la petite Lorraine. Mais que fait-elle en première ligne? Comment a-t-elle réussi à franchir les barrages? Il avise Vincent Gérard, qui boucle son sac.

— Mon lieutenant, lui dit-il, il faut empêcher un crime.

Vincent Gérard tente de le calmer, mais il est curieux de savoir comment les gendarmes entendent l'épuration des arrières. Il se hâte vers la grange où le prévôt interroge les prisonniers.

— C'est elle, mon lieutenant. Elle s'appelle Marie-Louise. Je la reconnais parfaitement. Rappelez-vous, elle nous servait le café avant le départ de Moriville.

— Sans doute pourrez-vous expliquer aussi, intervient le prévôt scandalisé, ce que la prévenue faisait dans la zone de l'avant, sans papiers d'aucune sorte. Fille de maire, dites-vous? Celui-là, gronde-t-il en désignant le plus âgé des prisonniers, est le maire d'Angomont. On l'a surpris dans la forêt, entre les lignes.

— Les Allemands voulaient me fusiller comme otage, dit le vieil homme, je me suis échappé.

— Dites plutôt qu'ils vous ont relâché, parce que vous leur avez donné les renseignements qu'ils cherchaient.

Marie-Louise reste silencieuse, menottée, attachée à son banc.

— Elle ne veut pas parler, dit le prévôt. Elle n'a même pas décliné son identité.

— Laissez-moi l'interroger, supplie Jean.

— Nous n'avons pas le temps. Et d'ailleurs vous devez partir. Croyez-vous que la brigade ait le temps d'instruire les dossiers? Ceux que nous prenons n'ont pas la conscience tranquille. C'est un signe qui ne trompe pas. Pas besoin d'avocats ni d'interrogatoires. Ils ont été attrapés là où ils ne devaient pas être. Nous en fusillons dix toutes les nuits. Je suis à la fois le conseil de guerre et le bourreau. Ceux-là ont été pris à six heures. À huit, ils seront enterrés. Croyez-vous qu'ils protestent? Vous le voyez bien, ils sont résignés.

Le vieux maire accablé reste muet. Le déserteur semble somnoler. Marie-Louise éclate en sanglots.

— Le temps presse, dit à Jean le lieutenant Gérard, il faut partir.

Le caporal sort de sa poche la médaille de la Vierge, cadeau de la jeune fille.

— Hélas, lui dit-elle, il n'en a plus besoin. Il a été tué hier, devant le Donon. Je veux mourir aussi, pour le rejoindre. Mon frère chéri…

— Son frère était chasseur alpin dans le 21e corps, dit le

lieutenant au prévôt. Il a dû être tué à l'assaut du Donon. Allez-vous fusiller la sœur d'un héros ?

— Hélas, gémit Marie-Louise, je l'ai vu mourir en songe. Il montrait sa chemise ensanglantée. Je suis partie de chez moi, la nuit. Je voulais le recueillir, le soigner, être avec lui jusqu'au bout comme nous étions, l'un avec l'autre, quand nous avions peur de l'orage. Je me suis cachée dans un fourgon de munitions. Ceux-là arrivent forcément au front. Sans eux, n'est-ce pas ? on ne peut pas tuer. J'ai vu passer des colonnes de blessés. Des hommes en bleu perdant leur sang. J'ai crié : Albert ! Albert ! Personne ne me répondait. Quand je l'ai vu enfin, couché dans un convoi, jeté là comme un chien mort, les yeux fermés, le cœur inerte, je me suis allongée à son côté pour lui rendre la chaleur de la vie. C'est là qu'ils m'ont arrêtée.

Elle regarde ses mains libres, fait quelques pas vers Jean et les lui tend.

— Pourquoi m'avez-vous libérée ? Ils m'auraient tuée. Je l'aurais retrouvé au ciel. Croyez-vous que je puisse vivre sans mon frère, alors que nous sommes liés depuis que nous respirons ?

Jean presse ses mains entre les siennes, comme pour réchauffer un oiseau malade.

— Ne crains rien, petite sœur, je reste un moment avec toi. Je suis ton frère, désormais. Nous sommes tous tes frères. Tu vas rentrer chez toi. Je reviendrai te chercher. Et n'ouvre ta porte à personne, sauf à ceux qui vont mourir et qui ont besoin de ton amour.

Quand le lieutenant rejoint le bataillon, les compagnies ont formé les faisceaux. L'ordre de départ n'a pas encore sonné, ce matin du 14 août, jour du début de l'offensive vers Sarrebourg. Toutes les unités se sont déployées depuis l'aube, d'un bout à l'autre du front de Lorraine, des collines de la Vezouze aux contreforts du Donon. Ainsi le régiment de Jean Aumoine est-il lié, dans l'attaque du 14 août, aux efforts de la batterie de Léon. Les deux frères participent au même combat mais ne le savent pas.

Les hommes ont le sac allégé, cent cinquante cartouches et deux jours de vivres, comme s'ils devaient passer à l'attaque. Pourtant, la ligne des pantalons rouges ne bouge pas. Le café bu, le sac bouclé, ils attendent.

Le lieutenant Gérard en profite, sous l'œil réprobateur de l'adjudant Castaldi, pour se raser la barbe à l'eau claire de la fontaine. Les hommes préfèrent cirer leurs chaussures, tirer leurs sangles, vérifier le tranchant de leur baïonnette. Partir au premier signal, courir s'il le faut pour en finir une bonne fois. Ils n'ont pas encore pris l'habitude de patienter, ne sont pas résignés à l'immobilité. Ils ignorent encore que le temps qui passe, à la guerre, est du temps gagné. Ils sont seulement impatients d'en découdre, tout de suite.

La montée vers l'avant d'un escadron de cuirassiers de Lyon traînant leurs chevaux par la bride les refroidit. Ils défilaient pourtant fringants au départ, sortant de la caserne de la Part-Dieu. Leurs cuirasses étincelaient au soleil, ils trottaient comme à la parade, drapeau en tête, sur le noble trapèze de la place Bellecour. Depuis, ils ont perdu leurs cuirasses.

Les stratèges de l'état-major utilisent très mal les masses de la cavalerie. Ils ont usé celle-ci en marches et contremarches incessantes avant qu'elle n'ait pu rencontrer l'ennemi. Les chevaux n'ont plus de fers, les cavaliers traînent leurs lourdes bottes sur les cailloux de la route, et les officiers n'osent pas faire sonner le boute-selle. Les montures ne suivraient pas.

— Ils devraient s'arrêter pour ferrer leurs chevaux et les faire boire, dit Jean, avec son bon sens paysan.

— Ils ont des ordres, répond Massenot. D'ailleurs je ne suis pas sûr qu'ils trouvent des fers à cheval. On n'a sans doute pas pensé à en faire suivre, avec des maréchaux-ferrants.

— On traite bien mal, dit Bousquin, les chevaux de la réquisition. Après tout, ils sont à nous.

Les cuirassiers, cette élite de la cavalerie, ont gardé leur casque, caché par une housse kaki. Seul dépasse le cimier, couronné d'une aigrette rouge, et leur latte d'acier bat les flancs de leurs bottes noires.

— Heureusement qu'ils ont la carabine. Ils pourront creuser des trous avec leurs sabres et faire le coup de feu comme nous, commente Massenot en fumant sa pipe. Je ne les vois pas charger contre des mitrailleuses.

L'arrivée du colonel Trabucco à cheval, suivi du commandant Bourinat, l'officier du Grand État-Major, impose le silence dans les rangs. Ils s'arrêtent pour observer l'horizon à la jumelle. Au loin s'enflamment les hauteurs devant Blamont. Les villages brûlent.

— Le général de Maud'huy a donné l'ordre de nettoyer les collines, dit Bourinat.

— Un brave, ce Maud'huy! Il fait la guerre à la zouave et sait donner le coup de feu avec ses hommes, répond Trabucco, pas fâché de faire savoir au commandant d'état-major qu'il est, lui aussi, de la race des coloniaux, cette élite de l'armée. Comme Joffre, en somme, ou Gallieni. Et non pas un cuistre sorti, comme tant d'autres, avec un numéro au classement de l'École de guerre.

– C'est vrai, il a chargé en tête du 2ᵉ bataillon, et Blamont est tombée entre leurs mains. À l'heure qu'il est, poursuit l'officier en consultant sa montre, la frontière doit être franchie. Nous serons à Strasbourg avant huit jours.

– Sonnez le rassemblement, dit le colonel, impatient de marcher au canon.

Le clairon s'empresse. Les hommes reprennent le fusil, s'alignent colonnes par deux.

– Vérifiez les effectifs.

On ne fait plus l'appel. On compte seulement les hommes. Sur les états du régiment, on a rayé le nom des morts, des blessés, des disparus et des malades.

– Le caporal Aumoine n'a pas rejoint, dit le sergent fourrier Jean Nisard, qui tient le journal de marche du régiment, et inspecte la première compagnie. Dois-je le porter pâle ?

– Il rejoindra, répond le lieutenant imperturbable. Mission spéciale.

Il sait qu'à la première sonnerie du clairon, Jean Aumoine, resté auprès de Marie-Louise tremblante et commotionnée, bondira aussitôt à son poste. Il a le devoir d'humanité de rendre à la jeune fille un peu d'espoir. Les décharges du peloton d'exécution l'ont fait sursauter. Elle reste inerte, blottie sur la poitrine du caporal.

Sans brusquerie, dès qu'il entend sonner le clairon, Jean l'installe sur le siège avant du fourgon, une couverture sur les genoux, puis dépose un baiser sur son front avant de rejoindre son escouade déjà en marche.

Le 121ᵉ régiment, le 14 août, talonne les arrières des Berrichons de Maud'huy, qui poursuivent, en tête de l'attaque, leur avance vers Lorquin.

— Ils ont déjà franchi le bois d'Hattigny, explique à Trabucco le commandant Bourinat. Je viens de recevoir des nouvelles fraîches. Ils ont été les premiers à abattre les poteaux frontières du Kaiser.

Le colonel braque ses jumelles sur le village, situé à une lieue, dans une plaine bien dégagée, le fameux «couloir de Blamont» qui donne accès à la ville alors allemande de Sarrebourg. Il aperçoit les tuiles rouges des maisons, le clocher de zinc de l'église. Un drapeau tricolore flotte au sommet, accroché au coq, sans doute par les soldats de Maud'huy.

Trabucco enrage de ne pas être en tête dans cette offensive. Il voudrait servir sous Maud'huy, un émule de Foch, et non sous cette baderne de Signole, à qui personne ne fait confiance. À preuve? Sa division est en soutien, et non d'attaque.

— C'est le premier bourg de la Lorraine annexé, explique à Trabucco le commandant Bourinat. Un symbole. Pourvu qu'ils ne soient pas ralentis dans leur avance. Les Bavarois décrochent.

Des nuages blancs d'obus s'égrènent, de plus en plus nombreux, dans le ciel d'Hattigny.

— Nos 75 les poursuivent dans leur retraite, dit le colonel Trabucco.

— Les Bavarois ont la fâcheuse habitude de couper les routes en abattant des arbres, et de laisser en travers leurs fourgons démontés, sans roues, pour retarder l'avance de l'artillerie.

La colonne entre dans la ville de Badonviller, où les arrière-trains de la 16ᵉ division de Bourges complètent leurs approvisionnements. Le gros des régiments du général de

Maud'huy est déjà remonté sur Blamont, libérant complètement la région pour l'arrivée du 121ᵉ, avant-garde de la 26ᵉ division Signole de Clermont. De la trouée de Charmes jusqu'au Donon, les grandes unités sont prêtes à engager la danse du 14 août décidée par Joffre.

Place de la mairie, un officier allemand de l'intendance, surpris par la retraite précipitée des siens, attire l'attention de tous. Tête nue, chemise ouverte, il est encadré par un groupe de soldats hilares.

– Il a dû s'endormir dans la cave, dit Massenot. Il paraît que ces brutes de Bavarois ne résistent pas au vin gris de Lorraine. Ils n'ont pas l'habitude.

Les soldats de l'intendance ont trouvé un convoi de vivres abandonné. Ils tentent de faire démarrer à la manivelle les moteurs des chariots automobiles d'un régiment de uhlans parti en catastrophe vers le nord. Ils sont remplis d'avoine qu'ils déchargent pour nourrir les chevaux des cuirassiers qui se désaltèrent bruyamment à l'abreuvoir municipal.

Les habitants se sont cachés dans les bois quand les Allemands ont fusillé des notables, sous prétexte que des francs-tireurs attaquaient leurs colonnes. Les maisons qui ont résisté au bombardement sont closes, leurs vitres brisées. Pas une tête aux fenêtres, pas un drapeau français. Les gens se gardent de revenir chez eux. Ils ont peur que le sort de la bataille ne ramène chez eux les Bavarois.

La première compagnie du 121ᵉ bivouaque, au soir du 14 août, place de l'église, devant le cimetière. De nouveau les ordres sont d'attendre, et le commandant Bourinat est venu là pour veiller à leur exécution rigoureuse. L'avancée des biffins du 121ᵉ ne pourrait que créer des embarras inutiles sur les routes. Le général de Maud'huy doit aller jusqu'au bout de son mouvement, en permettant seulement aux convois de vivres, de munitions et aux renforts d'artillerie de suivre.

Le lieutenant Gérard et le sergent Massenot pénètrent dans le cimetière, intrigués par une fosse où s'affairent des soldats de corvée. Derrière les tas de terre luisante, des corps au fond du trou. Le lieutenant reconnaît celui de Bernard Quinquet, son camarade de promotion de Saint-Cyr. Il a les poings serrés, comme s'il chargeait encore. On lui a laissé ses gants blancs.

— Il a été achevé à la baïonnette, dit l'un des fossoyeurs en sortant sa gourde.

Les cadavres, une douzaine, sont là, officiers et soldats mêlés. Le lieutenant fait remonter le corps de Bernard Quinquet. Il a gardé les yeux ouverts, et ses lèvres semblent parler. Sur sa poitrine, des traces de balles. Aucun coup de baïonnette. Les Allemands ne se sont pas acharnés sur son cadavre. Il a été tué par une rafale de mitrailleuse.

— Retirez ce corps, dit-il aux fossoyeurs, enterrez-le à part. C'était un brave. Je veux que sa famille puisse retrouver sa tombe.

— Ils sont des centaines de braves, mon lieutenant, dit le sergent de corvée. Nous avons déjà creusé deux fosses communes. Faut-il enterrer les officiers à part?

Jean guette le visage du lieutenant. Pour la première fois depuis le début de la campagne, il le sent au bord des larmes.

— Au travail, dit-il en retirant sa vareuse, nous l'enterrerons nous-mêmes.

Ceux de l'escouade le rejoignent, pelles en main. Et le lieutenant plante sur la tombe fraîche une croix de bois, marquée maladroitement au nom de son ami.

Cirey-sur-Vezouze

Moins d'une heure après l'extinction des feux, les soldats sont réveillés au son du clairon, à la nuit tombée. Ils se dressent en maugréant. Depuis quand les Allemands attaquent-ils sous la lune?

À la compagnie de Jean Aumoine, le capitaine de la Porte du Mail rassemble ses gradés :

— Il faut repartir de nuit, vers l'est, plier bagage tout de suite.

— De nuit? s'étonne le lieutenant Gérard.

— Pourquoi pas? Les Allemands ne marchent que la nuit. Nous sommes la première compagnie du premier bataillon, et nous prenons la tête du mouvement. Le colonel a reçu des ordres. Il doit se placer à l'aile droite de la division berrichonne, et non en queue. Renoncer à l'avance sur Blamont, déjà pris par la 16e division de Bourges, pour attaquer directement Cirey par une marche immédiate sur Bréménil.

— C'est donc un contreordre, objecte le lieutenant Gérard.

— Un ordre tout court, tranche De la Porte du Mail, et qui sera bientôt suivi d'un ordre d'attaque. Cette fois, nous n'aurons plus que l'ennemi devant nous.

Une marche silencieuse et sinistre. Au loin, vers l'est, les lueurs du canon sur les hauteurs du Donon. Vers le nord-ouest, celles des incendies de villages en arrière de Blamont. Une route bordée de peupliers. À travers leur file hachurée de lumière lunaire, les soldats regardent miroiter la surface d'étain de la rivière Brême. L'un derrière l'autre, ils avancent en gardant leurs distances, guidés par le tintement mêlé des godillots au sol et des gamelles dans les sacs.

Pas le moindre fanal dans la colonne susceptible d'attirer l'attention de l'ennemi. La clarté de la lune suffit à découper le ruban blanc de poussière sur lequel progresser sans chuter dans les fossés. Les trains des équipages ne suivent pas, qui les rejoindront au petit matin. Seuls avancent en tête les chevaux des voitures de mitrailleuses, guidés à la longe par les servants à pied.

— J'espère que l'artillerie de notre division est déjà en place, dit Massenot à Jean. Je n'entends pas le bruit des roues de batteries sur la route.

— Il n'est pas impossible qu'elles soient toutes engagées vers le Donon, répond Jean.

— Les nôtres, peut-être, mais pas celles de Maud'huy. Entends comme elles tonnent, elles n'ont pas attendu le jour pour se réveiller…

Des éclairs font jaillir brusquement de la pénombre la longue file des fantassins en marche. L'orage se met à gronder, en même temps que de larges gouttes de pluie commencent à tomber. Une halte obligée, le temps de sortir les couvertures pour s'abriter. L'escouade de Jean poursuit sa marche telle une longue chenille grise.

Nouvel arrêt, et bruit de cavalcade dans un pré, en contrebas de la route. Des dragons d'accompagnement de la colonne tirent. Une vache s'écroule. Ils l'avaient prise pour un uhlan.

Le cours sinueux de la Brême se rapproche franchement de la route. Le village ne doit plus être loin. Va-t-on y cantonner?

– Ce n'est pas une rivière mais un ruisseau à écrevisses, dit Jean en songeant à sa chère Magieure, le petit cours qui irriguait le moulin de son grand-père à la Baudre; Raymond y traquait les grenouilles avec des chiffons rouges.

Plus on est en vue du hameau, plus les postes d'avant-garde intiment aux têtes de colonnes de se faire reconnaître, au fanal. Le terrain est balisé, on pénètre en zone d'opérations. Les piquets de gendarmes à cheval sont visibles à leurs bicornes, immobiles sous la pluie battante. Ils n'ont plus pour mission de traquer les espions et d'arrêter les rôdeurs, mais de boucler l'arrière des troupes engagées, pour décourager les abandons et fusiller les déserteurs.

Pas de halte au village de Bréménil. Dans les ruines, on distingue des fourgons modèles 1874, à bâches foncées, attelés aux percherons de la réquisition. D'autres chevaux hennissent dans leur écurie abandonnée, au toit percé par les obus. Les dépôts de munitions, à l'abri dans les caves, se trouvent tout près des lignes, surveillés par des sentinelles dont les baïonnettes luisent sous les éclairs de l'orage.

Le bataillon poursuit vers le nord. Il franchit en file indienne le petit pont sur la Brême, gardé par un piquet de dragons à cheval dont les lourds manteaux forment des masses sombres. La route grimpe ensuite en lacet, le long d'une forêt de conifères.

La colonne est stoppée à plusieurs reprises. En tête, le colonel Trabucco repère les lieux, botte à botte avec le commandant de l'escadron de dragons. Il écoute les rapports des éclaireurs en patrouille. Il finit par donner l'ordre de bivouaquer dans les fermes du village de Parux. Les dragons font du porte-à-porte chez les paysans, pour demander qu'on leur prépare des gîtes dans les granges, les écuries ou les bergeries. Mais les hommes ne peuvent faire du feu afin de se réchauffer et sécher leurs vêtements. Les uhlans sont trop près.

— Nous avons de la chance d'être de la première compagnie, dit l'adjudant Castaldi. Tous les camarades n'auront pas de toit.

Coucher dehors ne déplaît pas à Jean, qui déteste l'odeur des écuries et encore plus celle du foin coupé. Mais il a trop plu. Il lui faut se mettre en quête d'un abri pour ses hommes. Un vaste hangar à tombereaux, sec et salubre, fait l'affaire. Il étend ses membres harassés sur les planches d'une benne à betteraves, aux côtés du clairon André Biron et de Jules Bousquin, de la Genebrière.

Le colonel a donné l'ordre aux trois chefs de bataillon d'occuper les positions d'attaque le lendemain à quatre heures, avant le lever du jour. La nuit sera courte.

Jean ne trouve pas le sommeil, tant il est angoissé. Sur le banc d'une charrette voisine, un dragon débotté, en chemise, sa couverture sur les épaules, fume des cigarettes anglaises ou russes à bout doré. Il tend sa gourde :

— Un peu de tisane, camarade ?

— Je voudrais dormir.

— Moi aussi, dit le dragon, un brigadier nommé Forget, du 6ᵉ régiment de Vincennes. Mais je dois repartir à minuit. Je suis encore plus las que mon cheval.

La veille, il a chargé un parti de uhlans de Bavière. Son escadron avait reçu l'ordre de couvrir la première colonne d'infanterie, celle du 121e, sur la route de Cirey. La forêt de Grand Cheneau, sur le flanc droit, était infestée de patrouilles ennemies guettant l'arrivée des Français.

– Tourne-Toujours, mon cheval, donnait des signes d'énervement à cause des descentes de main répétées à la bride. J'ai senti le danger. Les cavaliers de mon escadron étaient aussi sur le qui-vive et avaient sorti leurs sabres. Les chapskas de cuir bouilli des uhlans n'ont pas tardé à se montrer. Ils ont chargé, leur longue lance pointée sur notre capitaine. Submergé, il allait périr. Nous ne l'avons dégagé qu'à grand-peine.

– Les uhlans tiennent-ils encore les bois?

– Ils se sont repliés. Mais nous sommes tombés sur des tirailleurs embusqués, des hommes en gris, à casquettes rondes sans visières. Un détachement de leurs cyclistes infiltré par les sentiers de la forêt. Ils nous ont couchés, genou en terre, à la carabine. Nous avons perdu du monde. Tourne-Toujours a été touché à la face interne de la cuisse gauche. Il est mort en perdant tout son sang. Jamais je ne retrouverai un pareil compagnon. J'ai dû l'abattre de ma main.

Jean est resté silencieux pendant cette courte oraison funèbre. Il sait combien les cavaliers, plus encore que les paysans, sont attachés à leurs montures. Mais ce combat de cavalerie l'inquiète, il s'en ouvre à voix basse au dragon.

– Si le régiment n'est pas sûr de son flanc droit, si les fourrés sont véritablement tenus par des unités munies de mitrailleuses, nous marchons à la boucherie!

– Pas du tout, répond l'autre. Nous avons tous mis pied à terre pour repousser les Bavarois sous le feu de nos mitrailleuses et de nos carabines. Les cuirassiers nous ont relevés. Un régiment entier. Nos cavaliers, à pied, ont occupé toute la forêt, après un combat sanglant de trois heures.

Jean se souvient de ces cuirassiers de Lyon, rencontrés sur la route, que les chevaux ne pouvaient plus porter. Ils se sont sans doute battus en fantassins, eux aussi…

– Les uhlans et les casquettes plates des éclaireurs cyclistes n'ont pas demandé leur reste, poursuit le dragon. Mais gare à leurs canons! À l'aube, ils vont pilonner. Nous repartons à cheval, pour repérer leurs batteries. Ils tirent de loin, et leurs pièces sont camouflées. Nous sommes les seuls à pouvoir les dénicher, en nous infiltrant par petits groupes loin dans leurs lignes. L'armée n'a ni ballons, ni avions.

– Vous avez des montures de rechange?

– Cabri m'attend. Un superbe cheval d'officier prussien tué. Il est déjà sellé, et ses fers sont tout neufs.

– Jusqu'où se sont retirés les Bavarois?

– Nous avons déjà reconnu leurs lignes. Ils tiennent le prochain village de Petitmont, juste avant Cirey. Votre colonel est prévenu. Le chef d'escadron vient de lui faire son rapport. Prenez garde, ils ne sont visibles qu'au moment où ils se lancent à l'attaque.

– Demain, c'est nous qui attaquons.

– Raison de plus pour vous méfier. Crois-moi, caporal, tu ne pourras pas les repérer. Ils sont très bien dissimulés, enfouis, enterrés. Quand je suis parti en reconnaissance, une heure avant la tombée du jour, les ordres étaient de voir si le village de Petitmont était occupé. Nous avons progressé en fourrageurs, à travers champs. L'air était encore limpide, pas la moindre brume. On distinguait parfaitement tous les détails des taillis, les replis du terrain au soleil couchant. L'endroit semblait désert, abandonné. Pas âme qui vive, ni homme, ni bête. Les Bavarois étaient-ils couchés dans les sillons des champs ? Pas un brin d'herbe ne bougeait. De mes jumelles, j'inspectais la plaine, la carabine au pli du bras...

— Ils ne vous ont pas tiré dessus ?

— Pas tout de suite. Ils nous laissaient approcher. Nous avons escaladé deux replis de terrain sans voir la moindre ombre suspecte.

— Le village était vraiment désert ? insiste Jean, soudain passionné par le récit de Forget : ce que le dragon a vu dans la journée et lui dépeint, il le découvrira lui-même au petit matin, c'est son futur champ de bataille...

— Des grosses fermes, autour de maisons villageoises alignées le long de la route. Des murs de pierres grises, un clocher trapu, des tuiles d'un rouge jaunâtre, mangées de lichens. Des vergers calmes, nulle fermière de retour des potagers, ni faucheuses sur les chemins bordés de haies. À croire que les paysans ont été évacués de force par les Bavarois, ou qu'ils se sont terrés dans leurs caves.

— L'ennemi a-t-il abandonné Petitmont ?

— Je l'ai cru. Nous avancions avec peine dans les avoines hautes qui chatouillaient le poitrail des chevaux. Nous avions une ligne de peupliers, à cent mètres de la première ferme pour nous protéger. Nous marchions prudemment, au petit pas. Mon copain Louis Dumas s'est dressé soudain sur ses étriers. Du bout de sa carabine, il m'a désigné une meule ronde, à dix mètres : « J'ai vu une tête ! » Mais rien, le vide, le silence. J'ai observé à la jumelle, droit devant moi. Le village semblait ouvert : pas une barricade, pas une meurtrière

143

ouverte dans les murs. Les chevaux, un peu effrayés, ont tenté de faire demi-tour. À coups d'éperons, nous les avons remis dans le droit chemin. Aussitôt, la fusillade!

Jean tourne la tête vers Forget.

— Par miracle, ils nous ont manqués, poursuit le dragon. Une ligne de Bavarois allongés derrière les meules s'est démasquée brusquement. Deux ou trois cents, peut-être! En fait, Petitmont regorge de troupes. Nous n'avons pu les voir, mais nous avons senti leur présence. Chaque repli de terrain, bosquet, taillis, et bien sûr les meules, sont utilisés pour cacher les *Feldgrau* dont l'uniforme gris de campagne se fond dans la nature. Vous avez devant vous une position organisée.

— Mais l'état-major est prévenu, dit Jean, perplexe. L'artillerie est sans doute déjà prête à donner?

— Elle n'est pas encore en place. Quelques batteries seulement ont trouvé leurs emplacements. Personne ne s'attendait à rencontrer ce nid de résistance. Ceux de l'état-major ne l'avaient pas inscrit sur leurs tablettes. Mais demain, il fera jour, et en une heure de temps, assure le dragon en sautant de la charrette, les 75 auront tout dégagé, fais-leur confiance!

— Sans doute, répond Jean, sans doute…

Il pense à son frère Léon, expédié sur le Donon. Sa batterie ne sera pas là pour lui prêter assistance. D'autres viendront, peut-être.

Le paysage qu'il découvre à l'aube est tel que l'a décrit le cavalier. Il aperçoit au loin le clocher de l'église fortifiée de Petitmont, la ligne grise des maisons en apparence désertes.

Un damier de champs entourés de haies, reliés par des chemins de terre, des avoines jaunies attendant les moissonneurs, des prés reverdis par l'orage, des chaumes parsemés de nombreuses meules, de luzernes luisantes de rosée. Sur la droite, les futaies du bois épais reprises aux Allemands par nos braves cuirassiers.

« L'ennemi peut attaquer à couvert, se dit Jean, dégager les nôtres et placer là des mitrailleuses et des canons. Rien n'est plus traître qu'un bois. »

À main gauche, il scrute les lignes de saules ponctuant le cours d'un ruisseau, le Vacon. Le village, à une portée de deux kilomètres environ, domine légèrement, de quelques mètres d'altitude, la plaine coupée de chemins creux, de replis de terrain, de vallonnements légers, de bosquets touffus de chênes.

Les vergers de pruniers entourés de murs de pierre peuvent constituer autant de réduits. Les murs épais des fermes semblent défier les tirs d'artillerie. Les petits obus du 75 viendront se ficher dans la meulière sans y faire de trouée. Seuls les toits sont vulnérables. Ils peuvent être incendiés.

Pas trace de mitrailleuses allemandes. Elles semblent absentes du champ de bataille, pas le moindre nid repérable. Ni tranchées, ni barbelés, un espace déserté, innocent d'apparence. Les pantalons rouges prennent leurs positions de départ sans être contrariés. Au soleil levant, les gamelles sur les sacs, les boutons brillants des uniformes, les plaques des ceinturons sont visibles au loin, ainsi que les poignées des baïonnettes. Mais qui observe l'armée? Le village semble assoupi.

Les autres unités de la 26ᵉ division se mettent en place derrière son régiment de pointe, le 121ᵉ, dont les bataillons s'étirent silencieusement dans la campagne.

— Regroupez-vous derrière ce bosquet, dit le lieutenant Gérard à ceux de la première compagnie, qui doivent mener la charge, à supposer que l'on débusque enfin l'ennemi.

Sept heures. Les deux cent cinquante hommes sont à terre, surveillant les meules au loin. À droite, ceux de la seconde compagnie se sont couchés dans un champ d'avoine, coquelicots rouges perdus dans une mer dorée. Le troisième bataillon, commandé par le capitaine Migat, est en réserve. Un vieux gradé, Migat, jamais avantagé au tableau d'avancement, résolu et prudent, adjoint du colonel à l'état-major et néanmoins responsable de son unité au moment des attaques. Les officiers sont dans les sillons, avec les hommes. Les seules silhouettes visibles sont celles des agents de liaison, qui avancent courbés pour apporter en première ligne les ordres des chefs de bataillon et de l'état-major du régiment.

L'abri du colonel Trabucco est difficile à repérer : il a été creusé dans la glaise, un kilomètre à l'arrière. Il est dissimulé par une ligne de peupliers, cachant un vallonnement où se sont installées des batteries de 75 venues au secours de la division. Force est d'avancer les pièces au plus près. Leur portée utile est de trois ou quatre kilomètres, même si elles peuvent tirer jusqu'à sept.

L'artillerie ouvre le bal. Les obus français déchirent l'air par salves de quatre. Ils prennent pour cibles les maisons fortes du village et les meules. Les nuages blancs s'accumulent au-dessus de Petitmont, mais n'ont pour effet que d'attirer un aéroplane de toile et de bois, marqué aux couleurs de la Prusse.

— Mauvais présage, dit le sergent Massenot. *Taube*, en allemand, c'est un oiseau. Ils envoient les corbeaux, ou les vautours.

— Et bientôt les gros noirs, courbez le dos, placez la tête sous les sacs! lance Angelo Castaldi.

Pourtant, l'artillerie allemande reste silencieuse. Pas la moindre flamme de départ de pièces dans les jumelles du lieutenant Gérard qui observe l'horizon. Au village, les toits s'effondrent, les charpentes prennent feu. Quelques files grises de Bavarois sortent en courant, cherchent un refuge. Les meules sont pulvérisées, la paille dispersée ou incendiée. Le bruit est terrifiant, l'ennemi toujours invisible.

— Ils se sont enterrés, dit le lieutenant.

Rageur, le 75 insiste, balaie le terrain de fusants et d'obus explosifs. Les batteries ont été rapprochées jusqu'à cinq cents mètres à l'arrière des lignes. Le tir est courbe, mais efficace à si courte distance. Les portes des étables, ouvertes par le canon, laissent sortir en désordre les vaches et les veaux. Ces étranges rescapés du réveil aux shrapnels fuient de tous côtés, cherchant en vain leurs itinéraires habituels; les chiens les regroupent, comme à l'accoutumée, et les conduisent, le long des chemins, aux prés de pacage.

— Nous ne manquerons pas de viande fraîche, dit l'adjudant.

— Les Bavareux ne sortent pas, constate Massenot. Nous allons attaquer sans savoir où tirer.

— Ils ont eu leur compte, dit le lieutenant. Le canon a bien travaillé. À nous de les achever.

Un sifflement bizarre, au-dessus des premières lignes. Les hommes rentrent la tête dans leurs épaules. Les éclatements ne sont pas pour eux. À l'arrière, les batteries dansent sous les impacts. Les servants attellent les pièces de 75 indemnes pour changer de position en vitesse. Elles ripostent, aboient de plus belle.

Le vacarme, au-dessus de la ligne d'infanterie, devient assourdissant. Les marmites allemandes ont un vol lourd, angoissant. Les obusiers ennemis ont échappé au tir des canons de 75, trop loin pour être vulnérables. Avec une précision stupéfiante, ils détruisent l'un après l'autre les emplacements de tir français.

Le sol tremble. Les éclatements forment un grondement continu. Des geysers de terre et de pierres retombent en pluie dans les champs. Parfois un caisson de munitions éclate, en une gerbe de lumière et de fumée. Les artilleurs réattellent et s'éloignent. La position devient intenable.

Jean pense au dragon Forget, son compagnon de la nuit. Où peut-il être? Sans doute se cache-t-il sur les chemins creux. À moins qu'il ne chemine dans les bois, à l'arrière des lignes, cherchant à découvrir l'emplacement des obusiers lourds. Tâche insensée, mission suicide. Comment rapporterait-il à temps les informations nécessaires aux artilleurs?

Pauvre Forget! Son dernier cheval sera mort en pure perte, avant que son maître ne tombe aux mains des Bavarois. Faute d'avions et de saucisses de repérage, on a demandé l'impossible aux cavaliers. Loin d'en rire, les biffins du 121e plaignent les dragons et les cuirassiers. Ils ont été témoins de leur extrême fatigue.

– Ça va être à nous, dit le lieutenant Gérard, baïonnette au canon!

148

Aucun ordre trompeté, pas de sonnerie de clairon. Les pantalons rouges, depuis longtemps prêts à l'attaque, restent tapis au sol. Il est huit heures. Le soleil grimpe dans sa course. On voit distinctement les lignes du terrain, les replis infimes d'apparence, quelques tas de terre fraîchement remuée qui, de proche en proche, évoquent la possibilité d'une ligne continue de résistance enterrée, sans aucune certitude. Pas un coup de feu. L'ennemi attend.

– Je n'en peux plus, dit Robert Nigier, le mineur des Ferrières. J'ai des fourmis dans les jambes.

– Qu'attend-on pour leur courir dessus? s'impatiente Jules Bousquin.

– Pour les crever à la baïonnette, dit le pacifique apiculteur de Bloux, Ernest Lavelle, en forçant sa voix.

– Du calme, la classe! dit Castaldi. Chaque chose en son temps.

À son côté, Maurice Duval reste muet d'angoisse. Les mâchoires crispées, le teint gris, les yeux inexpressifs, il a la trouille, la vraie, celle qui paralyse. Le champion du Tour se demande s'il pourra suivre le peloton de la mort sans flancher et prendre le départ au pas de course. Il sent la terre immobile sous son corps. Il pèse, épouse les mottes, les écrase de son poids pour être absorbé, enseveli, assimilé, éliminé du champ visuel. Il voudrait n'être rien, s'enterrer lui-même, n'avoir jamais existé.

Les 75 repliés tirent maintenant de trop loin pour être efficaces. Le colonel a pu obtenir des renforts. Les petits nuages blancs éclatent de nouveau dans le ciel, mais ils arrosent les champs trop en avant des premières fermes du village. Un tir de méthode en aveugle, qui balaie le terrain. Quelques minutes plus tard, les obusiers lourds des Bavarois et d'autres canons de 120 recommencent à chercher les 75, avec moins de bonheur, car le feu français ne cesse pas. Il se rapproche au contraire des lignes du 121e. Les obus explosent à cent mètres des premiers pantalons rouges.

— S'ils continuent, gronde le sergent Massenot, c'est nous qui allons trinquer. Tués par les nôtres. Un comble!

— Ils nous dégagent le terrain. Qui te dit que les autres ne sont pas planqués là, tout près de nous, à portée de revolver?

Dans les premières lignes françaises, un homme se redresse, tend son fusil en direction du village.

— Sortez de vos trous si vous êtes des hommes!

— C'est Joannin, dit Massenot, le boxeur de Montluçon. Un hercule!

Le caporal Joannin, de la seconde escouade, a perdu la tête. Il éructe, invective, tend le poing. Deux copains le plaquent à terre. Il les repousse. Quatre hommes plongent dans ses jambes, cherchent à le renverser. Il les écarte à coups de crosse. Il part seul, court à l'ennemi. Aucun coup de feu. Personne ne le prend pour cible. À croire que le village est évacué. Joannin s'égosille en vain.

— Suivez-moi!

Neuf heures sonnent alors à l'horloge du clocher de Petit-mont, épargné par le canon. Les officiers donnent le signal de la charge. Dans la plaine, le drapeau déployé du régiment s'avance, avec sa garde rapprochée, au milieu d'une nuée d'éclats d'obus allemands. Une charge à l'ancienne, comme à la manœuvre, contre un ennemi toujours invisible.

Joannin est surpris. Le 121e régiment le rattrape au pas

de course, le dépasse, lui vole la vedette. Aux coups de sifflet des officiers, les pantalons rouges ont bondi, exaspérés par l'attente. Jean, dans la section de pointe, a le temps d'apercevoir le lieutenant Gérard.

Il sort de la poche de sa vareuse des gants blancs et les enfile avec soin. L'épée au poing, le sifflet aux lèvres, il court en tête. Derrière lui, Castaldi, képi enfoncé jusqu'aux yeux, veille à l'alignement des sections d'assaut de la compagnie. Le sergent Massenot entraîne les deux escouades. Maurice Duval a pu prendre le départ avec les autres. Il suit les camarades et bientôt les dépasse de son pas de marathonien.

Baïonnette au canon, disposés en lignes de tirailleurs éloignés les uns des autres, les biffins de la première compagnie prennent leur rythme. Beaucoup crient, hurlent, lancent des injures pour se donner du courage.

Cent mètres, deux cents mètres, toujours pas d'ennemi en vue. Les cris se sont tus. La cadence a déjà ralenti. Faut-il cesser la charge, là, en terrain découvert, offrir sans pouvoir réagir une proie pantelante, déjà essoufflée, au feu de l'ennemi?

– Faites passer, dit le lieutenant Gérard : défense de tirer sans ordre!

Le village est toujours sans réaction, comme anesthésié par les tirs d'artillerie. Les obus lourds allemands passent au-dessus des têtes, dirigés sur les 75 qui se taisent les uns après les autres. D'autres salves éclatent, meurtrières, venues de plus près. Des 77 allemands de campagne, sans doute embusqués juste derrière le village de Petitmont.

Les hommes trébuchent sur les mottes dans les chaumes, butent sur les cailloux des chemins, s'empêtrent dans les avoines hautes. Les ronces des haies regorgeant de mûres et de prunelles déchirent les pantalons rouges.

Les salves des 77 les poursuivent. Le danger est réel, immédiat, palpable. Les obus labourent les champs de trèfle, jettent en l'air les touffes de luzerne, abattent les vaches regroupées sous les chênes. Les entonnoirs dessinent sur le terrain des figures géométriques parfaites, ils se rapprochent régulièrement, inexorablement, de la première ligne d'assaut :

– Couchez-vous, crie Gérard, en carapace!

Les hommes se rassemblent en petits groupes. Chacun place sa tête entre les jambes de celui qui est devant lui. Les dos sont recouverts par les sacs pour s'abriter des éclats ou des retombées de pierres. On laisse ainsi passer l'orage. Jean Aumoine se retrouve la tête entre les bottes de cuir du lieutenant Gérard.

Mais il faut avoir le temps de se regrouper. On peut se faire tuer en plein mouvement, même si l'on fait vite. Les plus malins, Massenot en tête, se rappellent les confidences de l'adjudant Castaldi. Un obus ne tombe jamais dans un trou d'obus. Ils bondissent pour se jeter, tête la première, dans les trous creusés à vingt mètres vers l'avant. Les explosifs continuent de labourer les sillons. Un nuage de fumée verte rend l'air irrespirable. Des corps en pantalons rouges sont projetés, retombent déchiquetés sans qu'on puisse en reconnaître les visages.

Dix heures. La charge repart, au coup de sifflet du capitaine de la Porte du Mail qui suit la première section d'assaut, avec le gros de la compagnie. En tête, Vincent Gérard range son épée inutile, sort son revolver à l'approche de l'ennemi.

Les cratères des obus lourds criblent le terrain. Force est de les contourner, et la ligne d'attaque se creuse, se disloque d'un bout à l'autre. Les hommes courent par petits paquets, se jettent à plat ventre dès qu'ils entendent une arrivée de marmite, avant de repartir, haletants.

Une gerbe laboure la terre à dix mètres de Jean. Il veut ramper pour secourir un homme qui hurle de douleur. C'est Robert Nigier. Il a reçu un éclat dans le ventre.

– Brancardiers! hurle-t-il.

Dans le vacarme du bombardement, personne ne l'écoute. L'adjudant Castaldi ordonne au caporal de rejoindre. On ne doit en aucun cas porter secours aux blessés au moment de l'assaut. Biron, sur son ordre, sonne la charge. Joannin, le colosse, a repris la course en tête, défiant les obus. Les escouades repartent au pas de course.

Tous les biffins ne se relèvent pas au signal du clairon. Le champ d'avoine rougit du sang versé. Entre deux arrivées de gros noirs, on entend les cris des blessés, un bourdonnement ininterrompu de plaintes.

Les hommes ont ainsi couru mille mètres, pourchassés par les obus, sans avoir essuyé une balle de Mauser. Les pertes sont déjà sévères, et pas seulement dans les premiers rangs. L'artillerie ennemie, qui n'est plus contrebattue, arrose l'ensemble des lignes françaises.

Le feu est accablant. Les batteries sont partout, et partout invisibles. Leurs stocks d'obus semblent inépuisables. Les losanges blancs des 77 se dessinent sans cesse dans le ciel, et leur gerbe de feu plaque au sol les pantalons rouges qui repartent, exténués, les oreilles bourdonnantes, la gorge en feu.

– Serrez, maintenez l'alignement! crie Gérard.

Même le caporal Joannin a ralenti sa course. Le bon géant souffle comme un cheval fourbu. Encore cinq cents mètres avant d'arriver, en avançant à découvert, sur les murs de pierres sèches des jardins. Toujours pas d'infanterie ennemie en vue. Mais les obus pleuvent comme grêle, suivent avec une stupéfiante précision l'avance des fantassins.

La vague d'assaut est écrasée, laminée, dispersée par les obus, avant d'avoir atteint les premières lignes. Roger Nigier perd lentement son sang dans le champ d'avoine. Personne ne peut rien pour lui.

Midi. Le soleil est au zénith. Les hommes grignotent des bribes de pain retirées du sac. Levés à l'aube, engagés sans répit depuis. Pas question de pause. On bouffe et l'on boit un coup de gnôle en marchant. Faudrait-il arrêter l'avance, au regard des pertes ? Le capitaine de la Porte du Mail surgit à pied en première ligne, revolver en main, le visage pâle et crispé.

– Nous allons montrer aux autres comment on attaque, à la première compagnie ! dit-il à la cantonade. À nous de donner l'exemple.

Le sergent Nisard lui emboîte le pas pendant que les clairons sonnent la reprise de la charge, entraînant les hommes, baïonnette au canon. Joannin est toujours en tête. Ils ne font pas dix pas.

Le capitaine est le premier atteint. Il est tombé face contre terre, sans avoir tiré une balle, haché par une rafale de mitrailleuse. Le sergent Nisard a son képi soufflé par la rafale, ses lunettes arrachées. Il tombe près du corps encore chaud du capitaine qui expire entre ses bras et l'asperge de son sang.

Le caporal Joannin se jette à terre. La première vague reçoit de plein fouet le feu croisé des mitrailleuses. Saisis de panique, les soldats refluent en désordre. Ceux qui peuvent se relever reculent jusqu'aux trous d'obus. Se coucher n'est plus une parade. Les rafales du meurtrier tac-tac fouillent le sol en pointillé, traversent les corps des soldats allongés.

Aucun répit, les salves pétaradent. Les balles jaillissent comme frelons du nid. Les soldats n'avaient jamais subi, pendant leurs classes, de tirs de mitrailleuses à balles réelles, au ras du sol. Le seul réflexe est de s'enterrer, de se replier jusqu'aux champs labourés d'obus, d'abandonner la charge.

Les coups de sifflet retentissent. Les sous-officiers aboient les ordres.

– Groupez-vous, rampez ! Feu à volonté !

Les hommes repartent à l'assaut sans apercevoir les *Feldgrau* embusqués derrière les murs, les buissons, les replis de terrain, les portes des granges, les ruines du village bombardé. Et ils se ruent, comme tétanisés, sans souci des camarades qui tombent, emportés par la rage d'enfoncer l'ennemi.

L'adjudant Castaldi, blessé au pied, s'assied sous un arbre, adossé au tronc, pour tirer au revolver sur des cibles invisibles. Duval rampe vers lui. Pour l'évacuer. Le Corse s'y refuse. Il veut rester fidèle à sa légende de baroudeur marocain, à son passé de rescapé du Rif. La baraka a toujours éloigné de lui la camarde. Les blessures, il connaît. Le vieux juteux ligature lui-même sa jambe à l'aide de sa ceinture et continue à diriger l'assaut d'une voix tonnante :

– Débusquez-les, à la baïonnette ! En avant !

Le moyen d'attaquer au corps à corps, alors que l'ennemi se dérobe? Les hommes repartent, mais les tirs de mitrailleuses redoublent du fond de leurs caches, elles sont partout, à chaque recoin des murs avancés du village.

De nouveau, il faut se terrer. Gérard fait un signe à Duval, le meilleur tireur de la compagnie : il a vu un bras s'agiter au dessus d'un taillis. Un officier allemand, qui commande le tir. Un coup de vent dans les branches l'a trahi. Duval le vise soigneusement. Son Lebel lâche trois balles en salve. L'officier bat l'air de ses mains.

Aussitôt les fusils de l'escouade crachent le feu sur le nid de mitrailleuse, à cent pas. Les hommes avancent par bonds, contournant l'obstacle. Les Bavarois n'ont pas le temps de faire retraite. Ils sont écrasés, anéantis.

Pas de prisonniers. Pas de quartier. La baïonnette ne pardonne pas. Les soldats poussent rageusement les pointes d'acier jusqu'au sang. Trop de camarades sont morts sans avoir pu se défendre. La soif de vengeance les déchaîne. Duval s'empare de leur mitrailleuse, instrument du diable, la hisse à bout de bras aussi aisément qu'une bicyclette et la fracasse contre un mur en hurlant victoire! Il a terrassé le monstre.

La charge sonne de nouveau. Dans la poussière de la bataille, Jean voit avancer des hommes pliés en deux, bondissant d'arbre en buisson. D'où viennent-ils? Qui a donné l'ordre de l'assaut? Le deuxième bataillon, arrivé en renfort, dépasse les survivants du premier et se précipite dans le verger de Petitmont, fauché à son tour par d'autres mitrailleuses. Les tireurs bavarois abrités derrière les pans de murs ne sortent de leurs trous que le temps d'une cartouche. Ils visent, tirent, puis disparaissent.

Castaldi, furieux d'être débordé par les compagnies de deuxième vague, siffle pour faire repartir les siens. Ils sont épars au milieu des colonnes montantes de renforts qui courent à l'assaut. Impossible de les rallier.

Le lieutenant Gérard a perdu toute liaison avec les sections de sa compagnie. Il ne peut même pas joindre le capitaine de la Porte du Mail, évanoui dans l'immense nuage de terre et de poussière qui recouvre les champs. Le caporal envoyé à sa recherche n'a pas reparu.

Les pantalons rouges refluent à nouveau sous le tir écrasant des Bavarois. Après avoir tenté l'assaut des premières fermes fortifiées, l'ennemi s'est maintenu dans les ruines. Du verger où il s'est embusqué avec les survivants de la première compagnie, Gérard n'ose sortir. Depuis le début de l'affaire, il n'a reçu aucun ordre. Il est isolé avec les siens. Aucun des agents de liaison qu'il a envoyés au capitaine n'est revenu.

Un homme fourbu rampe jusqu'à lui. Depuis les premières maisons du village, il a couru en zigzaguant et en s'appuyant sur un tronçon de lance. Jean reconnaît à sa haute taille le caporal Joannin, de la deuxième escouade. Son visage est noir de poudre. Haletant, le soldat dit à l'officier.

— Le bataillon se replie. Je viens aux ordres.

Le lieutenant est surpris. Pourquoi Joannin tient-il à la main un bâton blanc et bleu recouvert par endroits de lambeaux d'étoffes et surmonté d'une pointe dorée ? L'autre explique :

— Une lance de uhlan, mon lieutenant, j'ai tué l'homme à la baïonnette. Un officier à épaulettes.

— Caporal, dit Vincent Gérard avec solennité, comme s'il lisait une citation, vous venez de prendre un drapeau bavarois.

Deux heures de l'après-midi. Les Bavarois surgissent aux commandements gutturaux de leurs sous-officiers. C'est la contre-attaque. Les *Feldgrau* ont bondi hors de leurs trous, baïonnettes au bout des Mauser, les casques à pointes recouverts d'une housse. Leurs bottes de cuir noir sont grises de poussière. Ils avancent derrière le village, en grand nombre, au moins deux bataillons.

Toujours pas d'ordres du capitaine de la Porte du Mail. Nul ne peut savoir qu'il vient d'être tué. Le groupe de Gérard risque d'être isolé plus longtemps que prévu dans le reflux du 121ᵉ. Les hommes n'ont pas eu besoin de recevoir d'ordres pour s'enterrer dans le verger en creusant des trous avec les pelles individuelles.

Dans ses jumelles, le lieutenant Gérard voit les Bavarois se déployer très vite en tirailleurs par compagnies, éloignés d'au moins quatre pas les uns des autres. Ni tambours, ni sonneries. Seulement les cris répétés des *Feldwebel* qui pressent le mouvement, trop lent à leur gré.

Les Français tirent toutes leurs cartouches, à plat ventre ou genou en terre. Les Bavarois tombent, mais ils sont poussés en avant par d'autres unités qui mettent en place des mitrailleuses portatives traînées à bout de bras par les hommes. Les officiers suivent de près les colonnes d'assaut, ils ne les précèdent pas.

Les duels à la baïonnette se multiplient. Les jardins et les vergers sont bientôt assaillis de troupes fraîches, qui tirent à la volée leurs munitions sans souci d'économie. Les jeunes Bavarois blonds et roux sont manifestement d'un régiment d'active. Ils bondissent et manœuvrent sans aucune fatigue.

Les Français sont galvanisés par le combat de proximité. Ils ont tant souffert de l'attente, des pertes subies dans la marche d'approche sans voir l'ennemi, qu'ils se jettent sur les fantassins du roi de Bavière avec une sorte de frénésie. Joannin assomme un sergent d'un coup de crosse, embroche en série les assaillants à la baïonnette.

Jean Aumoine n'a plus de munitions. Il se défend à l'arme blanche. Il regarde ses mains, qui n'ont jamais pu étrangler un poulet à la ferme. Il vient de percer de part en part le torse d'un Bavarois de vingt ans. Les yeux du jeune soldat, mort sur le coup, se figent dans la surprise et l'effroi. Jean doit retirer sa baïonnette en repoussant le corps du pied. Le premier homme qu'il ait tué. Il a refait les gestes du boucher, de l'assassin. Il a fait gicler le sang. Hébété, il grave dans ses yeux le visage de son ennemi mort, qui doit avoir l'âge de son frère, Raymond. Première impression de dégoût, de révolte physique. Dans son cœur, Jean vient de maudire la guerre.

Massenot, hissé sur la fourche d'un poirier, vise posément les assaillants, dont les corps s'entassent à l'entrée du verger. Le caporal Lemonnier, chef de la deuxième escouade de Massenot, un solide agriculteur de Malicorne, a eu le courage de se creuser à la pelle un trou individuel, profond comme un tombeau. Il ne peut plus en sortir pour tirer : une balle lui a coupé deux doigts.

— Veinard, lui dit Massenot, tu as la fine blessure. Deux mois d'hosto et peut-être la réforme.

— Réformé toi-même! Qu'est ce qu'ils diraient de moi, à Malicorne? Je suis gaucher. Regarde!

Il tire de la main gauche, sur un groupe de Bavarois qui recule. L'un des hommes tombe. Les autres se retournent et arrosent un groupe de blessés assis par terre au pied d'un muret. Cinquante hommes de la compagnie sont déjà hors de combat et ne peuvent être évacués.

– Garde-toi bien de gaspiller tes balles. Tu les as provoqués, ils ont tué deux de nos blessés. Ajuste ton tir et économise les cartouches. Compris?

Les deux cents fantassins valides de la compagnie se défendent avec acharnement, repoussent les Bavarois surpris par cette résistance. Jusqu'ici, les Français leur paraissaient donner tous les signes de l'épuisement et du désordre. Les *Feldgrau* refluent et se mettent à l'abri des pans de murs épais des ruines.

Jean Aumoine pousse du coude Duval de Champignier. Il désigne, du bout de sa baïonnette, deux porteurs lourdement chargés, qui traînent une mitrailleuse à l'entrée du village. Sans doute vont-ils la mettre en position un peu plus loin. Suivi du géant Joannin et de Lavelle l'apiculteur, il se rue sur le groupe en retraite. Tous trois chargent à la baïonnette, tuent les servants pendant que Joannin s'empare de leur engin et le rapporte au verger sur ses épaules.

Jean retourne aussitôt la mitrailleuse contre les Bavarois. Elle crache les balles de la bande engagée, précipitant le reflux des *Feldgrau* vers les ruines du village. L'œil des biffins s'allume. Ah! s'ils avaient des mitrailleuses, quel carton!

– Je vais chercher une caisse de munitions chez eux, dit Joannin.

– Garde-t'en bien. Ils te feraient ta fête!

Cet exploit remonte le moral de la compagnie. Mais le lieutenant n'est pas sûr de pouvoir tenir. Il ne reçoit aucun renfort, alors qu'à cent mètres, vers l'ouest de Petitmont, se profilent des masses ennemies qu'on peut distinguer à l'œil nu.

— Attention, mon lieutenant! Ils défilent tous par la gauche du village, ils vont se replier sur nos arrières, nous allons être encerclés, crie le sergent Massenot du haut d'un poirier.

— Les meilleurs tireurs derrière le mur, demande Gérard.

Jean, qui a vidé le dernier magasin de son Lebel, avise un Bavarois agonisant, la poitrine transpercée de coups de baïonnette. Il lui retire sa cartouchière et s'embusque, son Mauser en main. Les Bavarois progressent en tirailleurs, pressés par leurs officiers, sans souci de se couvrir. De nouvelles troupes les poussent, de l'arrière du village. Un feu roulant d'artillerie leur ouvre le chemin. Devant eux, la ligne des rescapés des autres compagnies du 121e recule.

— À chacun son homme, dit Gérard.

Comme Jean, il s'est emparé d'un Mauser. Il vise avec soin l'officier commandant la marche. D'un coup, il l'abat. Exaltés, les bons fusils de la compagnie s'en donnent à cœur joie sur les Bavarois pris en enfilade, à cent mètres sur la gauche du verger couvert de cadavres en *Feldgrau*. Les blessés se traînent, quand ils le peuvent, pour échapper au feu. Le lieutenant regrette de ne pouvoir disposer d'une section de mitrailleuses. Il aurait décimé le bataillon.

Les ordres claquent. Aussitôt les Bavarois se jettent à terre, face au verger, fusils pointés. Les Français franchissent le mur, les attaquent à la baïonnette. Les voila épinglés au sol, férocement. Un *Feldwebel* se dresse, bravant les balles, pour demander l'appui des mitrailleuses. Elles sont déjà transportées à l'avant, pour soutenir la contre-offensive. Les Bavarois doivent reculer en désordre.

— Retirons-nous dans le verger, dit le lieutenant Gérard. Ils vont amener des renforts.

À toute allure, les biffins font une moisson de Mauser et de cartouchières dans ce champ de luzerne et se précipitent dans le réduit du verger, en sautant par-dessus les murs de pierre.

Il est dangereux de laisser isolés deux cents hommes dans cette position. Gérard sait qu'il ne parviendra pas à tenir longtemps. Mais il ne peut donner l'ordre du repli sans l'avoir lui-même reçu du colonel ou du chef de bataillon. La règle est de tenir sur place, quelles que soient les pertes. Il a pourtant le devoir de signaler sa position. Dans le désordre inouï de l'attaque, il est clair qu'on a oublié la résistance opiniâtre de la première compagnie débordée par l'ennemi : elle sera bientôt encerclée.

Trois heures et demie. Un blessé se présente, venant du sud, devant le lieutenant. Ses galons de sergent ont été arrachés par la mitraille. Son bras est garrotté, ensanglanté. Il serre dans sa main une enveloppe froissée.

— Sergent Malot, se présente-t-il d'une voix exténuée, du 2e bataillon, commandant Montagne.

Robert Montagne est un officier de carrière vite promu, de ceux qui croyaient le plus aux vertus de l'offensive et des charges à la baïonnette. Il n'a pas ménagé le 2e bataillon du 121e dont il avait la charge. Quant au chef du premier bataillon, le capitaine de la Porte du Mail, il ne répond plus aux appels.

— Je l'ai cherché sur toute la ligne, dit le sergent Malot. Je n'ai trouvé que son cadavre.

— Le capitaine est mort ?

– Aussi mort que tous ceux-là, précise le sergent en désignant l'amoncellement des cadavres à l'entrée du verger. Il a été tué net au cours de l'attaque, sans avoir pu tirer un coup de revolver. Nos pertes sont énormes. Les brancardiers ne peuvent enlever les blessés. Les Bavarois n'en finissent pas d'arriver.

– Donnez-moi l'ordre, dit Gérard avec impatience.

– Nous avons dû nous replier, poursuit le sergent. Le commandant Montagne n'a pas négligé de maintenir la liaison de son bataillon avec le vôtre. La preuve, c'est que je suis là. Mais il ignorait si vous aviez des survivants. Il vous fait dire de tenir.

Il tend enfin l'enveloppe maculée de sang. Le lieutenant, les traits creusés par le combat, parcourt rapidement le contenu de la missive. Cet officier qui l'a signée n'a aucun moyen d'apprécier la situation de la première compagnie! Quant au courrier, épuisé par sa blessure, il ne saurait repartir vers l'arrière.

Il fait un pas vers Jean Aumoine :

– Caporal, vous allez franchir le mur de l'est, et gagner les bois. Repliez-vous ensuite avec ce message, en direction du PC du colonel, derrière la ligne des peupliers dans la plaine. Dites-lui que nous sommes à bout de résistance. Revenez avec un ordre écrit, signé de sa main. Nous vous attendons.

Miracle! Un avion aux couleurs françaises, le premier de la campagne, survole alors le village de Petitmont, acclamé par les survivants de la première compagnie. Tous les képis, juchés sur la pointe des baïonnettes, sont agités en direction du ciel.

– C'est un Voisin! affirme le lieutenant Gérard qui rêve de devenir aviateur.

163

Des roues de vélo, une hélice en bois, des nervures fragiles aux ailes de toile. À se demander comment un tel oiseau de papier peut voler! On distingue, dans la courte cabine de pilotage, la tête de l'aviateur dissimulée sous son passe-montagne et ses lunettes sombres. L'avion, qui n'a pas d'empennage, semble d'une extrême vulnérabilité. Une balle dans le réservoir à essence suffirait à l'abattre. Il vire rapidement au-dessus du village et s'éloigne en direction de la forêt vosgienne, poursuivi par les tirs de mitrailleuses allemandes.

— Il ne peut pas répliquer, déplore le lieutenant. Pas d'armes à bord, sauf la carabine du pilote. Mais l'un de ces avions a largué, hier, une bombe sur Metz, ajoute-t-il. C'était dans le communiqué.

À peine l'avion disparu, les obus français pleuvent dru sur le village, sans pouvoir éviter le verger. Des rafales violentes de 75. Quatre à cinq minutes seulement. De très longues minutes quand même : le prunier de Massenot a volé en l'air. Heureusement, le sergent avait creusé son abri. Les murets de pierre explosent à leur tour.

— Par le diable de Malicorne! jure Massenot. C'est le monde à l'envers! Quand un avion à croix noire nous approche, on est sûrs d'être bombardés par les Prussiens, normal! Mais voilà qu'un avion à cocarde nous fait canarder par des Français!

— Impossible, dit Vincent Gérard. L'aviateur n'a pas eu le temps de faire son rapport.

Le lieutenant sait parfaitement qu'il est difficile de renseigner les artilleurs, même si les pilotes peuvent tenter de leur transmettre, par signaux optiques, des informations en morse. Quant au téléphone, il n'est utilisé que sur de très courtes distances. Un capitaine s'est vu traiter de maboul pour avoir fait charrier à une équipe du génie des fils à peine enterrés. On surnomme avec dérision celui qui prétendait «téléphoner» ses ordres à partir des unités d'infanterie avancées, «l'Électrique». Vincent Gérard donnerait cher pour l'avoir auprès de lui.

Pour l'heure, son unique ressource est d'espérer que le caporal Aumoine trouvera rapidement un officier du régiment. En attendant, ses hommes font le gros dos sous leur sac, en priant saint 75 de les épargner tout en allongeant le tir vers l'ennemi.

– Vous voyez bien, dit le lieutenant au sergent Massenot. L'aviateur a pu prévenir, nos artilleurs ont arrêté le tir aussitôt.

– À moins que nos batteries n'aient été neutralisées par celles de l'ennemi, répond, sceptique, le plombier de Néris-les-Bains. Elles n'auront pas tenu longtemps.

Il est quatre heures. Le combat, commencé à l'aube, s'est déroulé sans aucun répit durant sept heures. La première compagnie, réduite à cent cinquante hommes, est incapable de reprendre la charge. Elle compte pour moitié de tués, autant de blessés.

Ceux qui respirent encore ont été allongés le long d'une palissade. Leurs camarades ont fait des garrots aux membres martyrisés, distribué un peu de goutte au goulot. Nul ne peut secourir les rescapés, qu'ils soient français ou bavarois.

À la hâte, les hommes déballent de leurs musettes quelques vivres de campagne. La pause est de courte durée. Le canon allemand tonne de nouveau dans la plaine, barrant l'attaque du 3e bataillon du capitaine Migat.

Jean Aumoine a réussi à passer, échappant de peu à une capture dans les bois. Sa route était encombrée de colonnes ennemies à l'assaut des dragons et des cuirassiers à pied réfugiés dans les fourrés, l'attaque du 121e s'orientant elle aussi vers l'est. Inutile, pour Jean, d'insister dans cette direction.

En rampant dans les fossés, il a réussi à rejoindre la départementale de Parux et de Bréménil. Son repère, la ligne de peupliers au sud du champ de bataille, n'existe plus. Les arbres ont tous été fauchés par le canon. En longeant les cratères d'obus où gisent des blessés, il découvre un cimetière de caissons d'artillerie sans roues, de canons déchiquetés, de cadavres d'hommes et de chevaux. Tristes vestiges du champ de batteries françaises mis en place au départ de l'offensive.

Il traverse à grands pas ce paysage funèbre en direction du repli de terrain où le colonel Trabucco a installé son PC. Des dragons démontés, carabine à la main, semblent garder les lieux en sentinelles. En bas de l'escalier de planches menant à l'abri souterrain, Jean est arrêté par un vieux médecin-major au képi grenat blanchi de poussière.

— Si vous cherchez le colonel Trabucco, dit-il à Jean, il est trop tard. Je suis venu pour l'évacuer.

Cinq heures et demie. Deux brancardiers chargent l'officier sur une civière. Pâle, le regard vitreux, celui-ci gît, inconscient, le corps recouvert d'une couverture grise tachée de sang.

— Trois éclats dans le ventre, projeté sur le talus par un obus pendant qu'il observait l'attaque à la jumelle. Il n'est pas sûr qu'il survive, précise l'ordonnance à Jean.

— Qui le remplace?

— Le commandant Montagne a été tué. Tâche de joindre le capitaine Migat, c'est lui qui mène le régiment. Dépêche-toi. Son PC est sur la route de Cirey, près du pont du Vacon.

Une escorte de dragons rejoint les brancardiers. L'un d'entre eux conduit le cheval blanc du colonel, qui l'a porté depuis Montluçon. Sellé, bridé, l'animal s'avance à petits pas, tête haute, crinière au vent.

Oubliant un moment sa mission, le caporal suit le cortège, comme pour un enterrement. La voiture des infirmiers attend à cinq cents mètres, à l'ombre d'un chêne. On y charge le colonel, puis les chevaux s'éloignent lentement, escortés par les dragons montés, lance au poing.

— Sa dernière parade…, se dit Jean.

Les souvenirs l'assaillent, venus d'un passé proche qui paraît soudain très lointain. À peine huit jours que Trabucco, au départ de Raon-l'Étape, regardait défiler les compagnies, en face de l'hôtel de la Mairie. À Montluçon, quelques jours plus tôt, il traversait la ville en faisant acclamer son régiment tout neuf.

Après le sanglant baptême de son 121e où tant de soldats sont morts, le colonel Trabucco part pour sa dernière bataille, à l'hôpital des urgences de la division. Il n'est pas sûr d'en revenir.

Un siècle, déjà! Jean s'aperçoit qu'il n'a même pas eu le temps de penser à sa mère. Il revoit son visage souriant dans la foule. Il n'est plus le même homme. La concision, brutale, des premiers engagements a tout changé, bouleversé, ravagé les mémoires plus sûrement que les obus les champs de luzerne.

Six heures de l'après-midi. La route de Cirey-sur-Vezouze crépite sans relâche des bombardements de l'artillerie allemande qui veut empêcher la montée en ligne des

167

renforts. De nouveau, Jean doit se mettre à couvert dans les fossés où les territoriaux ont repoussé les débris des pièces, des caissons, des fourgons atteints par les obus, afin de libérer la chaussée.

Une batterie d'artillerie s'y présente, suivie par des files de fantassins fourbus, déployés en tirailleurs dès que la route se rapproche du petit cours d'eau du Vacon. Jean reconnaît, à son numéro, le régiment de Clermont. À cheval sur le pont, le colonel Durand de Gévigney, qui le commande, répartit rapidement les compagnies de part et d'autre de la voie, dans la saignée de la rivière. Les hommes, harcelés par les sergents, creusent immédiatement une série de trous individuels afin de constituer une ligne de résistance.

Ainsi, plus d'offensive? On pense à la retraite, on la prépare peut-être! Ceux de Clermont auront reçu pour mission de permettre l'évacuation vers l'arrière des débris du 121e. L'attaque de Cirey a totalement échoué.

Sur la route marchent des files de blessés, contraints de gagner les fossés au passage des artilleurs, qui reprennent en claudiquant le chemin des antennes chirurgicales. Jean prend conscience qu'il n'est plus ému par ces cohortes misérables. Son cœur s'est endurci. Il a vu tant de cadavres que ces estropiés lui apparaissent comme des veinards.

Un dragon posté en sentinelle le renseigne : le capitaine Migat, nommé commandant sur le tambour parce que le plus ancien du régiment dans le grade le plus élevé, se trouve à deux cents mètres de la route, dans un abri aménagé. Il dirige le régiment par intérim. Une lance à flamme noire et blanche de uhlan est plantée devant l'entrée de son PC.

Au moment de s'engager sur les marches de planches menant au souterrain, Jean Aumoine hésite à se présenter au nouveau colonel. En chemise, la moustache en bataille, Pierre Migat est aux prises avec le commandant Bourinat, l'envoyé spécial de l'état-major de Joffre.

Pierre Migat est un de ces capitaines qui ont suivi, à l'École de guerre en 1905, non pas les cours de Foch mais l'enseignement de Pétain sur l'infanterie. Mauvais choix, mal vu à l'état-major. Au point qu'en 1914, Pétain prenait sa retraite comme simple colonel, et Migat, à trente-cinq ans, était toujours capitaine.

Dressé derrière son bureau de fortune, il proteste devant Bourinat :

— Je ne veux pas engager le 3e bataillon dans ces conditions! L'offensive a échoué, il faut en tirer les conséquences!

— Par votre faute, par celle de vos officiers, répond l'autre. Ils font regretter que Joffre n'ait pas suivi les consignes de Messimy, son ministre. Conseil de guerre et, s'il le faut, peloton d'exécution pour les généraux coupables!

Pierre Migat donne des signes d'impatience. Celui-là se prend-il pour un représentant de la Terreur? Oui, les chefs ont failli. Ils n'ont pas voulu tenir compte du changement fondamental de la guerre et ont envoyé les hommes au casse-pipe. Pétain le disait bien, évoquant Moukden et la guerre des Boers : le feu tue. Les hommes sont le nerf de la guerre. Précieux et vulnérables. Les ménager. D'abord, les ménager.

— Je refuse d'attaquer dans ces conditions, dit-il, catégorique. Le régiment doit faire retraite. Il sera couvert par le 92e de Clermont. Le 121e s'est bien battu, il se bat encore.

– Qui est cet homme ? interroge Bourinat, apercevant Jean Aumoine.

– Première compagnie, 1ᵉʳ bataillon, se présente le caporal, qui tend à Migat le pli du lieutenant Gérard.

– À preuve ! coupe le capitaine en parcourant la missive, voici la situation de ces braves : cinquante blessés, sans doute autant de morts ! Un simple lieutenant commande. Il demande du secours ou l'autorisation de faire retraite.

– Pas question de retraite, dit Bourinat. Dégagez cette poignée d'hommes des premières lignes et mettez-les au repos vingt-quatre heures. Que les restes des trois bataillons du 121ᵉ poursuivent. Les coloniaux vont attaquer.

Il se penche au-dessus de la carte, pose des étoiles rouges sur l'emplacement des localités pour indiquer la marche des armées :

– La division de Bourges progresse sans obstacles sur Sarrebourg. Les Bavarois résistent à Cirey. Il faut contourner la position, l'isoler.

– Pas avec un régiment épuisé, et 50 % de pertes dans un bataillon.

– Joffre a sévi. Les têtes des généraux sont déjà tombées, dit Bourinat. Signole, qui commandait votre division, a pris, sur ordre du GQG, le chemin de Limoges. Il risque d'y rester longtemps. Blazer le remplace, et Blazer ne plaisante pas. Quant au colonel Gourdon, qui faisait office de général de brigade, il retournera à la retraite.

– Vous changez les hommes, dit Migat, mais vous ne touchez pas à l'esprit de la guerre.

Pétain parle par sa bouche, Pétain, qui vient de prendre le commandement d'une brigade dans une autre armée. Pétain, qui a toujours affirmé, sans élever la voix : « On ne

peut lancer des offensives qu'après de formidables prépara-
tions d'artillerie. »

— Toutes ces fautes, toutes ces erreurs accumulées, c'est
trop, s'indigne le commandant Bourinat. Joffre est atterré.
Pas de préparation d'artillerie!

— Où sont vos pièces lourdes, où sont vos batteries
miracles de 75 devant le feu méthodique des 150 et des
obusiers? lui objecte Migat.

Bourinat balaie l'objection.

— En campagne, la rapidité du 75 est un atout décisif s'il
est joué au bon moment, avec toute la hardiesse requise et
surtout si les liaisons sont assurées. Trop souvent, nos canons
arrosent nos propres lignes, faute de renseignements...

— Et que dire des cavaliers que l'on a enterrés dans les
bois au lieu de leur demander de renseigner, ce qui est leur
rôle, reprend Migat. Impossible pour nous de poursuivre. Je
ne puis compter que sur mon 3e bataillon. Il attaquera pour
dégager la compagnie du lieutenant Vincent. Il fera ce
dernier effort, avant de partir au repos.

— Vous n'y songez pas. L'offensive continue. Les pertes
dont vous parlez sont entièrement redevables aux chefs.
L'enquête est menée rondement, et les responsables sont
déjà éliminés. Il est insensé d'avoir commandé la charge de
l'infanterie sans préparation suffisante, sans reconnaissance
précise des effectifs de l'ennemi.

Migat est scandalisé.

— Une partie des batteries avait été détournée sur le
Donon, dit-il. Nous n'avions pas toutes nos pièces, et aucun
renfort de l'armée en canons lourds. Ni ballon, ni avion
pour observer l'adversaire. Aveugle et tout de suite anéantie,
voilà notre artillerie! C'est la vérité. Joffre doit le savoir.

– La vérité? C'est que l'ordre de charger a été donné à deux kilomètres de l'objectif! Deux kilomètres! martèle Bourinat. Des incapables, des irresponsables! Voilà la vraie cause des pertes. Aucune attaque à la baïonnette n'était possible. Qui a donné l'ordre? Signole? Gourdon? Je le saurai!

Migat se souvient soudain que le caporal se tient toujours là, qui assiste, effaré, à la querelle des chefs. Bourinat fait signe au sous-officier de sortir. Migat le retient. Il a besoin de lui dans l'instant. Il rédige à la hâte un ordre écrit qu'il tend à Jean Aumoine. À l'attention du lieutenant Gérard, s'il vit encore…

Une mise en évidence aussi brutale des incohérences du commandement devrait créer la panique. À sa surprise, Jean s'éloigne du PC de Migat convaincu que le salut de la compagnie ne dépend que de lui. L'ordre qu'il serre contre sa chemise doit arriver au plus vite.

Il fait route avec le dragon Étienne Forget, démonté, épuisé, qui lui raconte l'échec de son repérage des batteries allemandes dans les bois. De retour de sa périlleuse mission, il n'a plus retrouvé ses camarades. Écrasés par l'artillerie lourde. Expulsés par les mitrailleuses mobiles des compagnies de cyclistes.

– Prends à travers champs, conseille-t-il à Jean. Les tirs d'artillerie se sont calmés. Ils attendent, comme nous, des renforts. En te planquant dans les trous d'obus, si c'est nécessaire. Prends garde à toi.

Jean apprend le dur métier de coureur. Les tirs français reprennent sur la ligne du village. Le commandant Migat a tenu parole. Il fait préparer, par les batteries de renfort, l'attaque du 3ᵉ bataillon. Le lieutenant doit être prévenu au plus vite, pour organiser le repli.

Le duel d'artillerie reprend. Mais les Allemands tirent plus loin, sur la route de Cirey. La plaine ensanglantée de Petitmont est épargnée. Les blessés sont enfin chargés sur des civières par les musiciens du régiment transformés en brancardiers.

Il aperçoit l'adjudant Castaldi, qui a tout de même consenti à se faire évacuer. Les territoriaux rassemblent les cadavres, les entassent en vrac sur des bâches pour les enterrer plus tard dans des fosses communes. Galopant aux abris dès qu'un obus est annoncé, ils reprennent ensuite leur besogne.

«Le capitaine n'a pas une chance d'avoir sa tombe, murmure Jean pour lui-même. Pas plus que mon Robert Nigier. Bien heureux si celui-là n'est pas porté disparu, s'ils retrouvent sa plaque…»

Jean aimait Nigier. Le mineur des Ferrières était d'un naturel joyeux, volubile. Toujours prêt à évoquer les filles de Commentry et les courses cyclistes dont il était fervent. Il rêvait de retourner au fond du puits, bien à l'abri de tout. Pour y retrouver ses copains, blaguer avec eux au creux du ventre chaud de la terre.

Adieu, Nigier! Jean poursuit sa route. Sauver les survivants, évacuer les blessés. Il court entre les cratères, trébuche sur les fusils tordus. Le village est en vue, longue ligne grise de nouveau martelée par le canon, signalé par les nuages blancs des 75 qui tirent de l'ouest, des bois dégagés par les tirailleurs de la division de Bourges. La réplique des canons bavarois ricoche autour de lui. Seuls les obus perdus font encore jaillir des gerbes de terre et des mottes de luzerne non loin du verger.

Il distingue enfin, émergeant de leurs tranchées, les képis des soldats du 3ᵉ bataillon qui se préparent à l'attaque, baïonnette au canon. Leur sortie est imminente. Ils vont se lancer vers le village, pour dégager la 1ʳᵉ compagnie.

Jean se déplace prudemment dans le no man's land où des tireurs ennemis peuvent s'être aventurés en rampant. Dans les derniers cent mètres seulement, il reprend le pas de course.

– Le ciel soit loué, mon lieutenant! Vous êtes vivants!

– C'est vous qui êtes le messager du ciel, répond Gérard en lisant l'ordre de Migat : «Faire replier la compagnie en direction de la route de Parux, dès que les éléments de pointe du 3ᵉ bataillon auront commencé l'assaut.»

Il répercute aussitôt l'ordre sur les sous-officiers qui se relèvent, prennent les armes, vérifient les cartouchières souvent vides, ajustent les baïonnettes.

– Nous irons à l'arme blanche, mon lieutenant, dit Joannin. Pas question de laisser ceux du 3ᵉ faire notre boulot. Ce village est à nous!

– Les ordres sont les ordres, répond le lieutenant. Nous devons sortir à la baïonnette, et nous replier coûte que coûte. Migat nous attend.

Grimpé dans un pommier demeuré debout, l'agile Massenot lève le bras. Le 3ᵉ bataillon s'avance. Aussitôt, les obus allemands le prennent pour cible, comme s'il avait été repéré.

Le 3ᵉ était la dernière chance. Lui disparu, il ne restera plus rien du pauvre 121ᵉ. Le régiment sera dissous, faute de combattants.

«Ils vont être hachés par les mitrailleuses», se dit Jean en regardant ses copains courir vers l'obstacle. Mais ceux-ci progressent sans être attaqués, contournent le village, font irruption dans le verger où ils sont accueillis par des cris de joie. Les blessés eux-mêmes se dressent sur leur pauvre séant, comme s'ils redoutaient d'être abandonnés. Le lieutenant aura-t-il le temps d'organiser un convoi?

La compagnie de mitrailleuses met ses pièces en batterie, arrose les coins de rue, les fenêtres des maisons restées intactes. Les clairons sonnent la charge. Joannin, baïonnette en avant, fonce comme un forcené vers l'entrée du village. Personne ne peut le retenir. Le lieutenant le suit, et les escouades fourbues suivent le lieutenant.

Huit heures du soir. Le village est pris sans un coup de feu. Les Bavarois se sont retirés.

Une semaine à Lyon

L'hôpital de Lyon est un paradis qui se mérite. Un paradis aussi providentiel qu'une oasis au Sahara.

Pour les blessés arrivant des Vosges, les étapes ressemblent à un chemin de croix. Les trois artilleurs sont passés avec succès du champ de bataille au poste de premiers secours, le samedi 15 août. Ils ont eu de la chance. Et surtout, le courage de s'en sortir, sans aucune aide. Deuxième étape : l'infirmerie de campagne, à l'arrière immédiat du front. Un sauveur leur est apparu, le vieux major Ducousset. Un miracle, un vrai, une rencontre imprévisible, entièrement due au hasard.

Dubaujard, après la transfusion, a repris des couleurs. On l'évacue aussitôt, avec les plus grandes précautions. Le chirurgien lui a glissé la jambe sur une gouttière de zinc. Pas question de l'opérer tout de suite, il est trop faible. Une infirmière énergique passe de temps à autre, lui prend le pouls sans un mot. Il attend son transfert vers un poste mieux équipé, dans une charrette arborant le drapeau de la Croix-Rouge.

Léon s'éloigne du poste d'infirmerie, à peine affaibli par la prise de sang. Il veut repartir, suivre son commandant.

– Restez là, dit le chirurgien. Je veux voir votre blessure. Si nous intervenons tout de suite, explique-t-il à son assistant étudiant, il rejoindra rapidement. Si la plaie s'infecte, il peut perdre sa jambe.

Hurlement de Léon : l'infirmière vient de lui retirer sa botte, un peu brutalement. Elle nettoie le pied à l'alcool. La plaie est minuscule. Un petit trou dans la chair. On approche la lampe. Le soldat serre les dents pour ne pas hurler de nouveau.

– Anesthésie.

L'éther agit aussitôt. Un minuscule éclat, retiré à la pincette. Aucun os n'est touché. Les nerfs, sans doute.

– Il va boitiller, mais il marchera. Il a toutes ses forces au grand complet. Il va se remettre. Pansement !

Un infirmier lui passe autour du cou un collier portant une fiche : « éclat à la cheville ».

– Lyon ? Mon commandant ?

– Pourquoi pas la rue de la Paix à Paris ? ironise le major. Il paraît qu'on y a improvisé un hôpital auxiliaire. Non, Épinal suffira. Huit jours de convalescence. Mais pas de marche. Interdit ! En voiture !

Pas question de monter dans le train sanitaire formé à destination de Lyon. Pour être admis à son bord, il faut être sérieusement blessé, comme Dubaujard. Là-bas, à l'hôpital militaire du corps d'armée, le commandant est assuré d'être pris en charge par un service complet de chirurgie. Le major a consenti à faire évacuer aussi le sous-lieutenant Lejeune, dont la plaie au biceps l'inquiète : il risque de perdre son bras.

Une ambulance divisionnaire tirée par deux chevaux charge les deux polytechniciens, le dimanche 16 août au petit matin, afin de les conduire directement à l'embarquement du chemin de fer pour Lyon. Léon n'a droit qu'au fourgon d'Épinal, qui s'ébranle aussitôt.

Il est allongé sur un brancard, non loin d'un alpin rescapé de la bataille des Vosges. «Plaie de balle en séton», mentionne la fiche suspendue au cou du soldat.

— Ne regardez pas mon écriteau, il est faux, dit l'alpin. Ils m'ont soudé les deux plaies d'entrée et de sortie de la balle. Va pour le séton! Mais le major a voulu vérifier. Il a trouvé une deuxième balle qui a pris exactement le même chemin que la première. Ils ne croyaient pas ça possible. Ils m'ont bel et bien extrait cette balle, qui était restée à l'intérieur, dans le gras de la cuisse. Il paraît qu'il y a une chance sur un million pour que deux de leurs foutues balles aient pris ainsi le même trajet. C'est sur moi que c'est tombé!

L'alpin est intarissable. À croire que l'éther l'a stimulé. Il explique qu'il est là par miracle et que ses copains, eux, gisent encore entre les lignes. Lui râlait près de la route. On l'en a évacué tout de suite. Une compagnie de chasseurs de deux cent cinquante hommes ne pouvant compter que sur quatre brancardiers, l'homme a de la chance, en effet. Les autres attendent souvent deux à trois jours, parfois plus, perdus dans les herbages.

Groggy par le chloroforme, Léon a de la peine à suivre le discours de son voisin de brancard. Mais rien ne décourage le solide montagnard du recrutement de Saint-Dié, qui porte au collet le numéro du 31e bataillon.

— Je m'appelle Rémi Beaumont, dit l'alpin, et je suis de Saint-Jean-d'Ormont, en pleines Vosges. Je ne pourrai pas aller en permission sanitaire chez moi. Je l'ai appris d'un camarade, avant de tomber au Donon. Le canon boche a tout détruit. Nous habitons au pied du col. Les obus ont fait un carnage de nos vaches laitières.

— Ta gueule! lance un autre blessé. Pense aux copains qui crèvent dans les trous d'obus. Des vaches, ils t'en payeront d'autres!

Maurice Dupain, de son côté, un sergent du 149ᵉ d'Épinal, n'a pas envie de parler, et pour cause. Une balle lui a traversé la joue gauche pour sortir par la droite alors qu'il montait à l'assaut, à la tête de sa section, en hurlant : «En avant!» S'il n'avait pas crié, il aurait eu la mâchoire arrachée. Il peut à peine desserrer les lèvres, à cause de ses pansements.

L'alpin enchérit :

— Tu me rappelles mon copain Grégoire, qu'ils ont opéré juste avant moi. Une balle en haut de la poitrine, à côté du cou. Elle est sortie par la nuque sans rien casser. Ni les vertèbres, ni les nerfs! Encore un miraculé!

L'infirmier Leblanc, un séminariste d'Épinal, tend au bavard une gourde d'eau pour qu'il cesse d'importuner ses camarades. Léon s'est endormi sur la paille de la voiture. Maurice Dupain grimace de douleur à chaque cahot de la route. Sa jambe, prisonnière de sa gouttière de métal, le fait souffrir. Le zinc cogne le plancher du fourgon et réveille Léon qui bougonne. Le séminariste Leblanc, dont la tâche est d'assister les mourants, s'est étonné d'être utilisé par le major comme simple convoyeur de blessés. Il comprend vite qu'il est là pour calmer les hommes, les contraindre à l'immobilité et les aider à supporter la souffrance quand, sur ces chaussées défoncées, les roues cerclées de fer des voitures malmènent durement les brancards.

— Vivement la soupe et le pinard! s'exclame l'alpin qui boit une large rasade d'eau des Vosges, puis s'essuie la bouche de la main.

– Pense à ceux qui ne peuvent ni boire ni manger, lui dit l'infirmier à voix basse. Il ne leur reste que la prière.

Dimanche 16 août, dix heures. Impossible de trouver le moindre lit disponible à l'hôpital militaire d'Épinal. Les éclopés de la bataille des cols ont envahi les salles, et même les annexes installées partout dans la ville, jusque dans les casernes. Un lieutenant du service des arrières indique aux chauffeurs des fourgons la route de la gare.

– Les trains sanitaires s'y succèdent, leur dit-il, et il ajoute, désignant le groupe de Léon : Ils chargeront tous ceux-là pour Lyon!

– Mais ce ne sont que des blessés légers, objecte l'infirmier. Certains peuvent retourner au front dans une semaine.

– Que veux-tu que j'y fasse? Ordre de La Place. Où veux-tu que je les mette, tes blessés? Sur le trottoir?

Sur le quai de la gare d'Épinal, les dames en voile bleu de la Croix-Rouge s'activent. Le dimanche après-midi est leur jour de charité. Elles distribuent, à ceux qui peuvent l'ingurgiter, de la soupe chaude; aux autres des oreillers et des couvertures pour le voyage, des serviettes, quelques douceurs et flacons d'eau de Cologne.

Léon, assis sur son brancard, la barbe et les cheveux hirsutes, ne se sent guère présentable devant ces femmes si accortes dans leurs tenues blanches et bleues et leur longues capes. Il est dorloté par une belle brune dont les cheveux, retenus par la coiffe, s'échappent en longues boucles derrière des oreilles ornées de bijoux discrets. Elle rajuste la couverture recouvrant ses jambes et lui garnit les poches de plaques de chocolat Meunier, de nougat et de chatteries d'Épinal. Puis elle lui tamponne le front avec un gant parfumé.

Ses gestes sont si pleins de grâce que Léon se sent envahi d'une étrange émotion. Sa jeune femme ou sa mère devrait être là. Par le hasard de la guerre, une étrangère, qu'il ne reverra jamais, joue leur rôle à la perfection, les remplace l'une et l'autre dans la simplicité. Avec une sollicitude naturelle, cette femme élégante, probablement de la haute société d'Épinal, soulage de ses mains le front moite d'un soldat aussi tendrement que s'il était son fils. Elle qui n'a peut-être même pas élevé ses propres enfants, mis en nourrice dans quelque village de montagne…

– Pour adoucir votre voyage, lui dit-elle en souriant.

Ces consolations sont de peu d'effet pour la suite : les infirmiers ont aligné les brancards avec précaution sur la couche de paille fraîche répandue dans le wagon à bestiaux. Les plus privilégiés – dont Léon – ont droit à des wagons voyageurs de 3e classe en bois, spécialement aménagés. On fait glisser les civières sur des châssis étagés, mais à raison de huit par compartiment, ce qui décourage tout mouvement et contraint les hommes à demeurer allongés, les uns contre les autres.

Léon ne se plaint de rien. Il est content de se rendre à Lyon, où il espère retrouver son commandant. Les blessés se chamaillent pour occuper l'étage du dessous, qui permet de se dégager. Maurice Dupain désire changer de wagon. Il veut marcher, assure-t-il, pour dégourdir sa jambe valide. Rémi Beaumont en profite pour s'allonger sans perdre de temps sur la couchette inférieure. Claude Leblanc, le séminariste, doit élever la voix. Un blessé, dit-il, doit aussi suivre les ordres.

182

Une heure d'attente avant le départ, dans la chaleur torride de la gare. On accroche sans cesse de nouveaux wagons au convoi. Léon s'en étonne. Des blessés nouvellement évacués, toujours en plus grand nombre.

– La ville d'Épinal ne compte pas plus de trente mille habitants, explique Leblanc, spinalien d'origine et élève au séminaire de la ville depuis deux ans. L'hôpital a été très vite saturé. Il a reçu en une semaine dix mille blessés. On les a logés partout, au lycée, au collège des jeunes filles, au Grand Hôtel réquisitionné…

– On aurait tout aussi bien pu nous soigner sur place, objecte Léon. J'aurais couché n'importe où pour rejoindre au plus tôt ma batterie au front.

– Impossible, plus un seul lit disponible. Plus de personnel. Les majors opèrent dans la basilique Saint-Maurice. Les arcades de la place des Vosges sont noires de brancards. Des salles du musée ont été transformées en antennes chirurgicales. Les Spinaliens ont même proposé leurs maisons pour en accueillir. La jeune femme brune qui s'est occupée de vous est Gabrielle de Wolton, petite-fille d'un industriel du coton vosgien replié sur le versant français en 1871. Elle est mariée à un banquier, la plus grande fortune d'Épinal. Son grand-père avait fait construire en ville la réplique de la maison de Pompéi. Un luxe inouï de marbre, de fresques et de mosaïques. Il a légué ce trésor à la cité en 1902.

– Et le maire actuel, ajoute-t-il à voix basse, un vieux radical combiste, a transformé sans vergogne ce palais des arts en hôpital. Je vous assure que l'arrivée de dix mille blessés dans une petite bourgade est une révolution.

Le train démarre enfin, très lentement, vers le milieu de l'après-midi. Il opère quelques à-coups brutaux, comme s'il ne parvenait pas à trouver sa vitesse de croisière. Le voyage est un calvaire pour certains blessés. Les arrêts sont continuels. On emprunte des itinéraires à voie unique où il faut laisser, comme toujours, passer en priorité les trains montant vers le front. L'approche des gares à bifurcations multiples est laborieuse. À la cadence des convois montant vers le nord, Léon comprend que l'offensive de Lorraine n'en est qu'à ses débuts. Les renforts arrivent par trains entiers. Joffre n'a pas renoncé.

Quand le train entre enfin en gare de Lyon-Perrache, à minuit passé, la rame interminable est aiguillée sur une voie de marchandises, où les brancards attendront les fourgons qui répartiront les blessés dans tous les hôpitaux de la ville. Ainsi veut-on éviter que le spectacle pitoyable de leurs plaies ensanglantées n'affaiblisse le moral de ceux qui patientent pour monter en ligne.

Les plus touchés, dont l'arrivée est annoncée *grosso modo* aux services hospitaliers de l'arrière, sont évacués les premiers. Léon et ses camarades sont parqués entre une montagne noire d'anthracite et une décharge de madriers. Peu de civils autour d'eux. Des grutiers, des transporteurs. Pas d'accueil organisé, hormis le ballet des services sanitaires. L'accès de la gare est gardé par des sentinelles de la territoriale. La ville semble en état de siège.

Après une heure d'attente dans leur wagon, les blessés légers sont enfin transférés dans les autobus de la ville, réquisitionnés. On les conduit au quartier de la Part-Dieu, de l'autre côté du fleuve, dans un hôpital de deux cents lits improvisé à l'intérieur d'une fabrique de meubles désaffectée. Un chirurgien lyonnais a sollicité des concours privés pour y aménager un centre de soins, avec l'aide de médecins non mobilisables et d'infirmières bénévoles.

Celui qui reçoit Léon et ses camarades est un aliéniste qui s'est porté volontaire, malgré son âge, pour le service de santé. Il soigne les traumatisés victimes d'un choc. Au premier examen du contingent de blessés, le séminariste Leblanc lui signale le cas d'un chasseur du 21e corps, Edmond Lafarge, qui ne veut pas quitter le siège où il se tient replié, la tête sous son sac. Leblanc n'a pas réussi à le lui retirer.

Couché à terre pendant le bombardement allemand sur le Donon, il a vu un obus tomber sur ce sac. Tout au long d'une demi-heure, le chasseur a attendu la mort, sans oser bouger. L'engin a fini par rouler sur le côté, sans exploser. Ensuite, Lafarge a rampé très doucement, son sac sur la tête, que depuis lors il n'a plus quitté. Obnubilé, il répétait sans cesse : «Si je bouge, il éclate!»

L'infirmière en chef, robuste professionnelle recrutée dans une clinique privée, a fait procéder dès leur arrivée au déshabillage des soldats ainsi qu'au nettoyage des pansements collés aux chairs pendant le voyage. En pleine nuit, à deux heures du matin. Une épreuve atroce pour tous. Même Léon, pourtant stoïque, est crispé de douleur. L'odeur est si pestilentielle que Rémi Beaumont, le chasseur de Saint-Dié, frôle par deux fois l'évanouissement. Chacun redoute la gangrène dont meurent alors trop souvent, dans le civil, les accidentés du travail. Celle-ci menace désormais les soldats dont les plaies se sont envenimées au contact du sol.

À l'aube du lundi, le chirurgien lyonnais scrute les plaies des nouveaux venus avec soin, et les désinfecte à la teinture d'iode.

– Vous n'avez rien à faire ici, dit-il à Léon. C'est une blessure légère, sans complications.

– Je peux marcher ?

– Non, mais vous le pourrez bientôt. Moins vous bougerez, plus vite vous serez parti.

L'infirmière conduit Léon dans une salle commune, l'installe dans son lit. À sa droite, un tirailleur dont le pansement ne cache pas complètement la cavité sanglante d'un œil crevé, à sa gauche, un alpin touché au crâne qui laisse couler de ses lèvres une mousse rouge. Le tirailleur est pieds nus, la surculotte retroussée. Outre son œil perdu, il a la jambe gauche cassée qui s'étale, noire et boursouflée, sur sa gouttière de zinc. Le visage blême, les épaules engoncées dans sa veste bleu de ciel aux galons dorés, il porte les brisques de sergent. On a piqué les deux blessés à la morphine pour les empêcher de souffrir.

L'infirmière précise à Léon que ces deux voisins de lit sont arrivés la veille, par péniche, le long de la Saône. Ils étaient aux premières batailles de Mulhouse. Plus loin, un soldat allemand, la tête enturbannée de bandes Velpeau, réclame un urinal.

Ceux-là sont en trop piteux état pour apprécier le confort d'un lit blanc et d'un oreiller moelleux. Léon, épuisé, s'en délecte. Il n'a pas fermé l'œil de la nuit et ne le fera pas de sitôt : d'autres brancards continuent d'affluer, déposés bruyamment par les infirmiers. Un semblant de calme ne s'installera qu'au petit jour, quand tous les soldats seront douchés et raccompagnés à leurs lits.

Le lundi matin 17 août, après cette nuit d'agitation permanente, l'immense salle est remplie de blessés. Les nouveaux arrivants sont des victimes des combats des cols, refoulés d'Épinal, dont les plaies, sommairement pansées, se sont rouvertes pendant le voyage en chemin de fer. Tout est à recommencer, y compris la souffrance.

Les cotons qui ont adhéré aux blessures, les drains, les tubes de caoutchouc plantés dans le vif, les ligatures meurtrissent les chairs. Les soldats n'ont reçu que des soins de première urgence, à l'arrière du champ de bataille. On n'a rien pu faire pour eux depuis. Leurs démangeaisons sont insupportables et ils redoutent l'infection.

Un chasseur raconte longuement à l'infirmière comment il a été évacué du front : dans une simple brouette tirée par des chiens! Il a souffert le martyre avant d'arriver au poste de secours.

Du fond de son lit au drap tirebouchonné, un artilleur se plaint :

— Ma blessure me gratte comme si un rat me la grignotait!

Avec des gestes précis, l'assistante du chirurgien arrache le pansement d'un coup, pour abréger la douleur. L'artilleur défaille. On lui fait respirer du vinaigre.

— C'est rouge, lui dit l'infirmière quand il revient à lui et, comme pour lui redonner courage : Mais la peau va revenir!

L'artilleur regarde sa jambe en grimaçant. La plaie est nette, mais la patte, jusqu'au genou, a bleui.

— Il faudra couper, pas vrai?

— S'il fallait amputer tous les blessés comme vous, l'armée serait pleine de culs-de-jatte, répond-elle, bourrue.

Léon décide de rédiger une lettre à sa femme. Des mots rassurants, où son hospitalisation est à peine évoquée.

Je rentrerai bientôt. La guerre ne durera pas. Je dois retourner au front sous peu, tant ma blessure est légère. Je serais heureux de te serrer dans mes bras, si tu pouvais trouver une place dans un train pour Lyon.

À sa mère, il affirme que Jean va bien : *Je l'ai vu au front, nous sommes dans la même armée.* Il s'inquiète de sa santé : comment peut-elle faire face ? Il parle des travaux de la ferme, des réquisitions, du bétail, et demande des nouvelles de Raymond. Quand doit-il partir ?

Il a tout son temps pour tourner ses phrases. L'après-midi du lundi est tranquille, presque radieux. Le soleil illumine la cour de l'hôpital. À l'ombre des marronniers, les convoyeurs des fourgons d'ambulance jouent aux cartes, entre deux allers-retours à la gare, et pestent quand on les appelle. Il fait si chaud que l'infirmière en chef décide d'installer les blessés légers à l'arrière du bâtiment, aménagé en terrasse.

Léon demande un journal. Une jeune fille en blouse blanche, Amélie, lui prête *Le Progrès*, daté du samedi 15 août. Le communiqué de l'état-major y est reproduit in extenso, qui célèbre la victoire dans les cols des Vosges et l'avance de l'armée en Lorraine.

On détaille l'invasion de la Belgique et le siège de Liège, comme si la place forte devait résister éternellement. La Belgique, neutre jusque-là, présentée comme victime d'un viol politique, est entrée en guerre aux côtés de la France, et les Britanniques ont débarqué. Le journal publie un portrait du roi Albert, un autre du maréchal French, qui commande le corps expéditionnaire anglais.

Le Progrès parle en termes choisis du «rouleau compresseur russe», dont les «terribles cosaques» foulent déjà le sol prussien. La vraie guerre va commencer, avec tous les alliés. Léon s'inquiète. Rien sur la campagne d'Alsace, ni sur Mulhouse. Le journal cherche à rassurer l'arrière. Il ne mentionne pas les pertes, se borne à quelques paragraphes concernant les prisonniers allemands.

L'artilleur comprend vite que la presse n'est plus faite pour renseigner, mais pour rassurer les Français et tromper l'ennemi. Elle le combat à sa manière. Avec excès, tel ce journaliste écrivant que «les balles allemandes, petites et pointues, font peu de morts», ce qui exaspère Léon.

À la tombée de la nuit, les fourgons sont réattelés. Ils s'ébranlent en colonne vers la gare. Les blessés sont brutalement réveillés dans leur premier sommeil par la ronde des brancardiers qui déposent de nouveaux arrivants dans une annexe de la fabrique désaffectée, hâtivement pourvue de lits. À peine ouvert, l'hôpital improvisé doit déjà s'agrandir.

Le chirurgien est au désespoir. Aucune commodité dans les lieux, pas même l'eau courante, et la seule lumière des lampes à acétylène. L'agitation venue de l'extérieur, qui se prolonge toute la nuit, empêche les blessés de se rendormir et réveille leurs douleurs. Pas d'infirmières pour leur distribuer des calmants, elles sont mobilisées par la nouvelle vague.

L'alpin, voisin de Léon, est mort peu avant l'aube. Dès le petit matin, les brancardiers ont évacué de la salle les inopérables, et tous ceux qui rendu l'âme. Pour éviter toute infection, on les enterre provisoirement sur place, à l'arrière de la fabrique, dans un terrain vague transformé en cimetière. Une simple absoute pour toute cérémonie, prononcée par un prêtre de la paroisse au-dessus de la fosse commune.

La visite du major, le mardi, est vite expédiée. Le chirurgien n'a pas de temps. C'est Amélie qui change le pansement de Léon, attentive à ne pas lui faire mal. Pour éviter l'engourdissement, elle lui conseille de pédaler sur son lit au moyen de sa jambe valide, tel un cycliste.

L'homme au képi de velours grenat, qui évolue dans les travées au milieu de son groupe d'assistants très jeunes, se rapproche du nouveau voisin de lit de Léon, très amoché. Le soldat, un zouave d'Alger, n'a jamais vu l'ennemi. Il marchait en colonne sur la route, dans le corps colonial de renfort, quand un éclat d'obus l'a atteint dans le dos.

– Opérez-moi, supplie-t-il. Cette saloperie m'empêche de marcher.

Le chirurgien hoche la tête. Comment remplacer le cordon tranché de la moelle épinière, une épine dorsale brisée ?

– Morphine, ordonne-t-il à l'infirmière.

Il fait un simple signe de la main à Léon et passe aux lits suivants, désignant les hommes à opérer d'urgence : un artilleur, dont le bas du visage a été emporté, est examiné en priorité. Le major explique aux infirmières qu'il faudra continuer d'alimenter celui-là par sonde, en attendant que la greffe prenne. Mais le plus urgent est de consolider ce qui reste de la mâchoire. Les brancardiers l'emmènent aussitôt.

Léon n'a pu poser la question qui lui tenait à cœur : le major a-t-il opéré Dubaujard ? Les cas de transfusion sont encore rarissimes dans l'armée, peut-être lui en a-t-on parlé ? Pétri d'inquiétude sur les suites de l'opération du commandant, il a hâte de pouvoir se lever pour mieux s'informer. Il est prêt à courir tous les centres de Lyon pour le retrouver.

Mercredi matin. Dès la première lueur du jour, l'hôpital de fortune bruit de toutes les activités de nettoyage et de désinfection. Des territoriaux en tenue de corvée lancent des seaux d'eau de Javel sur le carrelage, pendant que les filles de salle changent les draps et les oreillers des lits.

L'un des voisins de Léon n'est plus dans le sien. Il est mort durant la nuit, emporté, dit l'infirmière, par une méningite. Il a été aussitôt remplacé par un fantassin du 92e de Clermont, qui a eu la cuisse brisée par un shrapnel sur la route de Badonviller. Placé sous morphine, il dort profondément, poings serrés, bouche ouverte.

L'odeur du café et des brioches apportés dès huit heures par les dames de Lyon ne saurait chatouiller les narines de ce malheureux. Seuls les blessés les moins atteints profitent du petit déjeuner exceptionnel qui leur est offert ce jour-là.

Léon reconnaît, sous son voile bleu de la Croix-Rouge, l'élégante de la gare d'Épinal. L'a-t-elle aperçu? Elle verse du café dans les quarts, et les propose en souriant à ceux qui peuvent boire. Arrivée à hauteur de son lit, elle dit à Léon combien elle est heureuse de le revoir, comme s'ils avaient pris le thé ensemble dans un salon la veille. Lorsqu'elle lui demande s'il lui manque quelque chose, il répond spontanément, un peu honteux de son visage broussailleux :

– Du savon à barbe et un rasoir, s'il vous plaît.

– J'allais vous le proposer, lui répond-elle avec chaleur.
Antonio est un expert. Il faut que vous soyez le plus beau.
Excusez-moi, le temps presse.

Léon se demande quel étrange hasard a pu guider la dame
en bleu d'Épinal jusque dans ce repaire pour moribonds,
bricolé dans l'urgence et perdu dans le Lyonnais. Elle a dû
s'engouffrer par mégarde, ou même sans souci de sa destination, dans un convoi de blessés…

Elle lui fait un signe amical avant de se pencher au-dessus
du lit du tirailleur algérien, à qui elle témoigne, prévenante et
souriante, les mêmes attentions. Antonio, le barbier, ne tarde
pas à se manifester, muni d'un nécessaire de toilette et d'une
thermos d'argent à eau chaude. À peine a-t-il rendu le visage
de Léon aussi lisse que celui d'un ange qu'un clairon retentit à
l'entrée de la salle, sonnant *Ouvrez le ban* avec pompe,
comme pour une revue. La visite d'un général, probablement.

Voûté, tassé, minuscule, écrasé sous son képi rouge et
engoncé dans les dorures de son col, l'officier septuagénaire
marche vite et sans canne, guidé dans les travées par la dame
d'Épinal et le professeur Dutronc, «directeur-fondateur» de
ce nouvel hôpital.

Le général de brigade Colomier, né en 1844, a combattu
en Algérie sous l'Empire, et participé sous les ordres du
maréchal de Mac-Mahon à l'affaire de Sedan, dont il s'est tiré
indemne, mais prisonnier des Prussiens. Mal vu de la
République pour ses attaches cléricales et monarchistes, il a
quitté le service en 1902 pour se retirer à Épinal, où ses étoiles
ont brillé dans les conseils d'administration de l'industrie
cotonnière. Engagé dès le 2 août 1914, placé hâtivement à la
tête d'une brigade, il en a été déchargé en quarante-huit

heures pour incompétence manifeste, mais l'état-major de la 21ᵉ région l'emploie volontiers à des tâches de représentation.

Flanqué de ses jeunes recrues, des étudiants en médecine mobilisés, le professeur expose au visiteur pressé les cas les plus difficiles, en insistant sur les traumatisés : Edmond Lafarge, premier de la travée, s'entend demander par le général de retirer son sac. Il ne s'en couvre plus la tête, mais dort dessus.

– L'obus, marmonne-t-il. L'obus…

– Ce sera long, fait observer le chirurgien. Impossible d'améliorer son état. Les nerfs du cerveau sont intacts, mais le choc, ou le souffle, a provoqué des troubles profonds. On nous envoie des blessés à la tête dont 60 % meurent en route. Quand se décidera-t-on à donner un casque aux soldats ?

Le chétif général n'a évidemment pas de réponse. Il déambule entre les malades, toujours guidé par Gabrielle de Wolton qui, de quelques mots chuchotés à l'oreille, l'invite à s'intéresser à l'un ou l'autre blessé. L'ordonnance, un blanc-bec en uniforme de hussard, extrait un document de son sac.

– Le sergent Mohamed el-Ghardi, mon général.

Le photographe du *Progrès de Lyon* accourt et dispose son appareil au pied du lit. Amélie, la jeune infirmière, glisse un coussin sous les épaules du sergent, dont le bandeau à l'œil vient d'être changé. Celui-ci sourit de son mieux, le temps de la photo, pendant que le général lui épingle solennellement sur la poitrine la médaille militaire.

Il a droit à une citation relatant ses exploits, suivie d'un couplet emphatique, que le petit général articule d'une voix sèche et criarde, sur le rôle des troupes de couleur dans la défense de la mère patrie.

Le sergent retient une grimace de douleur. Il n'a toujours pas été opéré de la cuisse et sa fracture le fait abominablement souffrir. Le chirurgien cherche les brancardiers des yeux : à peine décoré, le blessé est transféré en salle d'opération.

Gabrielle parle à nouveau à l'oreille du général Colomier. Il n'entend rien, la fait répéter.

– L'artilleur du Donon, mon général !

– Maréchal des logis Léon Aumoine, précise l'ordonnance en brandissant sous le nez de Colomier une feuille dactylographiée, recouverte de signatures et de tampons.

Au pied du lit de Léon, le général lit la citation à l'ordre de l'armée, où il est stipulé que le sous-officier a fait preuve de la plus grande bravoure et sauvé de la mort son commandant sous le feu. À ce titre, il est épinglé de la médaille militaire. Léon remercie, et fait aussitôt signe à la dame en bleu. Elle s'incline vers lui, comme pour recevoir une confidence. Sur ses lèvres, un sourire d'une patience infinie. Que peut-on refuser à un soldat héroïque ! Il pose, tout bas, sa question :

– Savez-vous où se trouve le commandant Dubaujard ?

Dans un sillage parfumé de vétiver, Gabrielle s'est déjà éloignée à la suite du général. Elle a levé les yeux au ciel, incapable de répondre à la seule interrogation qui obsède Léon. Une sourde inquiétude trouble la satisfaction du médaillé. Dubaujard est-il encore vivant ?

Jeudi, sept heures du matin. Conciliabule auprès du lit de Mohamed el-Ghardi. Le chirurgien en chef, promu général-major, discute avec ses officiers devant le cadavre. Pour Henri Dutronc, étoile de la faculté de Lyon, créateur de cet hôpital grâce aux dons privés de la bonne société catholique de la ville, un médaillé militaire de la veille, sous-officier de l'armée d'Afrique, ne peut pas être enterré sans égards particuliers. Il ne faut pas que l'on puisse dire qu'un musulman a été inhumé au cimetière chrétien sans les secours de sa religion.

Léon suit la conversation, dont le ton monte. Le major ne peut répondre de rien. Le blessé a pourtant été opéré, mais la gangrène était dans la plaie. On a dû l'amputer. La fièvre est brusquement montée dans la nuit. Le sergent est mort à cinq heures du matin.

Comment mettre en terre un héros de l'armée d'Afrique? Les officiers coloniaux ont probablement l'expérience de ces cérémonies. Ici, personne ne sait. On n'a rien pu faire sur le plan religieux pour le mourant, qui était le premier musulman admis à l'hôpital. Le bureau du chirurgien a consulté l'état-major de la place de Lyon. Pas de réponse. Qu'on se débrouille.

Un infirmier musulman apporte ses précieux conseils, les délivre de leurs interrogations. Selon la coutume, il dispose le corps légèrement de côté, entièrement enfermé dans un linge blanc, la tête dans la direction de La Mecque.

Où rendre les derniers devoirs? Faut-il exposer le mort dans une église, à défaut de mosquée? On en discute autour du major. Des infirmiers séminaristes catholiques proposent leurs services. Une chapelle d'église ordinaire est aménagée spécialement par leurs soins, sans aucun emblème religieux chrétien, désacralisée en quelque sorte. Le musulman refuse.

— Les Turcs prient bien leur dieu dans la basilique de Sainte-Sophie, remarque un séminariste.

– C'est vrai, répond le musulman, mais l'église tout entière est devenue une mosquée, et le croissant, au sommet de la coupole, a remplacé la croix.

Pas de mosquée à Lyon, au siège du cardinal archevêque, primat des Gaules.

– Dans ma religion, précise l'infirmier musulman, un frère peut conduire la prière sacrée pour le repos de l'âme d'un autre. Il n'est pas besoin de lieu spécial, et certainement pas d'un lieu de culte impie, tenu par les gentils. Tous les musulmans sont égaux devant leur Seigneur. Tout croyant a le pouvoir de rendre sainte la terre impure.

Il s'approche du corps, sort un coran de sa poche, cherche un passage de la troisième sourate, l'invocation à Allah pour les agonisants, et le lit très vite, à voix basse : « Dieu est prié d'accepter ce guerrier sans reproches dans son paradis où les plus humbles sont aussi bien reçus que les puissants, pourvu qu'ils croient en Allah, qui les aime. »

Il se retourne alors les yeux fiévreux, vers les infirmiers chrétiens :

– Maintenant, l'âme a quitté le corps. Pour qu'elle trouve sa place au paradis, il faut l'enterrer avant le coucher du soleil. Demain, il sera trop tard.

Les infirmiers se hâtent vers le bureau du chirurgien-major, qui appelle la place au téléphone. Le général Anatole Dubois, commandant la région militaire de Lyon, ancien de la guerre de 1870, s'agite enfin, comme s'il découvrait que les honneurs rendus à un Algérien font partie de la propagande de guerre.

Il se souvient que spahis, chasseurs d'Afrique et Turcos ont chargé à Sedan, où ils sont enterrés sous le signe du croissant dans un cimetière militaire. Il importe de réserver un de ces espaces dans l'enceinte de la ville de Lyon, et de le faire savoir. Un commandant chenu est dépêché spécialement à l'hôpital, avec ordre de convoquer la presse.

Un lieutenant fait alors remarquer au général Dubois que la division Soyer, en formation à Lyon, classée provisoirement en réserve du commandant en chef, dispose d'un escadron de cavalerie venu d'Afrique du Nord. On peut diligenter un peloton à la cérémonie. Un cimetière militaire vient d'être ouvert à Lyon, à la disposition des hôpitaux. Le tirailleur sera son premier hôte musulman.

Quand le chirurgien-major apprend la décision du général, il en informe aussitôt son personnel.

– Impossible, proteste l'infirmier musulman, d'enterrer le frère dans une terre souillée par l'incroyance et le péché, si elle n'est pas au préalable purifiée.

Toutefois, on peut aménager un espace bien à part, réservé aux croyants de l'islam, dans le cimetière militaire. L'infirmier musulman se charge du rituel de purification. On place des pierres sèches au fond de la fosse, peu profonde, et sur les parois.

On transporte sur-le-champ le suaire sur un fourgon. Pas de cercueil. Il doit être enterré à même la terre, selon la coutume. À l'entrée du cimetière militaire, un peloton de chasseurs indigènes rend les honneurs à cheval, sabre au clair, commandé par un sous-lieutenant marocain en chéchia blanche. Les photographes de presse opèrent seulement aux portes du cimetière, au passage du fourgon escorté de cavaliers montant tous des chevaux blancs.

Ils sont refoulés quand le trompette sonne aux morts : pas de photos de l'ensevelissement! Les journalistes ne sont admis à l'intérieur qu'à la fin de la cérémonie, quand le suaire est recouvert de terre, après la prière dite debout, paumes vers le ciel, en demi-cercle autour du corps. Un croissant de bois précieux est planté au chevet de la tombe orientée vers La Mecque dans le carré musulman, avec une inscription au nom du héros mort et la date de son décès.

Léon n'a pas le temps de questionner l'infirmier musulman, le vendredi matin. Un autre blessé est installé dans le lit de celui qu'il vient d'accompagner dans sa dernière demeure.

Il est disposé avec ménagement dans son lit, son bras plâtré maintenu en position d'immobilité par un appareillage. C'est un sous-lieutenant, pâle et raidi comme un mourant. Pas un mouvement sur son visage, dont le front est recouvert d'un pansement. Il porte le pantalon bleu sombre rayé de deux bandes rouges des artilleurs.

Intrigué par cette immobilité, Léon ne peut s'empêcher de s'asseoir sur son lit pour découvrir le nouveau venu. Est-il lui aussi à l'agonie? Amélie, avec autorité, le force à se recoucher. Il ne doit en aucun cas bouger sa jambe.

— Comment s'appelle mon nouveau voisin? s'inquiète-t-il.

Amélie lit la fiche accrochée au pied du lit, au-dessus de la courbe de température.

— Sous-lieutenant Henri Lejeune, du 53ᵉ régiment d'artillerie de campagne de Clermont-Ferrand.

Léon sent son cœur battre plus fort. Le hasard a placé auprès de lui son officier.

— Il n'a qu'une blessure sans gravité à la tête, dit l'infirmière, et le bras touché par un éclat.

Peut-on mourir de blessures aussi légères, à cause d'une opération tardive?

– Il est sous chloroforme, le rassure la jeune infirmière. Il se réveillera avant une heure.

Le major s'avance d'un pas rapide vers le lit de son nouveau pensionnaire, escorté de ses aides et de l'infirmière en chef, une sœur à cornette au visage énergique. Il explique que le sous-lieutenant a été transféré d'Épinal et qu'il a mal supporté les fatigues du voyage. Sa blessure, convenablement pansée au centre des urgences, a été jugée anodine. On a considéré, à tort, qu'il pouvait être évacué sans aucun dommage.

La sœur hoche la tête, et regarde le blessé. Il a le teint gris et terne des gens qui ont perdu beaucoup de sang. Elle a assisté au débridement très délicat de sa blessure au bras. Le pansement sanguinolent a été détaché morceau par morceau. Le garrot avait bleui la partie inférieure du bras. Le blessé était si faible que la sœur n'était pas sûre de le voir tolérer le chloroforme. La plaie donnait des signes évidents d'infection. Le sous-lieutenant devait être opéré d'urgence, dans la nuit. Il était passé sur le billard une heure après son arrivée.

– Ses jours ne sont sans doute pas en danger, dit le major en regardant à la lumière du jour les clichés du bras opéré. Il se remettra, sauf complications. Il faut surveiller en permanence, d'une heure à l'autre, sa courbe de température.

Son meilleur surveillant est Léon, qui ne quitte pas des yeux son officier. Le sang revient peu à peu dans les veines du cou. Il colore les lèvres, anime le regard. Henri reconnaît Léon, sourit faiblement, incline la tête de côté et se rendort. Plusieurs fois dans la journée, Amélie, la jeune infirmière, vient lui prendre le pouls et la température. Il semble calme, détendu. Sa respiration est régulière.

Au soir tombé, la salle est dans l'obscurité. Les infirmières n'ont laissé que des veilleuses. Miracle, Henri parle, faiblement, mais il parle! Il a repris conscience. Il paraît décidé à lutter. Léon se penche vers lui, pour recueillir ses premières paroles.

— Ma mère, répète-t-il anxieusement, il faut la prévenir. Elle a le droit de savoir. Pouvez-vous écrire tout de suite?

Léon s'en charge, sous sa dictée. Il signe la lettre pour lui, et l'adresse au 23 de la rue Jacob, à Paris, 6e arrondissement.

— Ma mère est veuve. Mon père, articule-t-il avec peine, un commandant d'active, a été emporté par les fièvres dans la campagne de Tunisie. J'avais cinq ans. Elle n'a que moi. Je ne veux pas mourir.

— Pas question, mon lieutenant. Dubaujard, vous et moi, nous sommes sauvés tous les trois. Vous n'avez pas entendu le major? Il a dit que vous ne risquiez rien. On ne meurt pas d'un éclat dans le tendon du bras.

— Je me sens si faible.

Amélie surgit, une seringue à la main. Léon se hâte de se rallonger sur son lit.

— Puis-je vous poser une question? lui glisse-t-il à voix basse pendant qu'elle fait sa piqûre. A-t-on opéré aussi le commandant Dubaujard, un blessé venu d'Épinal?

— Je ne connais personne de ce nom, dit Amélie.

Avec autorité, elle remonte le drap et la couverture sur le torse de Léon, le borde avec soin. Le lieutenant est son malade, mais l'artilleur est son prisonnier.

Samedi matin cinq heures. L'alerte est donnée à l'hôpital privé de la Part-Dieu. Amélie a signalé à la surveillante en chef qu'un blessé a disparu. Son lit est vide. Il se nomme Léon Aumoine.

— On le retrouvera, dit l'infirmière sans s'émouvoir, il n'a pas pu quitter l'hôpital avec une cheville bandée.

Le major demande au lieutenant Desfossés, qui assure la sécurité dans l'hôpital, de chercher l'artilleur. On ne sait jamais. Il n'est pas rare que des blessés, à peine guéris, désertent, quand ils ont des amis en ville.

Aucune infirmière n'a aperçu Léon. Il est vrai qu'avant l'aube leur vigilance se relâche un peu. Fatiguées par les soins de nuit, elles somnolent. Le lieutenant Desfossés entend cependant la responsable du matériel orthopédique lui dire qu'une béquille a disparu dans la nuit.

L'officier revient près du lit de Léon. Sa vareuse et son képi, enfermés dans un placard avec ses affaires personnelles, n'y sont plus. Quant à sortir, il faut des bottes, et surtout les supporter, avec un pied blessé.

— Une paire de bottines de grande taille a été volée cette nuit au magasin, annonce l'intendant.

Il ne reste plus qu'à déterminer le mobile, et les moyens d'évasion.

— Peut-on interroger le voisin de nuit d'Aumoine ? demande le lieutenant Desfossé.

Ils se rapprochent du lit d'Henri Lejeune. Le blessé est trop faible pour parler.

Amélie intervient timidement, confie à la sœur qu'Aumoine lui a demandé des nouvelles d'un certain commandant Dubaujard.

— Parbleu, dit le major, il sera parti à la recherche de son officier. Il lui a donné son sang, sauvé la vie. C'est le motif de sa décoration. Cet Aumoine ne peut pas être un déserteur. Il est revenu de la bataille en héros. Il arrive parfois aux transfusés de se sentir responsables de la survie de ceux à qui ils ont donné leur sang. Celui-là, en plus, a traîné le commandant, au péril de sa vie, jusqu'au poste de secours. Recherchez Dubaujard, vous trouverez Léon Aumoine.

– Dubaujard a été évacué d'Épinal en même temps que moi, dit alors Lejeune d'une voix faible, mais distincte. Il est à Lyon, je l'ai dit à Aumoine.

– Faites rechercher dans tous les centres de soins le chef d'escadron Camille Dubaujard, dit le lieutenant Desfossés. Tâchez de mettre la main dessus.

Il y a des tâches plus urgentes et l'évasion de Léon est très vite oubliée. Des fourgons de blessés entrent dans la cour de l'hôpital et s'arrêtent devant le perron. À l'arrière des voitures, on aperçoit les pieds des soldats dépassant des brancards. Un nouveau convoi s'annonce, qu'il faut immédiatement acheminer vers la salle de pansement. L'infirmière en chef inspecte les étiquettes suspendues au cou des hommes. Les grands blessés sont transportés les premiers. Ceux qui peuvent tenir debout sont installés sur des bancs.

Les infirmières préparent les compresses, font bouillir l'eau pour les seringues et les pincettes. Les blessés pouvant marcher sont dirigés vers la douche, déshabillés, épouillés, pansés. Personne ne se soucie plus de la fugue de Léon Aumoine.

Amélie reste au chevet d'Henri Lejeune qui ne cesse de parler. Elle recueille ses paroles comme une confession, en rafraîchissant son front d'eau de Cologne. Dans son long monologue, le fiévreux sous-lieutenant se laisse aller, la tête entre les mains de la douce Amélie.

De lointains souvenirs lui reviennent à l'esprit, les mains fines de sa mère le savonnant dans le tub avant la messe, l'odeur de brioche chaude venant des cuisines, la fraîcheur du buis déposé dans le transept les dimanches des Rameaux, les robes blanches des filles au catéchisme, la longue houppelande sombre, bleu de nuit, de son père partant pour la guerre de Tunisie en 1895, la voix profonde du curé de Saint-Germain-des-Prés entonnant le *miserere*.

— *Agnus dei qui tollis peccata mundi miserere nobis,* marmonne-t-il en latin d'église, *credo in unam ecclesiam,* latin du dimanche matin des familles.

Est-ce le signe qu'il va mourir, on dirait qu'il délire ? Les mains d'Amélie se croisent sur son front. La jeune fille s'inquiète. Les narines du blessé se pincent, son regard devient fixe, et de la sueur froide perle à son front.

Henri Lejeune revoit Dubaujard, baignant dans son sang, sur la charrette du champ de bataille. Les brancardiers l'ont secoué dans le transport, il a perdu connaissance. De nouveau son sang, dans le train d'Épinal : sa blessure s'était rouverte. On l'a emmené sur un brancard, sur le quai, à la station de Lyon-Perrache.

— Il est perdu, a alors dit un major aux brancardiers, faites vite. Transportez-le directement dans ma voiture à l'hôpital militaire.

Soudain détendu, Henri Lejeune repose sa tête sur l'oreiller. Son pouls redevient normal. Sa confidence l'a épuisé, mais soulagé.

Il s'endort pendant qu'Amélie, rassurée, abandonne le jeune polytechnicien.

Dimanche, sept heures. Léon se réveille sur un banc du parc de la Tête-d'Or. Il a dormi une heure à peine et s'est réfugié dans la grande roseraie pour échapper aux regards.

Il a réussi à s'évader sans encombre de l'hôpital annexe du quartier de la Part-Dieu, en grimpant sur le banc d'un fourgon de santé, au côté du conducteur qui a fait un salut respectueux à ce maréchal des logis en képi.

– Allons-nous-en à l'hôpital militaire, sur l'autre rive du Rhône, à l'hôtel-Dieu, et vite! lui a dit Léon sur un ton n'admettant pas la réplique – il a recueilli des lèvres d'Henri Lejeune le nom de l'hôpital.

Pas de contrôle de la voiture à la sortie, les sentinelles ne demandent plus les papiers : trop d'allées et venues, nuit et jour.

– Poursuivez sur la gare de Perrache, ordonne Léon qui veut se débarrasser du conducteur à l'entrée de l'hôtel-Dieu. Un autre convoi vous attend.

On entre dans ce vaste hôpital comme dans un moulin. Les convois sanitaires, depuis la gare de Perrache, située plus au sud, se succèdent sans interruption le long du quai. Au poste de garde, pas un gendarme. Des soldats de la territoriale en pantalon rouge, parfaitement indifférents, leurs fusils Gras sans baïonnettes.

– Où se trouve la liste des blessés? demande Léon au sergent, un instituteur réserviste qui lève les yeux au ciel.

– Ils sont deux ou trois mille, sans compter les morts. Allez à l'administration, bureau central, secrétariat du premier étage.

– Je cherche un officier, le commandant Dubaujard. J'ai un pli à lui remettre personnellement.

– Blessure légère ou grave?

– Grave. Opération de la jambe.

– Voyez la chirurgie osseuse, pavillon B.

Devant l'escalier, des territoriaux recueillent dans des toiles de tente les jambes et les bras coupés qu'ils charrient ensuite sur des plates-formes de carrioles vers la morgue.

À la salle des entrées, une longue file : les blessés du dernier convoi qui peuvent se tenir sur leurs jambes attendent un premier examen décisif, qui les oriente ou non vers les tables d'opération. Les grands blessés passent les premiers, geignant sur leurs brancards, déposés à même le carrelage de cette cour des miracles.

Léon entre dans les salles de soins, son képi sur la tête. Il déchiffre les noms sur les courbes de température au pied des lits. Les opérés dorment, sous les effets de l'éther ou du chloroforme. Une infirmière demande enfin à Léon ce qu'il fait là.

– Je cherche mon commandant. Dubaujard, du 53e d'artillerie de Clermont. Un pli personnel à lui remettre.

La jeune femme poursuit son chemin, un haricot à la main. Elle s'arrête devant un amputé des deux jambes.

– Aidez-moi à le soulever.

Le blessé, un cuirassier du régiment de Lyon, est réduit par son opération à la taille d'un enfant. Les moignons sont emmaillotés de pansements. Il souffre en silence. Léon doit le saisir sous les aisselles pour le remonter dans son lit, le temps que l'infirmière mette le haricot en place. L'humiliation du géant fait peine : désormais, pour chacun des gestes de sa vie, il dépendra des autres.

Léon lit la citation affichée au chevet du lit, à côté de la médaille militaire : « S'est vaillamment comporté, sous une pluie de bombes. » L'artilleur se souvient des récits héroïques des guerres du passé, telles qu'on les décrivait dans son livre d'histoire. Il revoit l'image des cuirassiers de Waterloo mourant à la charge, la cuirasse transpercée par un boulet, latte au poing. Ce cuirassier-là a seulement reçu sur la tête un «seau à charbon» (ainsi appelle-t-on les «marmites» des obusiers lourds), bien heureux de ne pas être écrasé, comme ses camarades démontés, dans la tranchée creusée en sous-bois. Ni plus ni moins qu'un biffin. La cavalerie française ne combat plus à l'arme blanche, elle devient, comme toute l'armée, du gibier d'artilleurs. Ce cuirassier a été deux fois sinistré. On lui a pris son cheval et la guerre lui a pris ses jambes.

— A-t-on amputé aussi Dubaujard? s'angoisse Léon.

L'infirmière se souvient très vaguement d'avoir soigné un officier de ce nom-là.

— Il nous est arrivé entier, dit-elle à Léon, une jambe touchée, mais entier.

Elle fait signe au maréchal des logis de la suivre jusqu'au bureau de l'infirmière-chef, absente. Elle consulte le fichier des blessés, cherche en vain la fiche du commandant Dubaujard.

Un aide-chirurgien entre dans le bureau, interroge des yeux l'infirmière.

— Cet artilleur, dit-elle en désignant Léon, cherche un grand blessé. Un certain commandant Dubaujard. Il me semble me souvenir de ce nom mais je ne trouve pas de fiche.

— Mais si, rappelez-vous, dit l'assistant du major. Dubaujard, un Lyonnais d'origine. Un cas intéressant. Un transfusé. Le professeur Daubenton connaissait sa famille. Il l'a transféré à l'École de santé, pour l'opérer lui-même devant ses élèves.

206

L'École de santé de Lyon est déjà célèbre à travers toute la France pour son esprit de recherche et d'innovation dans les techniques de soins. Le docteur Roux y a soutenu une thèse sur les vertus de la moisissure en 1910. Il assure qu'on peut lutter contre un grand nombre de maladies en cultivant des champignons, ce qui fait sourire ses éminents collègues de la Faculté. Des champignons! Un remède de sorcières.

— Où se trouve l'École de santé? demande Léon, sorti sans encombre de l'hôtel-Dieu, à un vieux Lyonnais en casquette et pantalon de toile, qui promène son chien sur le quai du Rhône.

— De l'autre côté, près des facultés. Non, je me trompe, elle a changé plusieurs fois d'adresse. Laissez-moi me souvenir. Elle n'est à Lyon, savez-vous, que depuis 70. Les premiers médecins sont venus de Strasbourg. Elle était d'abord installée de l'autre côté, vers la Guillotière.

Léon, impatienté, s'éloigne pour interroger un balayeur.

— Attendez, jeune homme, vous en êtes tout près. Ils ont construit ce grand ensemble, vers 1895. Bien sûr. Remontez le quai jusqu'à Perrache, vous verrez, rue Berthelot, trois grands bâtiments à plusieurs étages.

Léon est déjà parti. Il tire sur sa cheville douloureuse. Une enceinte entoure l'école, mais la porte n'est pas gardée. Il passe le porche, suit des étudiants se dirigeant vers le bâtiment principal. Ils vont, en uniforme, assister aux cours d'un vieux chirurgien. Léon n'a que faire d'une leçon d'anatomie dans un amphithéâtre.

— Où opère-t-on? demande-t-il.

— Le professeur Daubenton est le seul à opérer certains cas très particuliers. Vous le trouverez à la salle Corvisart.

Le chirurgien est à l'ouvrage, entouré d'un groupe d'élèves penchés sur le corps en partie découvert. Ils sont tellement attentifs aux commentaires à mi-voix du patron, qu'ils ne s'aperçoivent pas de la présence de Léon. Il se place derrière le major et retient sa respiration. Opère-t-il Dubaujard?

Le visage du patient est recouvert par le drap. Blessure à l'intestin. Le chirurgien a des gestes précis, rapides. On lui passe les instruments à sa demande. Il tranche, écarte les chairs meurtries, recoud, referme. Sous la lumière glaciale de la lampe. En une demi-heure, le sort du patient se joue.

Le cœur a résisté. On retire le drap du visage. Un tout jeune homme à la barbiche blonde, reçu du front dans un état très grave, l'intestin perforé, la plaie ouverte.

Pendant que les brancardiers déposent avec précaution le corps de l'opéré sur un brancard, le chirurgien retire son masque. Le professeur Daubenton, alerte septuagénaire, est l'autorité morale et scientifique de l'École. Il a formé des générations de majors aux techniques modernes d'opération sous anesthésie, pratiqué les premières transfusions, utilisé les rayons X.

L'infirmière lui tend une serviette pour s'éponger le front. Une autre lui verse de l'alcool sur les mains. Devant les élèves qui prennent rapidement des notes, il commente longuement l'opération en précisant que l'opéré peut théoriquement survivre, si son organisme résiste à l'infection qui guette tant de blessés.

– La gangrène! Elle est notre premier ennemi. Nous ne savons pas la soigner. Elle frappe de préférence les extrémités, mais sa forme gazeuse atteint les plaies profondes dont les tissus sont dilacérés ou broyés. C'est la pourriture, irrémédiable. Quel champignon nous guérira jamais de cette calamité? Le docteur Roux y croyait. Personne ne l'a suivi. Je suis, messieurs, de ceux qui le regrettent. Elle fera plus de victimes dans cette guerre que les obusiers lourds du général Ludendorff.

Léon, son képi à la main, n'ose aborder le professeur en train de déboutonner sa blouse.

— Que fait un artilleur en tenue dans ma salle d'opération? lui dit Daubenton en souriant.

— Je cherche le commandant Dubaujard, mon général.

Le professeur détourne les yeux, prend Léon par l'épaule et l'entraîne dans son bureau.

— Vous étiez de sa famille?

Léon est sur le point de défaillir. Le professeur, circonspect, n'ose poursuivre, comme si l'information, retenue sur ses lèvres, était un aveu d'impuissance.

— C'était mon commandant, dit Léon. Je lui avais donné mon sang.

— Et la transfusion a parfaitement réussi, dit aussitôt le professeur. Le cœur de Dubaujard était solide, et votre sang miraculeusement compatible. Le professeur Ducousset avait fait du bon travail. Un expert.

Léon retient ses paroles : si l'opération a réussi, pourquoi le commandant est-il mort?

Le professeur, subtil, devine son désarroi et lui épargne de poser la question.

— La gangrène, mon petit, la foutue pourriture. On a trop attendu pour l'opérer. Ils lui ont enlevé une jambe. J'ai dû sectionner la cuisse. Le mal avait gagné à une vitesse foudroyante. Vous arrivez trop tard. Il est mort ce matin à l'aube.

Le regard du praticien se voile.

– Je l'avais connu enfant. Son père était mon camarade d'études, ici, à Lyon. Nous étions de la même promotion, majors tous les deux. Il avait épousé Berthe, ma sœur. C'est une perte qui me touche autant que vous. Je me suis arrangé pour que son corps parte en fourgon pour la ville de Cluny, en Bourgogne, où il était né. Chienne de guerre! Les meilleurs partent les premiers.

Léon s'écroule, de tout son poids, là, aux pieds du professeur. La fatigue de sa trop longue nuit, de sa cheville blessée. L'émotion lui a donné le coup de grâce.

– Infirmiers! Allongez-le sur la table. J'arrive, dit Daubenton.

Lundi matin sept heures. Léon se réveille, le goût du chloroforme sur les lèvres. Le professeur a suturé sa plaie, qui s'était rouverte. Aucune infection, pas la moindre complication. Mais Léon a été très imprudent.

Il aperçoit à son chevet, en ouvrant les yeux, une silhouette familière.

– Léon!

C'est Julien, le plus jeune de ses frères. Il serre son aîné dans ses bras à l'étouffer, de toute la vigueur de ses dix-huit ans.

Daubenton, touché du dévouement inouï du maréchal des logis pour Dubaujard, a fait téléphoner au recrutement de Clermont. On lui a donné tous les renseignements sur Léon, ses états de service, sa situation familiale. On a même précisé qu'il avait un frère à l'instruction dans un régiment de Lyon. Daubenton l'a fait prévenir. Le jeune homme est accouru, par permission spéciale. Un miracle, dû au prestige du vieux professeur et à la médaille militaire de Léon.

— Je viens te chercher, vieux frère.

— Tu n'y penses pas, dit Léon. J'ai déjà fait une évasion, s'ils me reprennent, je suis bon pour le falot.

— Avec la médaille que tu portes, ça m'étonnerait, assure Julien. Le chirurgien a tout arrangé. Le professeur Dutronc a signé, à sa demande, un ordre anticipé en bonne et due forme. Tu peux sortir d'ici la tête haute.

— Ils ne me laisseront jamais partir.

— Ton train entre en gare dans une heure. Ta blessure est parfaitement refermée. Mais tu dois te reposer au moins une semaine.

— Puisque tu es là, je patienterai. Quand pars-tu rejoindre ton régiment au front?

— Le colonel Nivelle ne veut pas encore de nous. C'est un maniaque de l'instruction. Il a déjà eu le temps de se faire remarquer pour son audace en Alsace, à la tête d'une de nos batteries. Si tous avaient été comme lui, on n'aurait pas perdu cette première grande bataille, on aurait gardé Mulhouse. Aux yeux de Nivelle, ceux du 5e régiment d'artillerie de campagne doivent être tous des as, sans exception. Il ne veut pas d'amateurs. J'en ai encore pour un mois avant d'être breveté canonnier de première classe. Ensuite, le front!

— Il t'enverront à Fontainebleau, dit Léon. Tu seras officier avant moi. Tu en as les moyens. Je suis très fier de toi.

Julien a le sourire des anges, mais son visage a mûri. C'est un homme. Ses boucles blondes sont tombées sous le ciseau du coiffeur du quartier.

– As-tu des nouvelles de Villebret, demande vivement Léon. Notre mère? Marguerite? Raymond? Je n'ai reçu aucune lettre d'eux.

Julien n'a pas le temps de répondre. Le professeur Daubenton entre à l'improviste, en blouse blanche et tablier taché de sang.

– Vous partez tout de suite, lui dit-il. Cela vous évitera une nouvelle fugue. Voilà votre permission. Tout est en règle. Huit jours de convalescence.

Il dépose au chevet de Léon une pipe en bois. Une marguerite est gravée sur le culot. Léon la reconnaît aussitôt : celle de Dubaujard.

– Elle vous portera bonheur. Ne tardez pas, une surprise vous attend.

Des infirmières lui rafraîchissent le visage. Un barbier le rase. On lui fait revêtir son uniforme, sans bouger sa jambe du lit. Julien assiste à ces préparatifs, comme s'il en était complice. Léon se demande s'il va avoir droit à une nouvelle cérémonie. On a soigneusement épinglé sa médaille militaire sur sa vareuse, comme pour une parade.

On le descend avec soin, allongé sur le brancard. Julien le suit en portant dans un sac ses objets personnels. Il aperçoit à la fenêtre le visage souriant du professeur Daubenton.

Une ambulance automobile attend dans la cour, moteur en marche, drapeau de la Croix-Rouge flottant au vent. Léon fera sa convalescence à l'hôpital de Montluçon, tout près des siens.

– Le commandant Dubaujard était un père pour lui, dit à son jeune assistant le professeur Daubenton, ému au départ de la voiture. Je serai désormais son parrain.

Les roses rouges de Lorraine

Le 20 août au matin, Joffre, nerveux, arpente son bureau, installé dans le collège de Vitry-le-François. À petits pas irréguliers, il se rend dans la large la salle d'étude contiguë où, dans un instant, tout son état-major est convoqué. Salle vide, sans cartes au mur ni dossiers sur la table. Il a les poings fermés, les bras raidis, le haut du corps contracté.

Les courriers arrivent, en automobile ou à cheval, heure après heure, de toutes les armées. Joffre a choisi Vitry en raison de sa position centrale sur le front. À égale proximité des grandes unités, proche des routes de Reims et de Verdun vers le nord, proche également des armées de l'Est : Nancy pour la Lorraine, Épinal pour les Vosges, Belfort pour l'Alsace. Il attend surtout des nouvelles de l'Est, où il a lancé ses offensives. Celles en provenance du Nord-Ouest ne lui font pas plaisir : elles annoncent l'avance rapide des Allemands en Belgique.

La cour du collège a des allures de garage encombré de véhicules de toutes sortes. Les gendarmes y règlent prestement la circulation des estafettes qui assaillent le bureau des opérations. Mais Joffre, ce matin-là, n'attend qu'un seul homme, venu au rapport : son envoyé spécial sur le front de Sarrebourg en Lorraine, le commandant Bourinat.

Aussitôt arrivé, l'homme de confiance s'est rendu dans l'antichambre du général en chef, où l'a accueilli Gamelin, le chef de cabinet. Bourinat connaît Joffre, et devine son mécontentement. À peine Gamelin ouvre-t-il sa porte que le général marche au-devant de Bourinat, ce qui n'est pas habituel et traduit une certaine impatience.

– Alors ?

– Je suis porteur de mauvaises nouvelles, mon général.

– En Alsace ?

– Pas seulement, en Lorraine aussi.

– C'est un comble !

À l'étroit dans sa tunique noire et sa culotte rouge, le général a ponctué son irritation d'un coup de sa botte d'ordonnance sans éperon sur le parquet. Il sonne, en fronçant des sourcils où le blanc le dispute au blond. Son ordonnance vient aux ordres.

– Bélin, Berthelot, au rapport, tout de suite ! Gamelin, restez avec nous !

Malgré les pantoufles qu'il ne quitte jamais, le massif Berthelot (il pèse plus lourd encore que Joffre, cent cinq kilos) a du mal à se mouvoir de sa chambre à son bureau. Son intelligence fulgurante est à la mesure de son embonpoint. Vêtu d'une blouse ample, sale et quasi légendaire – une blouse de moujik, ricanent les jeunes lieutenants –, il consulte, d'après les relevés du matin fournis par le service des renseignements, les chiffres des effectifs en présence sur les fronts de Lorraine et d'Alsace, choisis par Joffre pour l'offensive française. Il s'assied devant le bureau du général, sur le même rang que Bélin. Gamelin et Bourinat demeurent debout derrière.

Les mauvaises nouvelles d'Alsace, survenues dans la nuit, sont d'abord commentées d'une voix impersonnelle par le major Bélin. Vif, élégant, distingué, il s'exprime sans l'aide de notes.

– L'armée d'Alsace du général Pau n'a pu se maintenir dans Mulhouse où elle a éprouvé des pertes sérieuses, au moment où les Allemands attaquent dans les Vosges, menaçant de prendre à revers notre offensive en Lorraine.

– Justement, parlons de la Lorraine, dit Joffre en fixant Bourinat, fantassin sorti brillamment du cénacle de l'École de guerre, chargé par ses soins de la surveillance attentive des chefs des grandes unités.

Il sait qu'il a parcouru tous les secteurs du front, que son avis sans concessions est déterminant devant le conseil, car il est le seul à témoigner de la situation réelle des unités visitées pendant la nuit.

– Le général de Castelnau…

Bélin interrompt sèchement le commandant. Il appartient au major général des armées, pense-t-il, de dresser le bilan du jour, et non à un «envoyé spécial» du général en chef.

– Les Allemands contre-attaquent sur tous les secteurs. À Morhange, Castelnau doit reculer vers Nancy. Dans les Vosges, la poussée sur les cols est irrésistible. À Sarrebourg, Maud'huy et le 8e corps doivent évacuer la place.

– Mais ils devaient être soutenus par le 13e corps d'Alix, coupe Joffre. Où est Alix?

Il mise sur ce dernier nommé à la tête du 13e corps de Clermont-Ferrand pour compenser, par son énergie réputée, la faiblesse de certains généraux de division, et notamment de Signole, chef de la 26e.

La réponse de Bourinat tombe comme le couperet de la guillotine.

– Ni Alix, ni Signole ne savent leur métier, dit-il en pesant ses mots. Ils ont accumulé les erreurs, lancé les hommes dans des attaques inconsidérées, meurtrières. La ligne du front est désorganisée par les pertes lourdes éprouvées à Petitmont par la 26e division du général Signole.

Les yeux myosotis de Joffre foncent brusquement, comme s'il venait d'encaisser un affront surprenant, désagréable.

– Un incapable! bougonne-t-il dans sa forte moustache. Je n'aurais jamais dû le nommer.

– Vous n'y êtes pour rien, mon général, rectifie Gamelin. Il était en poste avant votre arrivée.

Gamelin, d'une voix calme et posée, interprète une fois de plus la pensée du chef. Ce cyrard, sorti de l'École de l'infanterie à quarante-deux ans, suit Joffre depuis douze ans. Il était déjà à son côté en 1902, en région d'Amiens, à l'époque des grandes grèves révolutionnaires où l'on avait utilisé l'armée contre les syndicats. Maurice Gamelin n'est encore que commandant, mais il tient le cabinet du patron et sait rassembler en formules simples les idées qu'il lui devine :

– Signole est un dangereux amateur, mais Alix a de la vigueur, avance-t-il. Il est tout à fait à sa place pour l'offensive. Il saura redresser la situation.

– Pourquoi est-elle si compromise au 13e corps? s'enquiert Joffre. Il n'a pas tellement donné.

– La situation est grave dans certaines unités inutilement exposées, intervient Bourinat qui tient sa proie et ne compte pas la lâcher. Le 121e, par exemple. Voilà un régiment sacrifié. Tous ses cadres sont morts ou presque. Il est commandé par un simple capitaine. Son colonel est au plus mal.

Joffre accuse la nouvelle avec tristesse. Sa formidable mémoire des hommes s'est soudain mise en marche. Il a connu Trabucco, jadis, aux colonies. Un fonceur, qui aime ses soldats. Il est sans doute le premier colonel de l'armée blessé à mort au combat.

— Le régiment n'a plus de chefs de bataillon.

— Nommez immédiatement les lieutenants, propose Berthelot excédé, comme si la discussion se noyait dans les détails. L'armée ne doit pas être commandée par des ganaches récupérées parmi les vieux cadres. Nommez ceux qui se sont bien conduits au feu, tout de suite. Le ministère régularisera plus tard les promotions.

— Le lieutenant Gérard ? Il n'a pas trente ans…

— Nommez ce Gérard capitaine, tranche Joffre. Il fera fonction de chef de bataillon. Un capitaine Migat sert bien de colonel. Faites-le commandant sur-le-champ. Il saura reconstruire l'unité. Je le connais, on peut lui faire confiance.

— Impossible de reconstituer les effectifs avant longtemps, signale Berthelot en consultant le carnet où il tient en mémoire toutes les informations concernant les unités d'attaque.

— Quel est le centre de recrutement ?

— Montluçon, mon général.

— Qu'importe, complétez avec les réservistes que vous avez sous la main, qu'ils soient bretons ou lorrains. La bataille n'attend pas. Le recrutement local, c'était en temps de paix. Il faut prendre les hommes où ils se trouvent.

Le major général Bélin tient à faire observer que ces promotions sur le tambour ont un caractère précipité, et risquent de donner un exemple dont on sera tenté d'abuser, de créer des injustices…

Joffre écarte l'objection de sa main.

— La tenue au feu est désormais le seul critère. Tout a changé.

— Néanmoins, insiste le major, vous ne pouvez retirer leur commandement à des officiers supérieurs sans enquête préalable, d'autant que vous êtes en partie responsable de leur nomination.

— J'ai ici un compte rendu du général Demange, chef d'état-major de la 1re armée, dit Berthelot en tirant un dossier de sa blouse de moujik. Il est accablant : l'attaque de Cirey par le 121e «a été abominablement montée ou plutôt pas montée du tout. La charge aurait été donnée intempestivement à deux kilomètres au moins du village». Cela vous suffit-il?

— Un rapport complet serait préférable. Qui a donné l'ordre de départ?

Berthelot sort un autre rapport de sa tunique : Trabucco était blessé à mort. Signole a prétendu que les clairons avaient sonné la charge sans son ordre, sans celui du commandant de brigade, ni du colonel.

— Les clairons ont sans doute sonné tout seuls, ironise Joffre. J'admire que personne ne soit reconnu coupable, alors que mes ordres et mes directives, pourtant nombreuses, n'ont pas été exécutés. Il fallait prendre Cirey, sans souci des pertes, certes, mais avec la volonté et les moyens de l'emporter. Le général Signole a échoué. Je ne lui reproche pas d'avoir fait tuer du monde, c'est hélas inévitable, mais de n'avoir pas réussi à suivre le plan d'opérations.

Un silence lourd tombe sur le conseil. Chacun attend la liste des sanctions.

— Qu'allez-vous faire de Signole? hasarde Gamelin qui aime les situations nettes.

Joffre se lève, fait quelques pas, les mains dans le dos et la mine concentrée :

– Écrivez, je vous prie : «Remis incontinent à disposition du ministre.» Monsieur Messimy s'en débrouillera. C'est lui qui l'a nommé. Remplacez-le par Bazin, c'est un solide. Il fusillera les fuyards, s'il le faut. Ils ne sont que trop nombreux dans les armées de Lorraine. On m'a signalé des fautes impardonnables dans certains corps devant Morhange. Envoyez tout de suite à Bazin par courrier spécial, en automobile, sa lettre de service. Il s'est bien conduit dans les cols des Vosges, et il est bien le seul.

Ce 20 août au matin, pendant que les généraux délibèrent, Jean panse ses plaies, de simples égratignures de ronces. Il rattache les boutons de sa veste. Les rescapés des combats de Petitmont et de Cirey ont enfin pris ces positions évacuées par l'ennemi en retraite. Ils les ont même dépassées largement. Ils sont en place depuis l'aube devant le village de Brouderdorff.

Après les pertes subies, les promotions «sur le tambour» ont été annoncées aux gradés du régiment par le commandant Migat. Jean Aumoine apprend qu'il est devenu sergent, ainsi que le caporal Joannin. Jules Massenot, le plombier, prend les trois chevrons d'or du sergent-chef, et Maurice Duval, du village de Champignier, coureur du Tour de France 1913, est admis à suivre le peloton de caporal, quand on aura le temps de le former. En attendant, comme Migat et les autres, il fait fonction.

Ces chevrons de laine rouge ou de fils d'or ne sont qu'un mince réconfort pour les hommes accablés par l'incapacité des chefs. Ceux qui ne sont pas de la distribution n'en sont pas jaloux. Ils trouvent au contraire normal et réconfortant qu'un Joannin, qui peut à peine signer son nom, soit promu au moins caporal pour sa bravoure. Il n'a pas besoin de ces chevrons pour être admiré comme un héros à la salle de sports de Montluçon, pas plus que Duval, qui a porté le maillot jaune dans la dure étape du Galibier. Massenot est de nature sergent, parce qu'il est instruit, intelligent et responsable. Il aurait pu être capitaine, s'il avait fait des études. Les sous-officiers sont comme les hommes, du bois dont on fait les morts, dit justement Massenot.

Jules Bousquin, de la classe de Jean Aumoine, a suivi son camarade comme son ombre depuis le départ au régiment. Il était son conscrit et la Genebrière, son hameau d'origine, ressemblait comme un frère à Villebret. Ils ont tous les deux, à la ferme, leurs vaches et leurs chevaux, ils parlent la même langue, le même patois de foire. Ils disent d'Adam Lascot, leur copain de la classe, qu'il est «le plus ch'ti» des conscrits de la 12-2 : le plus tire-au-flanc.

Adam ne s'est fait remarquer de personne depuis le début de la campagne. Ni traînard, ni héros, il a suivi son chemin en se fondant dans la poussière des routes. Il faut bien le connaître pour savoir qu'il est bon compagnon, capable de surgir à l'improviste pour tirer un copain d'affaire. Rebelle aux ordres mais sensible au devoir, peu respectueux des galons, et tout à fait capable de comprendre avec humour l'abîme de culture qui sépare le cabot du juteux, le premier vrai galonné de la hiérarchie.

Le juteux n'est qu'un appelé qui a rempilé, il est devenu un professionnel du métier des armes. Il aurait pu, à sa sortie du régiment, être gendarme. Le cabot ne doit son grade qu'au choix d'un capitaine. Pour connaître les hommes, se dit Adam Lascot, il faut avoir joué aux billes avec eux à la maternelle. Là se révèle leur vraie nature. Pour désigner un cabot, le capitaine fait *am-stram-gram* dans la cour de la caserne ; celui sur qui s'arrête la dernière syllabe de la comptine a droit aux chevrons rouges. Qu'il tombe bien ou mal importe peu : les vrais chefs, dans une classe d'hommes, ne portent pas toujours les galons.

Chacun sait au village qu'Antoine ou Bousquin sont les plus forts, qu'ils soient ou non gradés à la caserne. La hiérarchie militaire est plaquée avec plus ou moins de bonheur sur des hommes autrement reconnus dans leurs communautés villageoises. C'est à Antoine le gradé, mais aussi à Jules le simple soldat, que les autres demandent aide, conseil ou réconfort. Parce qu'ils les connaissent depuis toujours et qu'ils les ont distingués pour leur vraie valeur et pour leur solidarité dans l'épreuve. Il faut autant de courage, et plus de savoir et d'esprit de décision, pour secourir une vache en gésine ou un moissonneur blessé que pour étriper un Prusco à la baïonnette.

La guerre frappe à l'aveuglette les bons et les mauvais. Le feu n'est pas une distribution des prix et les galons ne récompensent, en définitive, outre le courage naturel à ces paysans, que la chance d'avoir survécu. Aussi leur vraie colère, c'est la mort des meilleurs d'entre eux, perdus dans l'énorme gâchis de la machine à tuer. Aucune vraie valeur n'est prise en considération par les shrapnels. La mort elle-même est défigurée. Au village, on l'a identifiée, acclimatée, décorée de noir et de blanc. Les cimetières avaient jadis leurs lanternes des morts, brûlant toute la nuit pour éloigner les démons et rappeler le souvenir des disparus. On n'a jamais

221

manqué, à Villebret, de suivre les enterrements, pour accompagner le défunt dans sa tombe marquée à son nom. Dans l'au-delà, il garde son identité.

Voilà pourquoi Jean et ses camarades, peu soucieux des grades et des citations, sont tellement tristes. Maîtres du champ de bataille depuis la retraite des Bavarois de Petitmont, ceux du 121e n'ont pas eu le temps d'enterrer leurs morts. Ils ont reçu l'ordre de continuer l'offensive de Brouderdorff, dans l'état de fatigue extrême qui a suivi le combat. Les territoriaux aidés par les prisonniers ont creusé pour leurs copains une fosse commune, où l'on a enfoui les corps pêle-mêle. Seul le commandant Montagne et le capitaine de la Porte du Mail ont eu droit à une croix de bois avec inscription sommaire à l'Opinel. Des messieurs, enterrés à part.

Au village aussi, les maîtres ont des sépultures ornées comme des monuments, leurs chapelles funéraires. Au front, le cérémonial de la mort perpétue les habitudes sociales auxquelles les villageois sont accoutumés. Les officiers sont d'un autre monde. Quelle que soit sa bravoure, aucun pantalon rouge ne croit pouvoir prétendre au grade de lieutenant. La hiérarchie selon les études et les diplômes a remplacé celle des châteaux. Que l'on enterre à part ceux que la société a placés à bon droit en tête des régiments n'est contesté par personne. Ces gens-là savent, après tout, mourir comme les autres.

Le régiment se traîne sur les traces de l'ennemi disparu. Les vides dans les rangs ne sont pas compensés par des renforts. Les blessés légers doivent être évacués comme les autres, étant hors d'état de combattre avec un bras en écharpe ou une jambe folle. Le commandant Migat, chargé de la succession de Trabucco dont on est sans nouvelles, marche à pied. Il n'a guère le choix : un éclat dans le ventre a eu raison de son cheval Pâquerette. De courte taille, nerveux et rapide, vêtu d'un pantalon rouge et de brodequins de soldat, l'ex-capitaine n'est nullement abattu. Aux manœuvres, il a toujours précédé sa compagnie dans les longues étapes.

Il est de cette génération d'officiers de carrière qui pense qu'un chef doit se signaler par une plus grande résistance aux épreuves. Il n'a pas le droit de flancher. Responsable totalement de son régiment, il lui appartient de le conduire à bon port par les voies les plus sûres. Il trace lui-même l'itinéraire de la journée de marche sur une carte qui ne le quitte pas.

La prudence est sa principale qualité. Il ne veut rien négliger, pour assurer la sécurité des hommes. Depuis huit heures du matin, le 20 août, des chasseurs à cheval envoyés en patrouille lui font toutes les heures un rapport sur l'état des avants. Il a dépêché vers l'arrière un coureur pour demander à l'état-major de division une reconnaissance aérienne. Il a en effet perdu l'ennemi de vue.

Un officier de liaison du général de Maud'huy, du corps d'armée de Bourges, Jean Rocher, est arrivé jusqu'à lui, vers dix heures. Il donne au commandant Migat des nouvelles de l'avance de Maud'huy : depuis le 16 août, les Berrichons ont suivi les Bavarois en retraite. Mais, aujourd'hui 20 août, ils ont contre-attaqué et c'est le tour des Berrichons de se replier.

Le régiment de Bourges avait pourtant bien commencé la campagne. Il avait défilé musique en tête dans la petite ville de Lorquin et son général avait coiffé pour la circonstance le couvre-nuque de l'armée d'Afrique. Les soldats avaient jeté à terre, à la mairie, le buste du Kaiser. Maud'huy croyait poursuivre son offensive vers l'Alsace par la trouée de Saverne et entrer dans Strasbourg sous huitaine.

— Toujours optimiste, dit Migat. Un vrai Marocain.

— En tous cas, assure Jean Rocher, les faits lui donnaient alors raison. Les Bavarois avaient perdu au moins cinq cents hommes sous l'attaque des Berrichons. Joffre envoyait déjà la cavalerie le long du canal de la Marne au Rhin, pour la poursuite. Des chevaux fourbus, gris de poussière. Tout confirmait le mouvement de retraite générale de l'ennemi. Notre division était entrée dans Sarrebourg au son de la *Marche lorraine*. Des fleurs tombaient dans les musettes, les bourgeois nous offraient des cigares. Les gars de Bourges avaient couché dans la caserne des uhlans.

— Pas de réactions de l'ennemi?

— Bien sûr. Ils avaient expédié leurs marmites. Leurs canons restaient postés dans l'ancien champ de manœuvre, au nord de la ville. Mais les nôtres les avaient délogés. Les habitants de Sarrebourg n'étaient pas vraiment rassurés. Ils redoutaient les représailles si les Allemands revenaient. Des conseillers municipaux nous avaient supplié de les emmener. Qui pouvait être sûr que les Allemands ne contre-attaqueraient pas?

Migat réfléchit. Ainsi, sur tout le front de l'Est, en Alsace comme en Lorraine, les Allemands reculent pour mieux bondir. Pourquoi Maud'huy s'est-il laissé berner?

— Il n'a pas été surpris outre mesure, précise Jean Rocher, de la réaction de l'ennemi. Il avait appris par des interrogatoires de prisonniers que les Bavarois avaient reçu d'importants renforts, d'un corps d'armée pour le moins. Il savait qu'une résistance imprévue pouvait se manifester à tout moment, que les bois mal éclairés restaient un mystère, que des batteries inconnues avaient pu prendre position au-delà des collines. Habitué aux ruses des Marocains du bled, Maud'huy savait tout cela. Il a continué d'avancer selon les ordres, mais il est tombé bientôt dans la nasse. Il m'a envoyé vous prévenir pour que le 121ᵉ ne subisse pas la même mésaventure.

— Nous avons capturé un dragon allemand, dit Migat. Il a parlé de renforts nombreux, avec de l'artillerie. Nous sommes sur nos gardes. Où en êtes-vous ?

— Depuis ce matin, nous sommes en retraite. Notre général de corps d'armée de Castelli, dressé tout droit sur son automobile découverte a dit à l'aube à Maud'huy : « Notre armée ne sait pas se battre. Les fantassins tirent de trop loin. Au-delà de cinq cents mètres, tous les coups sont trop hauts. Même l'artillerie ne fait pas son travail. Les shrapnels des 75 éclatent aussi trop haut. — Les soldats ont du cœur, lui a répondu Maud'huy, ils continueront d'attaquer, malgré les pertes. — Il n'est pas question de cela pour le moment. J'ai reçu l'ordre de la retraite, a dit Castelli. »

Devant ce récit circonstancié des malheurs de la division de Bourges, le commandant Migat reste perplexe. Il se dit qu'il est suicidaire de demander aux hommes de compenser les erreurs des états-majors et l'inexistence des moyens de riposte. L'armée du Kaiser n'a rien à voir avec les bandes révoltées du Rif. La guerre a changé d'échelle et les vieux Africains, comme Maud'huy, semblent encore l'ignorer. Il est temps qu'ils se ressaisissent.

Jean Rocher le tire de ses réflexions en lui montrant le pli qu'il doit remettre en personne au général Alix, commandant du 13ᵉ corps.

225

— Notre général de Castelli, dans sa retraite, compte absolument sur le concours de votre général de corps d'armée Alix, explique-t-il. Vous devez attaquer pour nous permettre de nous replier en ordre. Et je crois savoir que vous êtres désignés, ceux de la 26ᵉ division et particulièrement le 121ᵉ, pour prendre la tête de cette attaque.

— Nous n'avons plus de colonel, dit Migat, ni de général de brigade, ni de général de division. Je ne reçois plus d'ordres du corps d'armée et je n'ai aucune information sur l'ennemi, sauf par les cavaliers de reconnaissance, qui ne peuvent aller loin dans les lignes allemandes sans se faire tuer.

— Le général de Castelli pense pourtant qu'il vous revient de prendre la Sarre rouge, pour nous permettre de retraiter en ordre, dit Jean Rocher.

— La Sarre rouge? Cet enchevêtrement de bois et de collines? Nous allons y perdre tout le régiment.

— Je dois joindre Alix, au PC de votre 13ᵉ corps, pour lui apporter l'ordre d'attaque venu du PC de la 1ʳᵉ armée. Pouvez-vous me dire où il se trouve?

— Je n'en sais rien, dit Migat. Marchez sur Niderhoff, au sud de Lorquin. Le général Alix y tient en principe son PC. Est-il toujours en place? Je ne puis vous le dire, n'en ayant aucune nouvelle. Si vous le voyez, demandez-lui des reconnaissances par avion. Nous avançons à l'aveuglette. Assez de mauvaises surprises. Qu'on nous éclaire, par pitié.

Le 20 août, vers quatre heures de l'après-midi, un avion survole les lignes du 121ᵉ à basse altitude. Le moteur a des ratés, le pilote tente de reprendre de la hauteur, en vain. Son

Voisin V82 se cabre, repique vers le sol, au risque de se fracasser. Ses ailes sont trouées de balles de mitrailleuses, mais les commandes semblent répondre encore. L'aviateur a coupé les gaz, amorcé une descente en vol plané. Il réussit à atterrir dans un champ incliné vers le lit d'un ruisseau, à cent mètres du PC de Migat. Le train d'atterrissage se brise, l'appareil s'écrase. Deux hommes en sortent à grand-peine avant que le feu n'embrase le réservoir d'essence.

Jean Aumoine, avec une escouade, s'est précipité au devant des rescapés. Le pilote a une jambe touchée, le sergent est contusionné. On les transporte au PC de Migat qui a suivi la chute de l'appareil français.

– Lieutenant pilote Quillien. Voici le sergent Pietri, de l'escadrille BL9 de reconnaissance. Conduisez-moi à votre colonel. Mon rapport d'observation doit parvenir immédiatement au général Alix, explique le pilote. Il est de première importance.

Migat découvre le texte du message : « Départ du vol, 14 h 35, retour prévu de l'appareil à 16 h 30. Aperçu près de Lixheim, au sud de la route de Lixheim à Phalsbourg, une brigade de six mille hommes, avec de l'artillerie. Un convoi d'une vingtaine de voitures. Des tranchées importantes. »

– C'est bien ce que je pensais, dit Migat. Les Allemands nous laissent avancer jusqu'à Sarrebourg, mais ils envoient des renforts dans la Sarre rouge, avec une forte artillerie et des positions de forteresse. Nous sommes bien tombés droit dans le piège. Pour arrêter la contre-attaque, Joffre n'a trouvé, dans l'immédiat, qu'un corps de cavalerie fourbu combattant à pied. Et voilà maintenant que nous devons prendre la suite des cavaliers débordés.

– Les cavaliers ne peuvent tenir longtemps. Les Allemands

seront sur vous avant peu. J'ai tous les clichés de la ligne du front, précise l'aviateur. La grosse artillerie allemande bombarde la région de Sarrebourg. On compte par centaines les cadavres sur le bord des routes.

« C'est un désastre, pense Migat. Tant d'hommes sacrifiés sans aucun résultat. »

— Avez-vous les moyens de téléphoner au PC du général ? demande Quillien.

— Impossible, nous sommes en marche et la liaison n'est pas établie. J'envoie tout de suite un courrier à cheval au terrain d'aviation de Xouaxange, où ils ont le téléphone.

— Vous n'avez pas d'automobile ?

— Aucune. Mais je peux vous évacuer en fourgon hippo. Je peux aussi envoyer un message par pigeon.

— Vous rendez-vous compte, dit Quillien, que dans notre escadrille le capitaine Julliard et son pilote, Nauté, ont aperçu, il n'y a pas deux heures, un rassemblement de troupes juste devant vous, à quelques kilomètres, autour d'Arzviller ? Au moins une division de *Feldgrau* sur une ligne de tranchées, avec de l'artillerie lourde. Nous n'avons pas assez d'avions pour les repérer tous. Ils se cachent, s'enterrent, se camouflent. Nous ne pouvons surprendre que les hommes au travail et les convois de ravitaillement.

Peu après le départ des aviateurs, Migat reçoit enfin, vers cinq heures du soir, un ordre par courrier du général Alix lui-même, confirmant les indications données par Jean Rocher : avancer aussitôt en direction du nord-est, dans la Sarre rouge. On ne discute pas un ordre, même si l'on sait qu'il conduit à des engagements meurtriers. Migat se résigne au pire et règle sa marche par petites unités, pour ne pas être surpris par un bombardement massif de l'artillerie ennemie.

Jean et sa section sont en tête de la première compagnie du lieutenant Gérard, qui vient d'être promu capitaine. Départ à sept heures du soir. L'approche du village de Brouderdorff est d'abord tranquille, les liaisons avec l'état-major de division correctes, mais il faut tout de même plus de deux heures aux courriers envoyés par Migat pour joindre le général Alix, dont le PC de Niderhoff est distant d'environ douze kilomètres.

Des chasseurs à cheval partis en reconnaissance reviennent de Brouderdorff, petit bourg où les avant-gardes du 121e doivent pénétrer. Ils avertissent le commandant Migat : le maire du village les a informés que les uhlans ont précédé les chasseurs français dans le bourg, et qu'ils ont laissé à l'hôpital des blessés très dangereux. On les a surpris à renseigner par gestes leurs camarades postés dans la forêt aux abords de la petite ville. Les cavaliers à la chapska noire ne sont pas très loin. Le soir, ils tirent des coups de feu dans les magasins pour les obliger à fermer. Ils ne veulent pas de témoins de leurs incursions. Ils observent la marche dans la plaine du 121e régiment et nos chasseurs à cheval doivent les éloigner constamment à coups de carabine. Brouderdorff n'est pas sûr.

Migat arrête aussitôt la colonne, pour ne pas prendre de risques. Les hommes ne comprennent pas pourquoi on hésite. Le canon ne cesse de tirer au loin, ils sont les seuls de tout le corps d'armée à être épargnés.

— Pas un coup de feu depuis quatre jours, dit Jean à Ernest Lavelle. C'est louche. Le canon tonne constamment sur Sarrebourg et nous restons ici, l'arme au pied, sans même chercher à entrer dans Brouderdorff où l'ennemi ne s'est pas retranché.

– Ils attendent des renforts, dit Lavelle. Crois-moi, quand les gars de Bourges dégustent, notre tour n'est jamais bien loin.

– Se rendent-ils compte, à l'état-major, que nous n'en pouvons plus?

Le canon tonne sur la Sarre, contre les unités du corps de Bourges, sur l'aile gauche du 121e. Aux lourdes marmites succèdent les obus de 77, reconnaissables à leurs nuages blancs, qui préparent l'attaque de l'infanterie.

Ceux de la première compagnie du 121e ne se posent aucune question, heureux seulement de profiter du sursis miraculeux dans la bataille. Ils se sont vite habitués à reconnaître, sans même oser se l'avouer entre eux, pour ne pas faire figure de défaitistes, que l'adversaire est plus nombreux et mieux armé. Il est vain d'espérer le battre facilement, comme le fait croire la propagande de guerre. L'empêcher de passer est désormais le seul espoir. À force de sacrifices, en serrant les dents.

– La danse a commencé, dit Jean, et nous sommes aux premières loges. Notre tour viendra très vite.

Il est huit heures du soir, le 20 août. La contre-attaque allemande vient de rejeter les soldats de Maud'huy loin des ponts de la Sarre. La retraite en profondeur, jusqu'à la Meurthe, est inévitable.

– Des photos? que voulez-vous que j'en fasse? dit Berthelot au lieutenant pilote Quillien qui n'a pas trouvé Alix, mais a réussi l'exploit de se faire conduire en automobile jusqu'à l'état-major de Vitry-le-François.

Arrivé un peu avant huit heures, sa jambe droite contusionnée et s'appuyant sur une canne, il place d'autorité, avec quelque insolence, un jeu de photographies sur le bureau très encombré de l'imposant général.

Celui-ci repousse la pile de clichés représentant les positions allemandes depuis le retranchement de Lixheim jusqu'au mont Dabo dans les Vosges. Mille photos des premières tranchées, celles que creusent les Allemands pour barrer à Joffre la route de Phalsbourg et de Saverne, la route d'Alsace.

Le lieutenant Quillien, furieux, rattrape au vol l'un des clichés.

— Des hommes ont risqué leur vie pour cela, dit-il, et vous menacez la vie de milliers d'autres en niant l'évidence : les Allemands s'enterrent, ils enterrent leurs canons, et vous ne pouvez rien contre eux.

Berthelot le fixe de ses yeux brillants. Comment l'aviateur a-t-il forcé sa porte, réputée inviolable ? La complicité de Gamelin, sans doute, ou d'un cavalier de l'état-major. Les officiers de cavalerie sont tous solidaires et ils ont fourni à l'aviation ses premiers pilotes.

Le général cherche dans la pile de dossiers entassés sur son bureau (celui de Joffre est vide, mais le sien regorge de notes, de carnets écrits à la main, de cartes, de documents de toutes sortes), et en tire un plan précis de la Sarre rouge, où sont cochées au crayon les unités en présence.

— Voici un relevé exact des positions ennemies fait par un officier du génie, sur la base d'informations et de plans dressés par les spécialistes d'observatoires d'artillerie. Je n'ai que faire de vos images. Elles sont inutiles. Les croquis sont plus précis.

Berthelot jette un coup d'œil sur une position d'artillerie proche d'Arzviller.

231

— Et de plus, ces images sont trompeuses. Le tronc d'un chêne ressemble à un tube de canon, vous n'y pouvez rien!

— Alors, dit Quillien, craignez la forêt de Vackenberg, elle est plus redoutable que celle de Macbeth! Ses arbres ne marcheront pas vers vous, mais il en sortira cent mille obus lourds avant peu de temps.

— Ces pièces ne figurent pas sur mon relevé des positions allemandes, établi par nos observateurs. C'est pure interprétation. Pure fantaisie. Vous me rappelez nos généraux timorés, qui doublent dans leur estimations les effectifs qui leur sont opposés pour justifier leur impuissance. Vous rêvez. Ni Joffre ni moi ne croyons à vos fantasmagories.

— Faites-moi passer au falot si vous voulez, mais je ne laisserai pas dire devant moi qu'un pilote est un lâche et un photographe un amateur. Un général qui nie l'évidence est-il encore un général?

Les yeux noirs du colossal aide-major général Berthelot luisent comme des boutons de bottines. De son bras, il montre la porte.

— Pas avant de vous avoir démontré la réalité aveuglante de cette image, dit le pilote. Vous en ferez ce que diable vous voudrez.

Il tire de la pile une autre photo, agrandie deux fois, et saisit une loupe à main.

— Nierez-vous que cet espace soit un emplacement de batterie? Il ne figure nullement sur vos plans. C'est une pièce lourde de 150. Voici le timon de l'attelage, sous la futaie. Les sacs de ciment destinés à construire un autre emplacement à côté. Les branches coupées pour camoufler la pièce, et même les ouvertures des caches pour protéger les approvisionnements, creusées sous terre de part et d'autre du monstre. Êtes-vous convaincu ? Pas encore.

Le capitaine brandit un autre cliché.

– Vous distinguez parfaitement ces cadavres autour du village d'Angviller, sur le champ de bataille de Morhange à la gauche du front de Lorraine. La photo a été prise par l'aviateur à deux cents mètres, pas plus, sous les rafales de mitrailleuses. Vous êtes sans nouvelles des fantassins de Rodez et de Montpellier qui attaquaient, sous les ordres du général Vidal, les positions allemandes vers Morhange. Votre grande offensive de Morhange ! Vous n'avez aucun renseignement sur l'exacte localisation de ces unités du 16e corps. Voilà, dans un champ, les soldats tués du régiment de Montpellier, chassés à l'aube d'Angviller. Les pertes sont énormes. Votre artillerie ? Voyez les affûts disloqués des 75 pulvérisés. Vous refusez de voir votre défaite. Elle est due à une estimation insuffisante de l'artillerie ennemie.

Et, pendant que le général Berthelot, soudain intéressé, observe avec soin les clichés :

– Regardez encore ceci, insiste l'aviateur : ce militaire qui descend de voiture est le général von Deimling. Il est présent en personne à Dabo, au cœur des Vosges, pour la contre-attaque de son corps d'armée. Faut-il vous montrer la photo du Kaiser pour vous convaincre ?

Berthelot prend le cliché et le range dans la poche kangourou de sa blouse.

– Encore un peu de patience, mon général ! dit le lieutenant Quillien hors de lui. Vous avez avancé vers Morhange, avec la deuxième armée du général de Curières de Castelnau, que vous avez mis dans un mauvais cas, alors qu'il avait multiplié les mises en garde. C'est du moins ce que disent ses officiers d'état-major, et ils sont, croyez-moi, assez bavards.

Il regarde sa montre : dix heures du soir.

— À l'heure qu'il est, poursuit-il, cette attaque tombe sur un échelonnement de places fortes ramifié, doté de centaines de positions d'artillerie lourde camouflées. Le massacre des nôtres a déjà commencé. Regardez ce cliché. Il a surpris, par miracle, le départ d'une pièce de 200. Voyez la trace sur l'image, le jaillissement de la poussière à dix mètres de l'affût, l'éclair sur le fond sombre du taillis. Voilà ce qui attend la contre-attaque du 121e régiment d'infanterie vers la Sarre rouge. Jugez vous-même!

Berthelot a d'abord trouvé le culot de cet aviateur insupportable. Puis il s'est dit qu'à risquer une pareille provocation il fallait qu'il se sente soutenu, et que les généraux de Morhange et de Nancy, Castelnau et Foch, mais aussi l'intrigant Dubail, pourraient bien avoir leur idée sur la manière de remplacer Joffre, un général vaincu. Il refuse l'idée que les aviateurs puissent servir des documents chauds à la polémique souterraine. Sans un mot pour l'officier, il s'empare de la loupe, examine les photos une à une de son œil rond de blaireau.

— Et vous prétendez vous passer de photos! reprend l'aviateur. Je croyais notre commandement moins archaïque. Les avions allemands ont photographié tout votre front. Leurs appareils sont équipés de prises de vue ultra-stables à plaques sensibles. Nous sommes déjà surclassés.

Sur ce, il ramasse une à une les photographies tombées à terre, claque les talons de ses bottes de cavalier et soutient avec insolence le regard de Berthelot.

– Vous avez devant vous les clichés des positions allemandes de départ qui s'apprêtent à réduire à néant la 26ᵉ division de Clermont-Ferrand, et d'abord le 121ᵉ de Montluçon. Je croyais jusqu'ici qu'un appareil photographique enregistrait ce qui existait devant lui. Vous venez de m'apprendre qu'il enregistre des choses qui n'existent pas. Je vous en remercie et je vous présente mes hommages.

Il n'entend pas le «Monsieur!» hurlé dans son dos, ni le gigantesque coup de poing de Berthelot qui vide d'un coup son bureau de tous ses dossiers, éparpillés à terre. Le général se lève et entre en trombe, de toute sa masse, dans le réduit de Joffre. Il lui commente les clichés.

– Faites dire au 121ᵉ de surseoir à toute attaque, conclut Joffre après avoir écouté sereinement les explications de Berthelot. Renvoyez la cavalerie. Elle n'a que faire devant de telles positions. Et veillez à équiper chaque unité d'un service photos. Cela peut sans doute servir.

Telle est la conclusion de la visite surprise, parfaitement inusitée, du lieutenant d'aviation Quillien au collège de Vitry-le-François.

À minuit, le 20 août, le général Dubail, chef de la première armée de Lorraine et d'Alsace, vient de signer son arrêt de mort dans son PC avancé de Héming. Il est condamné à terme au limogeage, pour avoir échoué dans sa percée vers Phalsbourg et Strasbourg, à partir de la prise de Sarrebourg.

Il n'a pas réussi à prendre pied sur les hauteurs au nord de la ville, ni à franchir la Sarre.

« Il faut se rendre compte, écrit-il à Joffre, que ce sont presque des opérations de siège, et que l'armée est engagée sans trêve depuis le 14 août. Six jours qui semblent un siècle. »

À cette heure tardive de la nuit, le capitaine de Galbert, envoyé spécial de Joffre sur ce front, téléphone au quartier général : la première armée du général Dubail s'est repliée peu à peu sur la Sarre devant trois corps d'armée allemands. Elle organise sa retraite pour sortir au plus tôt de la nasse où elle s'est laissé prendre par une avance imprudente.

Furieux de cette catastrophe, Joffre n'admet pas plus cette défaite de Lorraine que celle d'Alsace. Les troupes françaises étaient, sur le papier, les plus nombreuses. Pourquoi reculent-elles ? C'est la faute des généraux.

À cause des échecs répétés de Dubail et d'Alix, il n'est plus question d'une offensive française dans l'Est, mais seulement de recoller les morceaux en se repliant sur des positions défendables. Joffre peut déchirer son dix-septième plan qu'il a élaboré en secret, de sa propre main, et fait accepter par les plus hautes autorités de la nation. Il ne sert plus à rien.

Le Grand État-Major en est réduit à compter sur le pauvre 121e régiment, où deux mille hommes à peine restent en ligne, et sur d'autres unités martyrisées pour enrayer la contre-attaque ennemie.

Des ordres arrivent, d'abord par téléphone à l'armée de Dubail et au corps d'armée d'Alix, puis par courrier à la division, où Bazin vient tout juste de prendre en main la 26e qui n'a pas de titulaire, et jusqu'au PC de Migat : il faut tenir sur les positions occupées, sans esprit de recul. Les Bavarois renforcés de Wurtembergeois vont attaquer la 26e division : toute l'Allemagne du Sud, bien dotée de canons lourds prussiens sortis tout neufs des aciéries de la Ruhr.

Les pantalons rouge de Montluçon ne savent rien de ces calculs d'état-major, ni du rôle joué par leurs généraux dans les offensives manquées. Mais leur jugeote les en avertit, ils sont de nouveau seuls contre la ruée allemande. Plus d'avions à cocardes dans le ciel, plus de tirs de pièces lourdes françaises. Une fois de plus, on compte exclusivement sur leur courage.

Les camarades de Bourges sont en pleine retraite, se murmure-t-il dans les rangs. Migat vient de recevoir un compte rendu de la situation générale du front. L'artillerie lourde allemande, postée sur la rive droite de la Sarre, a fait des dégâts très sérieux dans les effectifs. On demande au 121e de couvrir la droite de la 16e division de Bourges afin que son repli ne tourne pas à la déroute.

– Voyez la Bièvre, dit à Gérard le commandant Migat. Cette petite rivière qui serpente à nos pieds est couronnée de collines où notre artillerie prend position. Nous devons avancer vers Plaine-de-Walsch, pour permettre aux Berrichons de se retirer en douceur. Nos hommes n'ont pas marché depuis deux jours, on peut considérer en haut lieu qu'ils sont reposés. Veillez à faire prendre les armes. Le général Alix nous presse.

Le capitaine répercute les ordres à ses sous-officiers. Plus de lieutenants, mais de simples sergents et quelques adjudants. Un baroud de sacrifice, pour une unité dépourvue de cadres. Jean et sa section en sont conscients. Pas de réserves disponibles, pas de renforts immédiats annoncés, pas de relève prévisible.

L'artillerie française commence son tir le 21 août à l'aube sur les mamelons, et l'ennemi ne réagit pas dans la vallée de la Bièvre. Mais au loin, vers la droite, la cime du Donon s'enflamme. Les Allemands, absents au centre, ripostent par la montagne, sur le flanc droit de l'armée, avec de gros moyens. Ils tiennent le centre français pour négligeable.

— La tenaille, dit Jean à Jules Bousquin qui n'en croit pas ses oreilles, c'est le piège. Ils attaquent à la fois à droite, de la montagne, et à gauche, devant les Berrichons. Nous sommes au milieu de la fournaise. Gare à nos matricules!

— Nous serons morts avant ce soir, conclut le villageois pessimiste.

— Moins que ceux de Bourges et de Dijon, répond Jean. Le capitaine Gérard prétend que l'état-major a perdu de vue le général Bajolle, qui commande la division de Dijon, accolée à celle de Bourges.

— Nous avons bien perdu notre Signole, mon lieutenant.

— Son successeur, Bazin, devrait être en place, dit Gérard, résigné.

Le jeune officier est devenu lucide. S'il garde sa flamme intacte, il ne croit plus à la valeur des généraux qui commandent la division. Trop d'erreurs, trop d'improvisations. Ceux d'en face ont tous les moyens de gagner. Le courage, c'est désormais de tenir sans faiblesse, de se cramponner au terrain. Et, dans l'immédiat, d'expliquer la situation aux sous-officiers inquiets. Il déplie sa carte.

— Les Bourguignons de la 15e division, explique-t-il posément, auront subi le gros de l'attaque à l'ouest de Sarrebourg. Regardez au loin les nuages de fumée au-dessus de la ville. Ce sont les batteries allemandes qui tirent sans discontinuer. Les Berrichons, voisins des Bourguignons sur leur droite, ont déjà évacué la position. S'ils reculent en désordre, nous devrons les suivre pour constituer une arrière-garde solide, éviter l'encerclement de toute l'armée.

En attendant, il faut attaquer, montrer les dents, frapper fort et empêcher les Bavarois de poursuivre.

À la tombée de la nuit, le lieutenant Gérard fait mettre les baïonnettes aux canons et avancer la compagnie de mitrailleuses au plus près de l'ennemi, camouflée dans un boqueteau. Les Allemands ne se montrent toujours pas.

— Nous allons attaquer Brouderdorff, dit-il, montrant de la main le village, en apparence abandonné. Les reconnaissances indiquent qu'il est faiblement défendu. Notre artillerie a commencé son tir. L'assaut dans un quart d'heure.

La section de Jean n'est pas des premières troupes d'attaque. Elle est chargée de renforcer les nids des mitrailleuses avancées, dont le tir précis, partant de la colline, accable les fantassins bavarois pris au dépourvu.

Les Bavarois ne se sont pas sérieusement engagés dans ce village, poste avancé de leur ligne. Aussi le cèdent-ils sans contre-attaque. Brouderdorff est pris avec un minimum de pertes. Le lieutenant demande aux hommes de s'y retrancher au plus vite, et le plus solidement possible, selon les ordres reçus de la division. Pas question de poursuivre l'attaque.

— Nous n'irons pas plus loin, dit le soldat Lavelle, perspicace.

— Inutile de sacrifier le régiment à la défense des Berrichons, lui répond Jean. Ils sont sans doute en retraite.

L'attente paraît longue, dans la colonne qui doit poursuivre malgré tout l'attaque au-delà du village, par ordre du Grand État-Major. Comprenant que les marches seront dures, Adam Lescot vérifie longuement ses chaussures, les graisse, les bichonne. Les godillots sont sa sauvegarde. Il élimine du sac tout ce qu'il estime inutile. Jules Bousquin boucle le sien. Il a remplacé sa pelle de trop faible capacité par une autre, prise dans un sac allemand.

Il cherche en vain Jean Aumoine, pour savoir ce qui se mijote chez les officiers. Il le trouve auprès du capitaine, avec les autres sergents. Vincent Gérard essaie de leur expliquer clairement la mission du lendemain.

– Nous avons pris Brouderdorff presque sans coup férir, dit-il, mais l'attaque doit se poursuivre vers les villages lorrains de Buhl et de Reding, une fois franchi le canal de la Marne au Rhin.

– Nous sommes les seuls à attaquer. Les autres sont en retraite, constate le sergent Massenot.

– Pas tous, la cavalerie est avec nous, dit un lieutenant venu tout récemment à la compagnie. Elle combat à pied, en arrière-garde. Et plusieurs batteries de 75 soutiennent nos efforts.

Le nouveau est un homme blond-roux, de haute taille et large d'épaules. Il s'appelle Henri Rossiaud et vient du 2e bataillon décimé du 121e. Sa compagnie a été entièrement détruite à Reding, la veille. Migat l'a affecté chez Gérard pour renforcer au moment de l'assaut l'encadrement réduit aux sergents de la première compagnie.

Henri Rossiaud connaît bien les méthodes d'attaque des Bavarois. Cyrard de la même promotion que Gérard, il se retrouve sous ses ordres, le temps d'un combat. Le capitaine réunit tous les sous-officiers pour qu'ils prêtent l'oreille au récit plein d'enseignements du lieutenant Rossiaud.

– Ils étaient deux fois plus nombreux que nous à Reding,

explique-t-il. Nous avions dégommé au Lebel une compagnie de quatre-vingts cyclistes envoyés en éclaireurs, quand le feu des 77 nous a couchés au sol. Pendant ce temps, ils sortaient de leurs tranchées et progressaient à quatre pattes dans les fossés de la route. Ils ont attaqué en tirailleurs, précise-t-il, écartés de quatre pas les uns des autres, une compagnie de front.

— Comme à Petitmont, coupe Massenot, qui ne trouve rien de très neuf dans les propos de l'expert du 2ᵉ bataillon : il a l'air de donner des leçons, alors qu'il a perdu sa compagnie.

— Le bataillon entier s'est développé sur le terrain en moins de deux minutes, précise le grand rouquin aux favoris épais et frisottés, comme ceux d'un hussard de Lasalle. Il avançait au pas de course, sous nos obus qui couchaient les assaillants à terre. Nos mitrailleuses les ont arrêtés un moment, mais ils se sont abrités derrière le talus de la voie ferrée. Un autre bataillon les poussait au cul. L'artillerie allemande nous martelait. Les pertes étaient sévères. Nous n'avons pas pu tenir la gare de Reding. Ils étaient trop nombreux. La moitié de notre bataillon a dû y rester. Beaucoup des nôtres ont été faits prisonniers. Je me suis échappé par miracle.

Coup de sifflet de Vincent Gérard : c'est l'heure de l'attaque. Les deux lieutenants prennent la tête. La compagnie se dirige sur le village de Buhl. À la première section, Jean fait signe de ralentir l'allure. À cent mètres, en lisière du village, les shrapnels des 75 soulèvent les mottes de terre. Il faut éviter de tomber sous le tir de nos artilleurs, suivre la progression de leur feu, et non la précéder.

Les survivants sont là, toutes escouades confondues, dans une seule vague d'assaut. Auguste Lemonnier, l'agriculteur de Malicorne et champion de baïonnette au quartier, Maurice Duval, le coureur du Tour, éleveur de vaches à Champignier, le rappelé Jules Bousquin, conscrit du sergent Aumoine, et le fourrier Nisard, et le sergent-chef Jules Massenot, et Lavelle l'apiculteur du chemin de Bloux, et le boxeur Joannin. On n'aperçoit pas Adam Lascot. Pour cause : il avance d'un trou d'obus à l'autre, sans se montrer qu'au moment de bondir. Le clairon Biron sonne la charge, comme à Petitmont.

Très vite maîtres des ruines du village de Buhl abandonnées par l'ennemi, les biffins y creusent aussitôt des trous, barrent les rues de madriers, de tombereaux renversés, de vieilles charrues en fer, de herses aux pointes menaçantes.

Le lieutenant Rossiaud, qui commande la manœuvre, met lui-même la main à la pâte. Ce géant aux longues jambes, moustachu, barbu, fortement charpenté, aurait pu servir en d'autres temps dans les lanciers polonais de la garde impériale. Il porte les madriers avec Joannin, organise le retranchement à l'allemande, sans oublier de détails. Les mitrailleuses sont mises en batterie dans les fossés des rues, protégées par des sacs de terre. Les hommes travaillent à la chaîne, remplissent à la pelle les sacs de blé bourrés de gravier que Rossiaud fait disposer en quinconce devant les tranchées.

— Allons, la Bavière, montre-nous ta tête! lance-t-il en brandissant son poing.

Pas de réactions chez l'ennemi. À croire qu'il s'est volatilisé. Le capitaine Gérard désigne à Rossiaud la colline qui domine le village. Il l'observe soigneusement à la jumelle.

– Attention, lui dit-il, ils sont là! Les arbres grouillent de fusiliers prêts à l'attaque. D'autres sont cachés dans la plaine, enfoncés jusqu'à mi-corps dans le ruisseau, sous le couvert des aulnes et des saules. Regardez, notre artillerie les débusque.

Buhl est presque cerné par la contre-attaque des *Feldgrau*. Les 75 tonnent sans arrêt sur les lignes allemandes, abattent les arbres de la colline. Les Bavarois surgissent alors en grand nombre, chassant les Français des ruines. La première compagnie reflue en désordre, malgré les cris d'Henri Rossiaud qui hurle : «Restez sur place, enterrez-vous, ou vous êtes morts! Tirez! À chacun son Boche!»

Il réussit à regrouper les hommes, à coups de gueule. Les Lebel partent tout seuls. Dans son trou, Adam Lascot fait mouche à tout coup. Jules Bousquin affronte deux Bavarois à la baïonnette. Il est dégagé par Joannin qui assomme l'un d'eux à coups de crosse. L'autre lève les bras en l'air. Joannin veut l'embrocher, Rossiaud l'en empêche.

– On ne tue pas un homme qui se rend!

– Ils se gênent, eux autres, crie le géant. Ils ont tué Borgeaud à bout portant, et Fleury et Nigon qui se rendaient aussi.

– Pas nous, Joannin, pas toi ni moi.

D'un coup de revolver, Rossiaud tue à bout portant un autre Bavarois qui le menaçait de sa baïonnette. Des dragons allemands démontés arrivent à la rescousse, carabine en main. La mêlée est confuse, meurtrière. Les hommes s'empoignent à la gorge, Adam Lascot défend sa peau au corps à corps, avec un poignard bavarois. Bousquin ne quitte pas Jean Aumoine, lui fait un rempart de son corps, refoule les assaillants à la baïonnette.

Le feu des 75 accable le village, un moment repris par les Bavarois. Nouveau signal d'attaque pour les Français, donné par le commandant Migat. Secourus par les maigres réserves du 3e bataillon, les biffins de la compagnie Gérard reprennent le combat. D'un coup de fusil, Jean abat presque à bout portant un réserviste badois d'au moins trente-cinq ans. La balle franchit la courroie du havresac, touche le cœur. Jean garde en mémoire le cri du mourant.

Bousculé par Jules Bousquin, il s'aplatit juste à temps : une mitrailleuse avancée en première ligne par les Bavarois couche la deuxième escouade. Quand Jean Aumoine se relève, il reconnaît devant lui le corps sanglant du lieutenant Rossiaud, percé d'une longue rafale.

À la sortie du village, les Bavarois sont regroupés sur trois rangs, comme les Anglais jadis à Waterloo : premier rang couché, deuxième à genoux, troisième debout. On entend les hurlements des *Feldwebel* commandant le feu. Des Français tombent, mais Joannin conduit la charge à la baïonnette. Elle est irrésistible : la moitié des Bavarois est éliminée. Une batterie ennemie de 77 trop avancée à l'abri du village est entièrement détruite.

Les renforts bavarois arrivent, après un pilonnage sévère du terrain par l'artillerie lourde allemande. C'est trop, les Bavarois sont à deux contre un. Des troupes fraîches, poussées en avant par des officiers nerveux. C'est au tour des Français de subir un corps à corps inégal. Il est impossible de résister. Le clairon Biron sonne la retraite. Les pantalons rouges se retirent sans hâte, pour permettre aux brancardiers d'évacuer le plus possible de blessés. Jean, qui porte avec Gérard le corps de Rossiaud, marche sur quelque chose de mou. Il se penche. Il vient d'écraser la main d'un poilu déchiqueté, méconnaissable. Il lui arrache sa plaque du cou. C'est Jean Lecouvreur, de Domérat, qui n'entendra plus les grives chanter dans les vignes.

La retraite est décidée le 21 août, même pour le 121e en arrière-garde. Le commandant Migat vient d'apprendre du nouveau général de division Bazin, le remplaçant de Signole limogé, que l'armée Castelnau était en plein repli sur Nancy. Les Allemands ont pris Avricourt, ils marchent sur Lunéville, l'ancienne capitale de la cavalerie française.

Jean est en arrière-garde, toujours dans la compagnie du capitaine Gérard. Les convois retraitent vers le sud, à grand renfort de coups de fouet. Seuls restent en place quelques fourgons de munitions. On marche de nuit dans la direction de Cirey, le petit bourg que l'on a eu tant de peine à prendre et qu'il faudra abandonner.

Sur la place de Nitting, dernier village avant Cirey, au petit jour, Jean, harassé, se met en quête de vivres pour les hommes. Les survivants de l'engagement sanglant de Buhl ont tenu la route sans faiblir, le sac au complet sur le dos, longeant la lisière humide de la forêt de Hesse, sans être le moindrement attaqués. La compagnie doit mettre le village de Nitting en position de défense, pour retarder l'avance ennemie, même si les avant-gardes bavaroises ne paraissent pas encore.

— Cherchez des vivres, dit le capitaine, et de l'eau pour le café. Les maisons sont vides. Allumez du feu.

Les habitants de Nitting ont fui l'avance allemande, laissant sur place les troupeaux. Jules Bousquin avise une vache aux pis gonflés qui meugle de désespoir. Elle n'a pas été traite depuis trois jours.

— C'est un service à lui rendre, mon sergent, dit le solide cultivateur de la Genebrière.

À défaut de café, du lait chaud pour les cent cinquante soldats hirsutes, barbus, au képi cabossé, qui s'appellent déjà entre eux les «poilus». Ils râlent pour tout et rien, contre la roulante qui n'a jamais été remplacée, le train de ravitaillement absent. Ils grognent, mais ils sont encore prêts à marcher, et même à combattre, s'il le faut, au premier coup de sifflet du capitaine. Les yeux absents, les joues grises, la barbe épaisse, les épaules meurtries par les sangles du sac, la langue desséchée et le ventre creux, ils parcourent des yeux la place du village, à la recherche d'un quelconque butin.

— Un fourgon, sergent. Plein de boules de pain!

En une minute les chevaux sont immobilisés, la bâche ouverte, les réserves distribuées. Une barrique de pinard vient à point pour calmer les plus excités des grognards. Elle est transvasée aussitôt dans les gourdes sans vergogne, comme une prise de guerre.

Le capitaine de l'intendance, désespéré par ce pillage, n'a pas le courage de s'y opposer. Il s'assied sur le rebord de la fontaine, la tête dans les mains. Quand il s'approche de l'eau claire pour s'y rafraîchir le visage, Jean Aumoine et le capitaine Gérard le reconnaissent : c'est Paul Rimbaud, l'intendant du 95ᵉ de Bourges.

— J'ai perdu mon régiment, dit-il d'une voix blanche.

— Comme d'habitude, glisse Jean.

— C'est grave, nous sommes en pleine déroute.

Gérard voudrait lui couper la parole, pour ne pas qu'il

démoralise ses poilus montluçonnais. Autant chercher à tenir le Cher dans ses berges un jour de crue.

– J'étais il y a deux jours à Héming. Au 95ᵉ, tout allait bien. Le village était traversé par des convois qui remontaient tous vers le nord. Le général de Maud'huy pestait. On ne lui avait pas livré l'automobile qu'il réclamait à cor et à cri, pour accélérer les liaisons sur sa ligne, dangereusement allongée sur plus de dix kilomètres.

– Il avait avancé très vite, coupe Gérard.

– Trop vite. Bientôt les blessés ont reflué, dès huit heures du matin. «C'est terrible, disaient-ils, les Boches arrivent.»

– Des paniquards, dit Gérard.

– C'était déjà la retraite. Les nôtres, ceux de Bourges et de Cosne, se sont fait étriller par l'artillerie lourde. À la mairie d'Héming un de nos officier cherchait à téléphoner. C'était le colonel Rabier, du régiment de Cosne. À cheval sur une chaise, le pied bandé. «La bataille continue», disait-il au maire d'une voix basse, épuisée. Il avait perdu les deux tiers de ses effectifs.

– Je décide de partir aussitôt vers le sud, reprend Rimbaud, et de gagner Lorquin, au hasard. Je me rends compte maintenant que j'aurais dû poursuivre vers Blamont, mais la route était encombrée de blessés, de trains, de troupes en retraite, toutes unités mêlées. Impossible de faire avancer mon équipage.

– Dans la nuit du 20, mes chevaux, effrayés par le bruit et les éclairs, refusaient tout service. Les canons tonnaient à ma gauche, ceux des Allemands tiraient à la volée, les étoiles filantes constellaient le ciel. Les villages brûlaient dans les lointains. J'ai rencontré des groupes de cinq ou six soldats perdus, qui cherchaient leur unité. Un officier d'état-major m'a donné l'ordre de continuer sur Lorquin. J'avais une chance, m'a-t-il assuré, d'y rencontrer le 95ᵉ de Bourges, ou ce qu'il en restait.

— Un optimiste, grimace Gérard.

— Des groupes isolés de soldats se rassemblaient dans les champs, venus de tous les régiments de la division de Bourges, poursuit Rimbaud. Ils étaient encore sous le coup du terrible bombardement d'Eich, qui avait marqué l'arrêt de notre offensive. Ils racontaient qu'en traversant Sarrebourg, ils avaient essuyé des coups de feu tirés des maisons. Des amis des Boches faisaient des cartons, sûrs de leur impunité. Les survivants se rendaient à Lorquin, où l'on devait les regrouper.

— Pourquoi ne les avez-vous pas suivis ?

— Un officier m'a dit de couper par Nitting. Mais les miens n'y sont pas. Je vois bien que le village est sur la route de retraite du 121ᵉ. Je suis content de vous avoir ravitaillés. Peut-être mes soldats tomberont-ils sur un de vos convois ?

— Ainsi va la guerre, dit Jean Aumoine.

— Suivez-nous, ajoute le capitaine Gérard. Nous allons à Lorquin. Vous y retrouverez les vôtres.

La direction de retraite est plein sud. Il n'est plus question de défendre le village de Nitting. Le 121ᵉ régiment doit franchir la Vezouze à Cirey, puis la Meurthe à Badonviller : là va s'organiser, derrière l'ample rivière, la résistance générale de l'armée de Lorraine.

Dans le petit bourg de Lorquin, que l'on abandonne, le désordre est à son comble : les éléments des deux divisions sont mêlés. Les Montluçonnais doivent porter secours à des fantassins en retraite, presque en débandade des régiments du Berry.

Jean et sa section défilent, lourdement chargés, devant un groupe de soldats assis dans un champ, incapables de se lever pour les suivre. Le capitaine Gérard s'approche, demande à parler à l'officier responsable. Le 121ᵉ ne doit rien laisser derrière lui dans sa retraite. Il est l'arrière-garde.

Le colonel Rabier explique à Gérard qu'il a pu regrouper là quatre cents des siens, tout ce qui reste de son régiment de Cosne, pour contenir l'avance de l'ennemi. Venus de Nitting, ces hommes ne peuvent aller plus loin. Ils ont besoin de quelques heures de repos. Si l'ennemi surgit, ils se défendront, silencieux, farouches, jusqu'à épuisement. Ils n'ont pas mangé depuis vingt-quatre heures, plus peut-être. Ils se sont battus depuis deux jours sans trêve. Pour l'heure, ils ne pensent qu'à dormir.

Le capitaine Gérard n'insiste pas. Rabier semble résigné à mourir parmi ses hommes. Son régiment, dit-il, a perdu son âme. Une compagnie a été accueillie, presque à bout portant, par le feu nourri d'une ligne de Bavarois cachée derrière le haut mur d'une pépinière, creusé de meurtrières. Il a vu des soldats mettre la crosse en l'air. Ils se rendaient. Ceux qui tentaient de s'enfuir étaient abattus d'une balle dans le dos par les Bavarois.

Le capitaine Gérard doit rejoindre les siens. Il ne peut attendre davantage. Tant pis pour Rabier. Ses hommes sont hors d'état de combattre.

Le canon français tonne. Les ordres donnés à la 26ᵉ division sont de reprendre Lorquin, que l'on vient de livrer aux avant-gardes ennemies. Le 121ᵉ doit s'en charger.

L'arrière-garde du régiment se dévouera une fois encore. Migat a vu reparaître à son PC le commandant Bourinat, de l'état-major de Joffre, l'oiseau de malheur.

– Il faut les retarder à tout prix, dit-il. Je viens de Vitry-le-François. Le général en chef compte sur vous. Nous allons être obligés d'évacuer le Donon, le col et bientôt la vallée. Ils attaquent à la fois dans la montagne et dans la plaine, sur Lunéville. Vous êtes au centre. De vous dépend la réussite du repli général sur la Meurthe.

– Le régiment n'existe plus, grince Migat. Vous voyez bien, dit-il en montrant ses galons, qu'il est commandé par un capitaine. Je compte mes officiers sur les doigts de la main. Les hommes marchent jour et nuit.

– Vous êtes les seuls à pouvoir tenir. Je viens de voir le commandant de l'artillerie. Vous serez soutenus. Vous avez ma parole.

Migat ne peut s'empêcher de lever les yeux au ciel. Encore des promesses!

À peine Bourinat a-t-il tourné bride que le canon tonne, tout près, comme pour lui donner raison. Les batteries de 75 sont installées en ligne, au signal de Fraquelfing qui domine le pays de ses trois cent cinquante-neuf mètres. Elles matraquent les ruines du village, abattent le mur de la pépinière.

Prise entre deux feux, bombardée aussi par les obusiers lourds allemands qui la croient tenue par les Français, la position devient intenable pour les Bavarois. Les morts et les blessés sont nombreux. Ils ne peuvent être secourus, car les Français contre-attaquent sans relâche avec les débris de deux compagnies réunies. Migat a veillé à ce que tous ceux qui pouvaient encore tenir un Lebel marchent sur Lorquin.

Les assaillants se gardent d'avancer en ligne, comme aux

premiers combats. Ils bondissent en lâchant un coup de fusil et s'aplatissent presque aussitôt, rampant dans les fossés de la route pour se regrouper brusquement face à l'ennemi. Ils ont appris à faire la guerre, à ruser avec le feu.

Les Bavarois reculent en désordre pour chercher un abri. Les casques enfoncés jusqu'aux yeux, ils plongent tête la première, dans les trous d'obus où ils disparaissent, couverts de boue. Quand Jean approche avec sa section, il est témoin d'une scène insoutenable : un lieutenant bavarois abat au revolver quatre de ses soldats en fuite, en leur tirant dans le dos. Le sergent Aumoine décharge le magasin de son Lebel sur l'infâme tireur, qui tombe raide mort.

Les Bavarois trouvent refuge dans les caves. Impossible de les déloger dans la nuit. Ils ont, à l'évidence, l'ordre de résister jusqu'au dernier et les *Feldwebel* empêchent toute tentative de reddition, pistolet en main. Les pantalons rouges tentent de débusquer les tireurs, mais les escaliers sont fortement barricadés. Des rafales tirées du fond des caves provoquent des pertes inutiles.

Le capitaine Gérard donne l'ordre de la retraite hors du village. Qu'on les laisse mijoter dans leur trou, et cuver tout à leur aise le vin des barriques. Ces hommes sont trop affaiblis pour être dangereux. Il avait l'ordre d'arrêter l'ennemi, non de le poursuivre. Il sait que son régiment épuisé en est incapable. Et particulièrement sa compagnie.

Jean et ses hommes passent cette nuit-là aux aguets, couchés dans la paille, sans trouver le sommeil. Il revoit sans cesse la scène d'exécution des soldats allemands par le lieutenant bavarois.

— En est-il de même chez nous ?

251

– Oui, répond Jules Bousquin, allongé auprès de lui. J'ai parlé avec Jean Donge, de Saint-Amand-Montrond, de la division Maud'huy. Au 85ᵉ de Cosne, ils se sont rendus en masse. Tu sais pourquoi? Ils étaient scandalisés, révoltés. Un capitaine de leur régiment avait appliqué strictement le règlement qui lui donnait le droit d'exécuter des fuyards. Il avait, en le traitant de charogne, brûlé la tête d'un soldat qui voulait se rendre. L'avant-veille, sa victime avait été proposée par Maud'huy pour une citation à l'ordre de la division.

– Les officiers ont-ils le droit d'exécution?

– Oui. Il paraît qu'ils sont couverts par le Code de justice militaire, et par Joffre lui-même. Ils sont tenus seulement de rendre compte.

– N'importe quelle brute galonnée a donc le droit de tuer les siens lui-même, de sa main, sans limite ni contrôle…

– Oui, le Code autorise les officiers, en cas d'abandon de poste ou de pillage, à frapper leurs subordonnés et à les obliger physiquement à obéir. Ce qui signifie qu'ils peuvent tirer.

Au petit matin, les Bavarois réussissent une sortie. Un Farman à cocardes lâche deux bombes sur les colonnes de casques à pointes, que les Montluçonnais trop épuisés s'abstiennent d'applaudir. Ils ont reçu l'ordre de reprendre la route de la retraite le plus discrètement possible.

Les Bavarois ont subi trop de pertes pour songer à les poursuivre. Reculant devant le coup de boutoir des Français à Lorquin, ils se sont arrêtés dans le bourg de Nitting, attendant sans doute des renforts. À la jumelle, Gérard distingue leurs soldats vêtus de gris-vert, égaillés dans le potager, à la recherche de patates et de carottes. Ils secouent le tronc des mirabelliers pour faire tomber des branches quelques fruits dorés.

– Leurs roulantes ne sont pas au rendez-vous de Nitting, dit Gérard, rassuré, au sergent Aumoine qui ne le quitte plus. Les renforts tardent. Ils ne nous traqueront plus avant la fin du jour. Nous avons tout le temps de gagner la Meurthe.

Les quatre lieues qui séparent Lorquin de Cirey sont pour la première compagnie un enfer. Les voitures du ravitaillement ne parviennent pas à remonter les colonnes en retraite qui occupent toute la route. Les fourgons de pain, les autobus de viande ne sont jamais au lieu et à l'heure où on les attend. Gérard doit fermer les yeux quand les hommes affamés investissent les clapiers et les poulaillers, gobent les œufs et traient les vaches. À qui payer? Les paysans ont le plus souvent disparu.

Le village de Niderhoff, où la compagnie fait la pause, est ruiné, bombardé, les maisons incendiées. Jean est heureux de partager l'assiette de soupe d'une paysanne qui n'a pas eu la force de partir. En voyant entrer dans sa modeste maison le quarteron de soldats fourbus, elle a, sans mot dire, réveillé les cendres dans l'âtre et jeté quelques brindilles pour retourner dans sa poêle de fonte à longue queue une omelette au lard. Cette vieille Lorraine est une providence. Elle a vu monter tant de soldats vers le front, si peu revenir, et dans quel état, qu'elle leur donnerait tout ce qu'elle a.

Elle les dévisage, les yeux humides.

– J'ai connu 70, leur dit-elle, c'était pas pire. Mangez vite, les uhlans sont sur vos talons. Mangez! C'est autant qu'ils ne prendront pas.

— Où sont les vôtres ? demande Jean.

— Tous partis à Bertrambois, avec les bêtes. Ils n'ont pas voulu m'entendre. Quand c'est la déroute, ça ne sert à rien de partir. Il faut rester, défendre ce qu'on peut. À Bertrambois, ils ne seront pas mieux qu'ici, envahis pareil. Pillés, volés, tués peut-être. Vous ne connaissez pas les Bavarois. C'est les pires.

— Un peu, la mère ! dit Ernest Lavelle en touchant sa baïonnette. Et ils nous connaissent aussi. Rien n'est perdu. Nous reviendrons.

Elle se signe. Jean l'embrasse avant de partir.

— J'ai vu filer les premiers vos officiers de l'arrière, leur dit-elle. C'est pas beau. Quand on est ces gens-là, on ne s'en va pas !

En retraitant, les Français reviennent sur la route qu'ils s'étaient ouverte à l'aller au prix de tant de souffrances. La douleur du souvenir rend la marche plus pénible encore. Ils traversent Cirey sans qu'aucun civil leur tende un verre d'eau. Les fenêtres sont pourtant ouvertes, mais on a retiré les drapeaux.

À la mairie, deux silhouettes d'officiers à cheval, devant le porche : le commandant Migat et l'envoyé de Joffre, Bourinat. Manifestement le maire et ses conseillers se sont enfuis, ou cachés dans leurs caves, par crainte de représailles. Les lieux sont déserts. Les officiers s'avancent au pas jusqu'au pont de la Vezouze, encombré de convois.

— L'artillerie est passée la première, note l'homme du Grand État-Major.

— Je n'ai plus d'artillerie, répond Migat. Vous voyez passer les attelages sans pièces. La division n'a conservé que douze de ses canons sur trente-six. Les autres sont détruits, ou pris par l'ennemi.

– Pourquoi les colonnes d'infanterie sont-elles arrêtées au débouché de Cirey?

– Reconstitution des unités. Les hommes ont perdu leurs compagnies, leurs bataillons. Il faut attendre les retardataires. Toutes les sections sont mélangées. Quant aux effectifs : vous voyez défiler ce qui reste du 121e : la moitié à peine. Les trois quarts des officiers sont morts ou blessés.

– Trop de soldats se sont rendus.

– Non pas. Tous morts ou blessés au combat. Le moral reste bon. Il n'a pas flanché, comme chez les fantassins de la division de Bourges. Nous avons été moins éprouvés.

– Il faut accélérer la marche de l'arrière-garde, arriver au plus tôt sur la Meurthe. La 2e armée se retranche déjà sur le Grand-Couronné de Nancy. Il ne faut pas que les Bavarois passent par la trouée de Charmes.

– Voyez vous-même, dit le commandant Migat. Les hommes sont harassés. Nous ne pouvons plus presser le pas.

– Faites halte à Parux, dit Bourinat, impatienté. Vous serez recomplétés par les renforts venus de Montluçon derrière la Meurthe. Il faut tenir jusque-là. Le sort du pays en dépend. Les Allemands traversent Bruxelles. Ils sont peut-être déjà entrés dans Lunéville. Ils veulent prendre, sur votre front, Nancy. Ils se sentent pousser dans le dos les ailes de la victoire.

Impossible de dépasser Petitmont. Les jambes des soldats se dérobent. Ils posent leur sac non loin des tombes fraîchement creusées de leurs camarades, et s'endorment dans les ruines sans faire la soupe.

Aucun renseignement sur l'ennemi. L'artillerie remue les cendres du village détruit de quelques explosions, qui ne parviennent pas à réveiller les hommes épuisés. Jean Aumoine se lève au petit jour, son uniforme couvert d'une épaisse couche de poussière.

Il faut marcher, marcher encore, les 22 et 23 août, vers le bourg de Saint-Maurice, sans être poursuivis par les Allemands.

— Ils attaquent vers l'ouest, sur la division de Bourges, dit le capitaine Gérard. Nous sommes en dehors des directions d'assaut. Mais nous devons nous aligner, sous peine de laisser les Bavarois encercler tranquillement les Berrichons. Si le général de Maud'huy recule, c'est qu'il ne peut plus combattre.

Le 24 août, la file des traînards s'allonge. Migat marche toujours à pied, il n'a pu trouver de monture. Il n'aurait pas le cœur de monter sur un cheval alors que ses hommes avancent péniblement, accablés. Infatigable, Gérard remonte la colonne pour charger les sacs des soldats sur des charrettes.

Plus de médecin-major. Il a disparu dans la retraite. Les brancardiers relèvent les hommes incapables de poursuivre, les pieds en sang, et les chargent sur des brouettes attelées à des ânes.

Les dernières réserves de vivres sont épuisées et les soldats n'ont pas le courage de partir à la recherche de quoi manger. Un prunier, au bord de la route, semble avoir été planté là par la Providence. Jean se gave de fruits tombés à terre, et croque sa dernière barre de chocolat.

Dans les rues du village de Neufmaisons, à l'entrée de la forêt des Reclos, les habitants compatissants ont préparé des marmites de riz et des jarres d'eau et de vin. Le capitaine Gérard redoute les bienfaits de la halte. Pourront-ils repartir?

— Les uhlans sont dans les bois, indique le maire au commandant Migat. Ils lancent des pointes sur le village, mais les territoriaux les tiennent à l'écart avec leurs vieux fusils. Partez vite, ils pourraient prévenir l'artillerie. Leurs batteries lourdes descendent à grand fracas du col de la Chapelotte pour prendre position dans la plaine.

Le commandant Migat fait sonner le clairon. Ses hommes ont les jambes lourdes et le regard mort. Ils se traînent jusqu'au fleuve, qu'ils abordent devant Thiaville, dans les faubourgs de Raon-l'Étape. D'autres régiments du corps Alix sont disposés le long de la Meurthe. La vallée est assez étroite, la route et la voie ferrée en occupent le fond. Le pont routier sur la Meurthe n'a pas encore sauté. Les colonnes interminables le franchissent, sans pouvoir presser le pas.

— Les ordres sont de tenir les collines boisées, pour permettre aux hommes débandés de se regrouper au sud, dit le capitaine Gérard.

Jean Aumoine et sa section trouvent l'énergie de grimper en tête, pour éclairer les fourrés et installer à la va-vite une position de résistance provisoire. Ils se préparent à dormir, faute de mieux, à la belle étoile, sur leurs couvertures, ou dans les huttes des charbonniers et des chasseurs à l'affût.

— Regardez, dit Lavelle en désignant les herbes écrasées en rond dans le sous-bois, c'est un coucher de sangliers. On pourrait compter la harde.

L'instinct du chasseur a depuis longtemps abandonné les paysans de Domérat et d'Huriel. Jean dispose son sac pour dormir dessus quand il entend des pas de chevaux dans le bois. Il se redresse, prend son fusil pour tirer, avertit Lavelle, son voisin. Il reconnaît à temps les casques des dragons français.

— Tiens donc. Voilà les dragons de Vincennes !

Les hommes harassés se relèvent et se rapprochent d'Étienne Forget et de son camarade, Louis Petitjean.

— Vous voilà remontés, dit Jean.

— C'est mon quatrième cheval depuis le début de la campagne.

— Il a des fers. Êtes-vous les seuls cavaliers ferrés de l'armée française ?

— Les maréchaux-ferrants ne manquent pas, quand on sait les dénicher dans les villages.

— Avez-vous vu des Allemands ? dit Jean, offrant sa gourde au dragon. Ils nous manquent. Depuis Nitting, pas un *Feldgrau*.

— Prenez garde, ils déboulent par la Chapelotte. Dans les Vosges, c'est un désastre. Le Donon repris, les cols sont lâchés. Un régiment entier de uhlans encercle le bois, et des hussards, et des mitrailleuses. Nous avons été assaillis par surprise dans la journée. Nous avons sabré à un contre dix. Petitjean et moi, nous sommes les seuls survivants du peloton : les derniers Indiens de la cavalerie montée.

Lavelle plaque son oreille contre la terre.

— Je n'entends pas de bruit de chevaux.

— Ils lancent des patrouilles à pied, de peur de se faire descendre. L'infanterie les suit. Un corps d'armée entier. À l'aube, vous risquez d'être attaqués sur votre droite. Où se trouve le colonel ?

— Voyez le commandant Migat. Nous n'avons plus de colonel.

— Enterrez-vous de suite, creusez, abritez-vous. Demain, les shrapnels raseront le bois. Sans vouloir faire le détail, ils ont au moins trente batteries en ligne.

Personne ne l'écoute. Les fantassins français n'aiment pas creuser des tranchées, c'est bien connu. Les Allemands non plus, mais les *Feldwebel* les y contraignent. Jean est trop épuisé lui-même pour entendre les conseils de sagesse des dragons. Sans même dresser les tentes, les hommes s'endorment profondément.

À l'aube, le 25 août, le tir des canons déchire l'air. Le dragon l'avait prévu. Les fantassins de la première compagnie du 121e qui n'ont pas eu le courage de s'enterrer, surpris dans leur sommeil, détalent pour trouver un abri.

Les déflagrations rendent fou, les obus abattent les branches des arbres qui chutent lourdement, sous la gigantesque cognée. Les hommes courent dans tous les sens, au risque de se faire hacher par la mitraille. Jean ne se réveille pas. Aveuglé par un geyser de terre, de cailloux, de débris de branches, il est scalpé par un éclat. Le sang l'aveugle, le souffle l'étouffe. Les flammes, les éclairs dansent dans ses yeux. Il perd connaissance. Immobile dans la clairière, laissé pour mort.

Clelia von Arnim

On la dit allemande, de haute noblesse du Sud par son père, et italienne par sa mère. Elle n'a pas vingt ans – dix-huit, peut-être – et les plus beaux yeux du monde.

Sous sa blouse stricte d'infirmière, la taille est mince et le corps souple, d'une grâce naturelle. Son visage, d'un ovale parfait, respire le bonheur. Ses cheveux d'un blond châtain clair sont d'une finesse exquise, soyeux, sans éclat vulgaire, tirés en arrière sous une coiffe blanche. Elle couvre le front enfiévré des malades de ses mains fraîches, longues et fines, en s'attardant sur les plus souffrants. Son sourire leur fait oublier la douleur. Ils ne veulent que Clelia, n'appellent que Clelia, le jour et la nuit. Dans cet hôpital militaire installé en grande hâte par les Allemands dans Sarrebourg reconquise, elle est, pour les blessés, un ange tombé du ciel.

Elle marque une prédilection pour un Français, relevé la veille sur le champ de bataille par des brancardiers allemands. Ils ont transporté l'homme dans une brouette vers le poste de premiers secours. Il a la tête couverte d'un bandage sommaire. Ses jours ne sont pas en danger. Son nom est Jean Aumoine.

Il ne parle pas un mot d'allemand, encore moins d'italien, et ne peut s'exprimer que par gestes. Clelia, à qui rien n'échappe, a remarqué dans son regard une interrogation muette et insistante, comme s'il voulait à tout prix lui dire quelque chose. Quand il la fixe de ses yeux noirs, ceux-ci ont un éclat, un brillant qui ne doit rien à la fièvre.

C'est un regard qui n'exprime pas seulement un compliment galant, un de ces messages d'admiration dont elle a l'habitude, lorsqu'elle passe, preste et vive, d'un lit à l'autre. Il dit plus. La joie de la voir s'approcher, l'angoisse quand elle s'éloigne. Sa manière de la suivre longtemps des yeux dans la salle l'intrigue. Le sergent français a des allures trop racées pour être un de ces soldats à bonnes fortunes, toujours prêts à interpeller les jeunes filles. Sa profondeur d'expression, croit-elle, trahit autre chose qu'un simple goût pour le badinage. Elle perçoit parfaitement cette différence.

Dans la journée, il n'adresse pas la parole à quiconque, pas même à l'un de ses voisins, français comme lui, et beaucoup plus gravement blessé. Il n'a pas ouvert la bible que l'on a déposée à son chevet. Il ne demande aucune faveur et ne se plaint jamais. Ses nuits sont tranquilles et silencieuses. Il ne s'anime qu'au passage de Clelia.

Au soir du premier jour, alors qu'elle s'enquérait de son état dans un charmant entrelacs de mots chantés dans sa langue, il avait osé lui prendre la main pour y déposer un baiser. Se gardant de tout reproche, elle la lui avait abandonnée un moment, en souriant.

Le regard du Français s'était embué de tendresse. Elle venait de lui faire don d'un instant de sa vie. Pouvait-il espérer privilège plus intense? Dans ce lieu où se côtoyaient tant de souffrances individuelles, deux êtres s'étaient rencontrés sans pouvoir se parler, communiant seulement des yeux et des mains. Jean, en un instant, s'était senti ressusciter. Trois semaines de guerre l'avaient conduit au-delà de l'Achéron, dans ce cercle de silence et de feu dont rares sont ceux qui reviennent.

Une vie nouvelle s'offrait à lui. Les mots mystérieux qui sortaient des lèvres de Clelia étaient une musique, non un discours. Un geste de sa main pouvait avoir plus de force que tous les arguments du monde. Pour se distinguer aux yeux lumineux de Clelia, Jean n'avait pas besoin de parler, mais seulement d'être. Une présence à l'autre dont il n'avait jamais ressenti jusqu'ici l'importance. Au point que son être avait besoin du regard de Clelia pour exister. Il n'était, sans elle, qu'une momie emmaillotée sur un lit d'hôpital. Fiché français, doté d'un état civil, d'un numéro, d'un matricule. Perdu dans l'insensé, l'insensible, l'indifférence, interchangeable, sans individualité, inutile dans sa personne, utile comme le galet à la plage et la pierre au chemin.

Par magie, Clelia l'avait éveillé au monde. Il n'attendait rien d'elle que ce regard étonné qui le révélait à lui-même, ce contact qui lui rendait vie, où passait le courant puissant et mystérieux de l'étant. Courant capable d'avoir raison du retour à la glaciation, à la minéralisation de la guerre. La main de la jeune femme était chaude comme le corps d'un rouge-gorge tombé du nid. Une promesse de renaissance.

Avant de la rencontrer, Jean n'était que cet automate offert aux piques, aux pointes, aux éclats du métal froid, au métal en fusion, aux souffles irrespirables, enseveli sous les cendres et la poussière, enfoui dans l'argile molle, glacée, confronté au vent, au feu, à l'eau putride, sans recours, sans grâce, inexorablement promis au dénuement et à la destruction. Corps disloqués, martyrisés, explosés, fouaillés, projetés dans la pluie de cendres avant de revenir à la putréfaction, à la calcification minérale où les yeux sortent des orbites pour servir de pâture aux corbeaux.

La douceur, la chaleur, la beauté de la main de Clelia, défi aux éléments déchaînés, gage inouï de rédemption après l'enfer. Comment le revenant peut-il rêver d'une félicité plus palpable? Qui a placé Clelia sur sa route?

— Je reviendrai vous voir, monsieur le Français, lui a-t-elle glissé à l'oreille.

Non seulement l'ange parle, mais il parle sa langue, sans le moindre accent. Le miracle est un mystère, et ce mystère est encore plus délicieux. Qui est donc Clelia?

Jean ne se souvient pas des circonstances exactes de sa capture, le 25 août. Il n'en a cure, puisqu'il a changé de vie. Plus de bretelles ni de ceinturon, plus de cartouchières ni de molletières, de sac ni de chaussures à clous. Dégagé de tous ses liens, libéré de ses charges, débridé, nu sous sa chemise comme le sont ses pieds sous la tiédeur du drap blanc, son crâne encore un peu douloureux reposant sur la plume de canard de l'oreiller, il est au chaud sous la couverture rêche qu'il caresse de la main.

Les brancardiers allemands le croyaient mort. Ils ont d'abord recueilli et dégagé leurs propres blessés, puis ceux des Français qui les appelaient à l'aide. Au soir tombant, sorti du coma, Jean a distingué, alentour, la masse des corps sans vie, alignés avant d'être jetés dans la chaux vive de la fosse commune. Les équipes de fossoyeurs – des prisonniers de guerre – ont commencé leur funèbre travail. Les hommes prenaient leur temps. Les Français s'étaient retirés loin derrière la Meurthe.

Minutie prussienne. Un *Unterofficier*, impeccable dans sa tenue, veille soigneusement, à la lueur d'un falot, au ramassage des papiers et des plaques de matricule, déposés dans des sacs. Les Français aussi sont contrôlés. Les mains prestes, pieuses ou cupides, fouillent les poches, retirent les portefeuilles et les montres, jusqu'aux alliances et aux chevalières. Les armes, les courroies, les chaussures sont rassemblées en tas, évacuées par d'autres équipes.

On pique les corps des cadavres ennemis de la pointe de la baïonnette pour s'assurer qu'ils sont bien passés à trépas. Les gardes allemands ont découvert ainsi que Jean vivait, et même qu'il respirait. Deux fossoyeurs l'ont transporté dans une brouette jusqu'au poste de première urgence où geignaient encore les blessés du jour, attendant leur pansement sommaire.

Jean a patienté longtemps, sans reprendre tout à fait connaissance. Le major a soigné ses compatriotes en priorité. Les Français doivent prendre leur mal en patience. Même s'ils enragent d'être destinés à grossir le troupeau des prisonniers, ils sont des blessés capturés et ne feront plus jamais la guerre. Soignés par les Allemands, ils sont en leur pouvoir jusqu'à la fin très hypothétique des combats. C'est pour beaucoup un soulagement, certains d'entre eux cependant ne sont nullement résignés à ne plus reprendre la lutte aux côtés des camarades.

Jean s'est cru aveugle. Au fil des heures, il lui semblait que sa vue se brouillait, puis qu'il n'y voyait plus rien. Les oreilles lui bourdonnaient désagréablement. Sa blessure au crâne n'avait pas bel aspect. Le sang s'était figé sur son visage, la plaie était ouverte.

Le major bavarois l'a examiné rapidement. Il l'a jugé perdu, comme la plupart des blessés à la tête. Une compresse imbibée de désinfectant en main, il s'apprêtait à nettoyer la plaie sans ménagements, quand Jean s'est tordu de douleur. Le médecin a fait approcher une lampe, et s'est aperçu que, si le cuir chevelu était arraché jusqu'à l'os, aucune perforation n'était visible. Jean avait été scalpé, comme dans les guerres indiennes des Américains. Le Français pourrait sans doute survivre.

À condition que la peau repousse. On lui a fait un turban de bandes aseptisées. On a désinfecté également au formol le trou que la baïonnette avait percé dans sa cuisse, puis on l'a expédié à l'hôpital.

Il a de nouveau perdu connaissance au cours du transport. Les fourgons de blessés remontaient la route du front par Blamont. Longs râles plaintifs des hommes allongés sur la paille, secoués et torturés par les cahots, par les nombreux arrêts imposés pour libérer le passage à l'intention des troupes bavaroises descendant vers le front, des convois d'artillerie, des escadrons de uhlans et de dragons. Un long voyage de six heures, pendant lesquelles personne ne s'est occupé de Jean.

À l'arrivée à l'hôpital, les brancardiers attendaient les fourgons. On vérifiait d'abord l'état des blessures. Une fois encore, Jean a été classé du côté des morts ou des mourants. N'ayant pas repris connaissance, il s'est retrouvé, comme d'autres trépassés, allongé à même le sol, sous un abri ouvert à tous les vents.

Un infirmier a fait une ultime inspection et placé un petit miroir ovale devant la bouche des moribonds. On a évacué les morts, les victimes du voyage, mais Jean respire! Enfin mis à part, dans le bon contingent des opérables, il est pris en main par un assistant du chirurgien qui demande qu'on débride la plaie.

De nouveau, le sang coule. Jean survit et peut être admis

266

aux soins, mais ses forces l'abandonnent. Lorsqu'il reprend connaissance, il est incapable de parler, et même de distinguer les gens qui s'activent autour de lui. Ses yeux se voilent, et ses oreilles n'entendent plus rien.

Il souffre et se plaint. On l'allonge enfin sur une table. Une piqûre stimulante le réveille. Il eût été préférable de le laisser endormi, car sa douleur s'avive. Un *Hauptmann* aux cheveux gris dégage sa plaie, sans excès de précaution. Il confirme le premier diagnostic du médecin bavarois du front : la blessure est spectaculaire, mais sans gravité. À moins d'une infection, il peut s'en remettre. Sans l'anesthésier, le chirurgien place quelques points de suture et recouvre la lésion d'un épais pansement.

– Il n'y a rien d'autre à faire que la morphine, dit-il à l'infirmier, mais il faut la réserver pour les cas les plus graves. Donnez-lui de l'aspirine des Usines du Rhône. Nous en avons des placards pleins. Les Français ont tout laissé dans leur retraite. Ils ne sont pas aussi mauvais en chimie qu'on le dit chez nous. Leur drogue de ménagère est assez efficace. Et renouvelez le pansement deux fois par jour.

C'est ainsi que Jean Aumoine fait son entrée à l'hôpital militaire allemand de Sarrebourg, dont les bâtiments ont été construits par Louis XIV.

Clelia n'assiste pas à la réception des convois de blessés. L'*Oberarzt* Müller, le médecin-chef, l'a dispensée de cette tâche, trop dure pour elle.

Elle a été engagée à l'hôpital sur recommandation d'Otto von Promft, le commandant d'armes de Sarrebourg.

– J'ai bien connu son père, a-t-il dit au chirurgien, Hortz von Arnim est un vrai *Ritter*. Champion de course d'obstacles de l'armée à Berlin en 1913, colonel de hussards à l'état-major du Kronprinz Rupprecht. Son château d'Ellingen date des chevaliers teutoniques. Il en a fait, **mon** cher *Oberarzt*, une merveille de délicatesse.

– Mon modeste hôpital peut-il accueillir une jeune fille de cette valeur? Je ne suis pas sûr qu'elle puisse résister à l'odeur de sang, de désinfectants et de transpiration refroidie qui règne dans la salle de soins. Pourquoi ne pas l'affecter à l'hôpital royal de Munich où l'on soigne nos convalescents?

– Elle a suivi les cours de la Croix-Rouge, et opté pour un hôpital proche du front. Son père a soutenu sa demande. Nous n'y pouvons rien. Elle brûle de se dévouer.

Ainsi a-t-elle été admise, dans une situation protégée. L'*Oberarzt* l'a persuadée qu'elle serait plus utile, en raison de sa formation, dans la salle de soins qu'aux opérations ou encore au service de l'accueil. Elle n'est pas dupe, son père est intervenu, pour ménager sa sensibilité. On la cantonne aux emplois moins rebutants, seuls jugés dignes d'une future *Grafin*.

Elle s'est alors dévouée sans compter sa peine aux soins des blessés les plus sévèrement touchés, comme cet *Hauptmann* du deuxième régiment de la garde dont la mâchoire inférieure a été enlevée. Son pansement lui tient lieu de menton : il n'a conservé que sa lèvre supérieure. On l'alimente par sonde. Ou ce simple canonnier d'un régiment de Munich qui a reçu un éclat dans l'abdomen. Ses organes, à son arrivée, lui sortaient du ventre. Le chirurgien a tout remis en place et recousu la plaie. Il a prétendu que le blessé pouvait se remettre grâce à des soins vigilants.

Clelia fait preuve d'une patience infinie, et les blessés

assurent qu'entre ses mains ils ne souffrent pas. Elle décrit les collines si charmantes de la vallée de la Sarre rouge à un Alsacien de la *Landwehr*, condamné à l'obscurité pour le reste de sa vie. Elle connaît tous ses malades et, quand le major l'interroge sur le numéro 11 ou le numéro 18, elle répond aussitôt Hanz le charron, ou Josef le maître d'école. Elle prend sous la dictée les lettres aux femmes, aux familles.

Elle ne manque pas de lire chaque matin, par pure gentillesse, au major Karl von Bissing, qui a perdu une jambe à Charleroi, le communiqué de victoire de l'état-major annonçant l'avance triomphale des armées en Belgique, l'entrée en France, la marche *nach Paris,* reproduit dans le *Berliner Tageblatt.*

Un maudit obus français a bien failli le rendre cul-de-jatte, lui, un colonel des dragons de la *Kaiserin.* Il a connu Clelia enfant et, quand il se rendait aux chasses de Bavière chez le comte von Arnim, il l'a fait sauter sur ses genoux. Il lisse ses moustaches calamistrées de sa main baguée en prêtant l'oreille aux bulletins de victoire de l'armée impériale, récités d'une voix douce.

– Nous dînerons bientôt avec votre père et le prince impérial chez Maxim's, dit-il en se rengorgeant.

Clelia se garde de commenter. Les rodomontades guerrières de l'officier, au regard de la souffrance des blessés soignés dans la salle, lui semblent inconvenantes, et presque indécentes.

Le dimanche, le major s'offre un cigare, de sa réserve spéciale. Il daigne ce jour là, faire distribuer des cigarettes turques et du cognac aux plus valides de la chambrée. L'odeur de papier d'Arménie couvre alors celle de l'éther. Jean lui-même a accepté dès le premier jour ces présents de l'ennemi, parce qu'ils lui sont offerts dans une corbeille d'osier par la souriante Clelia en tenue de fête, une rose blanche piquée sur sa robe.

Les Allemands sont chez eux à Sarrebourg depuis 1871 comme à Château-Salins, à Dieuze, à Lorquin. Le major von Bissing, en poste à Sarrebourg bien avant le début de la guerre, passait alors en revue les uhlans et les dragons de la garnison, visitait leurs vastes *Kaserne*, écoutait les concerts dans le square sous les vestiges de l'enceinte médiévale des princes-évêques de Metz, créateurs et protecteurs de la ville. *Ach so!* De bien beaux concerts, la musique irréprochable des dragons de la reine.

De son lit d'hôpital, il veille à ce que les blessés français soient aussi bien traités que les nationaux et demande à l'*Oberarzt* la permission de convoquer la presse, afin que les journalistes puissent prendre des photos de prisonniers ennemis en convalescence. Celle de Jean Aumoine détendu, rasé de frais, soigné par la merveilleuse et toujours souriante Clelia, a figuré en première page du journal de Strasbourg sous le titre : «L'armée allemande libère sa province de Lorraine et soigne les blessés ennemis».

La bonne société de Sarrebourg, redevenu Saarburg, s'empresse auprès des blessés allemands, leur offre des confitures de mirabelles et de croustillants bretzels tout juste sortis du four du boulanger, peut-on lire dans les colonnes du journal. L'épouse du notaire, réfugiée à Sarreguemines avec les directeurs d'école et leurs familles, le pasteur luthérien, les bourgeois des beaux hôtels de la vieille ville et jusqu'aux cabaretiers proches de la caserne, font assaut de zèle patriotique en adoucissant le sort de leurs «chers» blessés par des présents.

Jean Aumoine serre les poings. Ces gens-là, les frontaliers, jouent le double jeu. Il se souvient de la retraite, des civils tirant des fenêtres de Sarrebourg sur les compagnies françaises débandées. Ils sont du côté de l'Allemagne, quand les Français sont vaincus. Ces négociants qui apportent leurs offrandes aux Allemands vainqueurs étaient ceux-là mêmes qui arboraient le drapeau français sur leur façade à l'entrée des troupes du général de Maud'huy.

Clelia n'apprécie guère ces visites de bourgeois qui troublent le service et fatiguent inutilement ses pensionnaires. L'hôpital est près du front, qui regorge de blessés intransportables, opérés sur place et livrés à la grâce de Dieu. Elle prend sans cesse le pouls de l'artilleur de Munich opéré du ventre, que le pasteur luthérien est venu visiter. On craint qu'il ne passe pas la nuit.

Alerté, l'*Oberarzt* examine le malade, l'ausculte, le palpe sans mot dire. Clelia s'attriste quand le chirurgien s'éloigne, impuissant. Au matin, le jeune homme n'est plus là. Les fossoyeurs ont enlevé son corps. Clelia, le voile abaissé sur son visage, fait à genoux une prière devant la couche vide.

— Elle ne supporte pas la mort, se dit Jean Aumoine. A-t-elle déjà perdu un frère? Qui sait? Un fiancé?

Il n'ose l'interroger. Elle est présente quand l'*Oberarzt* lui rend visite en personne pour le pansement, deux jours après son admission. Il examine avec soin la plaie, dit en allemand à l'infirmière en chef qu'il ne voit aucune trace d'infection, que la fièvre est tombée. La peau du crâne se reconstitue lentement, mais sûrement.

— Avant huit jours, dit-il, le blessé pourra rejoindre un camp de prisonniers, où l'infirmerie se chargera de surveiller sa convalescence. Il ne risque plus rien. Il convient de programmer son évacuation, pour libérer un lit.

Clelia, revenue border Jean un peu plus tard, lui résume en français, à l'oreille, les conclusions du chirurgien. Elle fait mine de s'en réjouir. Mais Jean saisit sur son visage une expression de tristesse, comme si elle regrettait de le voir partir si tôt pour subir la désastreuse condition de prisonnier de guerre. Le pauvre petit sergent attendra des mois sa libération. Elle ne le verra plus.

Jean se demande pourquoi elle lui parle toujours en français à voix basse, comme si elle craignait d'être surprise. La fille du comte Hortz von Arnim, aide de camp du prince royal Rupprecht, la protégée du major von Bissing, pourrait-elle être soupçonnée de connivence avec l'ennemi ? Quel est le secret de cette jolie tête blonde ?

Le lendemain, il s'enhardit à lui demander un bloc et un crayon pour écrire.

– Ma mère, lui dit-il, mourra si elle n'a de mes nouvelles. Mon régiment a dû me porter disparu.

– Vous n'avez pas le droit d'écrire, mais je puis le faire pour vous en cachette. Je posterai ma lettre pour Lugano, en Suisse, mon pays natal, et ma grand-mère l'expédiera en France, chez vous. Je reviendrai la nuit. Vous signerez le billet que j'aurai écrit en votre nom. Ayez confiance, dit-elle en lui effleurant la main. Je ne vous trahirai pas.

Au milieu de la nuit, quand les lumières de la salle ont fait place à des veilleuses, elle se glisse à son côté et lui lit la plus tendre lettre d'amour d'un fils à sa mère. Elle ne s'est pas contentée de reproduire les paroles échappées des lèvres du blessé, elle a trouvé dans les poèmes de son enfance les mots français les plus rares pour parler le langage du cœur.

272

Étonnant transfert de sentiment : ce qu'elle éprouve pour Jean, elle le lui prête pour sa mère. Il ne s'y trompe pas et la remercie de ses larmes. Se peut-il qu'elle ait à son tour ressenti pour lui cet élan qui, au premier jour, le poussait vers elle?

— Ainsi je puis vous parler dans mon langage, vous dire que vous êtes belle comme une image du ciel, que votre regard est plus doux que celui de l'ange d'Huriel, que le miel qui sort de votre bouche est un présent divin. Comment ai-je pu vivre sans vous connaître? Comment pourrais-je vous oublier?

Elle lui met un doigt sur les lèvres.

— Il ne faut pas parler. Un jour viendra, peut-être. Je veux vous garder ici. Il ne faut pas que vous partiez.

Elle a osé se présenter, le matin avant les visites, dans le bureau de l'*Oberarzt*. Elle lui a confié qu'elle avait des doutes sur le rétablissement du Français. Il a déliré toute la nuit. Sa plaie ne s'est pas refermée tout à fait. N'est-il pas trop tôt pour l'évacuer?

— Le pays n'a pas les moyens, lui répond doucement le chirurgien, de maintenir à l'hôpital un blessé ennemi en apparence rétabli. Si charmants que soient les malades, dit-il d'un ton appuyé, ils sont des prisonniers de guerre en puissance. Si l'on doit les traiter humainement, on ne saurait leur consentir de faveurs.

— Ne peut-on repousser son départ d'une semaine? insiste Clelia. Si l'*Oberarzt* veut bien me donner des conseils pour hâter la guérison mentale, je les suivrai très ponctuellement. Si mon frère blessé était prisonnier des Français, dit-elle en détournant les yeux, je serais heureuse, et aussi ma mère, qu'il fût au mieux traité. J'en remercierais Dieu chaque jour.

— Il a été relevé sur le champ de bataille, abandonné pour

mort par les siens. Nous lui avons sauvé la vie. Que vouloir de plus, je vous le demande?

Clelia ne répond pas. Les yeux baissés, elle joint ses mains dans le geste de la prière. Fort embarrassé, l'*Oberarzt* ne veut pas décourager la meilleure assistante de la salle des soins, celle que tous les soldats allemands adorent comme une madone. Il se souvient que son père est une des vedettes de la Cour royale de Munich, fort catholique et sensible au discours humanitaire sur les soins à prodiguer aux blessés ennemis. La *Grafin*, sa mère, a fait recruter Clelia au titre de la Croix-Rouge suisse.

– Je verrai le blessé lors d'une prochaine visite. En attendant, prenez garde à lui éviter toute émotion, tout mouvement. Les calmants me semblent indiqués. Le Français doit dormir. C'est un rêveur. Comme tous les Français.

La nuit suivante, Clelia est au rendez-vous de deux heures du matin, au chevet de Jean qui ne s'éveille pas. L'infirmière en chef lui a administré un calmant de cheval. À se demander s'il rouvrira jamais les yeux.

Clelia touche son front, prend son pouls et respire, rassurée. Elle glisse sous son oreiller un billet écrit de sa main : «Votre lettre est partie. Ne vous inquiétez de rien. L'ange d'Huriel veille sur vous.»

Elle est absente à la visite de onze heures. Le major ne s'attarde pas devant Jean, dont l'état ne lui inspire aucune inquiétude. À son réveil, Jean a froissé le billet, qu'il a lu avidement. Il s'étonne et s'inquiète de ne pas voir Clelia, comme à l'accoutumée, dans le cortège des soignants.

L'infirmière en chef lui dit sèchement qu'elle lui a confié une tâche administrative. En réalité, c'est pour l'éloigner du blessé. Jean n'est pas sûr qu'elle reparaisse avant son départ en captivité.

Karl von Bissing a demandé à voir sa protégée, absente depuis le matin. Il lui paraît insensé qu'on charge désormais de ses soins, sans s'en excuser le moindrement, une Prussienne quadragénaire sans aucune indulgence pour ses petites manies, et incapable de lui faire la conversation. Clelia, à sa demande expresse, a donc traversé la salle au début de l'après-midi, après le repas, pour faire la lecture du communiqué officiel au major unijambiste, sans accorder un regard à Jean Aumoine.

— Je sais que vous avez été lectrice, ma chère enfant, chez la comtesse de Gramont-Caylus dans son hôtel parisien et que vous connaissez fort bien le français et les Français. Le comte, capitaine de dragons, a été capturé par nos hussards en Alsace. Je suis sûr qu'il ne songe qu'à s'évader, même si on l'a enfermé à Königsberg. Ces gens-là, que voulez-vous, sont devenus nos ennemis. Gardez-vous d'eux comme de la peste, même s'ils ont besoin de vos soins. Les nôtres doivent tout de même passer avant.

Clelia reste silencieuse et soumise. Elle se dit que le major a été alerté par *l'Oberarzt* Müller. On cherche à l'éloigner du Français. Cela veut dire qu'on fera tout pour hâter son départ, même si son état doit en pâtir.

— Je comprendrais naturellement, ajoute le major un ton plus bas, que vous fussiez plus attentive au sort d'un blessé, s'il était de notre rang. Mais les Français ici recueillis sont des gens de peu, des sergents, des caporaux, du petit peuple des campagnes. Ils ne méritent aucun traitement spécial, fussent-ils bons catholiques et, comment disent-ils à Paris, «jolis garçons». M'entendez-vous bien?

Clelia ne veut plus rien entendre. Elle ne parvient pas à sourire. Elle esquisse une révérence de cour devant le baron von Bissing et se hâte de quitter la salle, sous l'œil vigilant de l'infirmière en chef, Elsa Nagel.

Elle attend la nuit pour y revenir, en prenant garde de ne pas se faire remarquer. Tout semble silencieux. Jean ne dort qu'à demi. Il s'est arrangé pour ne pas boire le calmant de la redoutable Nagel. Il a compris que Clelia est désormais placée sous surveillance discrète, qu'on l'éloigne de lui à dessein.

Elle est si preste qu'il ne l'entend pas surgir à son côté. Quand il sent son souffle adoré sur son front, il n'ose croire à son bonheur. Ainsi elle se risque à lui rendre visite alors qu'elle a reçu la consigne de l'éviter.

– Ne me répondez pas, lui glisse-t-elle à l'oreille. Je vais tout faire pour vous garder, et, s'il le faut, pour vous cacher. Vous m'êtes trop cher pour que je vous abandonne au mauvais sort.

Jean proteste, car il ne veut en rien nuire à la jeune fille que sa promesse d'aide expose aux plus grands dangers.

– Je vous ai dit de ne pas parler.

Elle lui ferme la bouche d'un baiser léger dont il garde longtemps le parfum sur ses lèvres.

Clelia, de retour dans la petite chambre où elle couche sur un lit de camp, ne parvient pas à trouver le sommeil. L'administration de l'hôpital a deviné le sentiment soudain très fort, irrésistible, qui la poussait à aider le jeune Français. On veut à tout prix l'en préserver.

Ni le major von Bissing, ni l'*Oberarzt* Müller ne doutent qu'en éloignant le prisonnier tout sera réglé. Ils ne peuvent savoir qu'elle partage avec sa mère, fille du marquis de

Bellini, le culte de l'amour unique, du coup de foudre miraculeux. Tout ce qui est fait pour contrarier cet amour naissant le renforce.

Élevée enfant au château de sa mère, à Locarno, sur le lac de Lugano, en Suisse italienne, elle a appris l'amour dans le *dolce stil nuovo* de Dante Alighieri, et s'est identifiée à la tendre Béatrice, avant de chanter au clavecin, chez son père, les *Lieder* de Schubert. Elle ne place rien au-dessus de l'amour et considère la guerre comme un retour brutal à la barbarie militaire prussienne dont le comte lui-même était, dans sa jeunesse, si éloigné.

Une semaine avant le conflit, les préparatifs de guerre se bousculant déjà sur les bureaux d'état-major, la comtesse a décidé de partir pour son château du lac de Lugano, outrée par l'hystérie guerrière qui touchait même la pacifique noblesse sud-allemande, et jusqu'à son mari. Clelia a alors décidé de rester en Allemagne, parce que son père et son frère étaient dans l'armée du Kronprinz Rupprecht, et qu'elle voulait se dévouer aux blessés d'une guerre exécrée.

Aussi la jeune femme ne supporte-t-elle pas, à l'hôpital, le discours fruste et violent du major von Bissing, entièrement voué, sous le règne du Kaiser, au culte de la force dont tant de soldats sont aujourd'hui victimes.

Son séjour dans ce service chirurgical proche du front l'a renforcée dans sa haine de la guerre. À ses yeux, les Français ne sont pas des ennemis, *Feinde,* mais un peuple aussi sensible et pacifique que les Italiens et les Allemands du Sud. Qu'elle aime un Français n'a rien de monstrueux. Qu'elle le sauve de la mort est un éclatant accomplissement de l'amour. Elle s'endort confiante. Dieu ne permettra pas que Jean Aumoine lui soit arraché.

Le lendemain, au petit matin, Elsa Nagel demande à Clelia de la suivre dans le magasin des habillements.

– Deux Français partent dimanche, lui dit-elle, pour le camp de Landsberg en Poméranie. Vous voudrez bien, le jour venu, leur rendre leurs habits, dûment désinfectés et marqués des lettres KG, qui désignent chez nous les prisonniers de guerre, *Kriegsgefangene*, et limitent les évasions.

Clelia, à deux heures du matin, réveille très doucement Jean Aumoine et lui chuchote à l'oreille que son évacuation est programmée.

Jean tressaille, se dresse, prend la main de Clelia, l'attire sur son lit et la presse contre lui, pour abolir tout espace entre eux.

Clelia pose un doigt sur ses lèvres. Elle estime intolérable tout projet de séparation. Elle ne supporte pas qu'on éloigne Jean par la force. Qu'il se garde surtout de s'agiter, de protester, de nourrir des plans fous d'évasion. Son état ne le lui permet pas. Elle sera dans l'ambulance qui doit le prendre à l'hôpital. Elle ira jusqu'au bout s'il le faut, mais elle ne le quittera pas.

Elle a persuadé l'*Oberarzt* que Jean Aumoine, un blessé très spécial souffrant de traumatisme crânien, devait être évacué sur Bruxelles où opère le major Rauchmann. Le commandant de la place, von Promft, l'ami intime de son père, est intervenu pour lui fournir une automobile particulière. Elle a juré que l'ingénieur français était, avant la guerre, étudiant à Munich, et que sa famille l'avait longuement reçu au château. On a bien voulu la croire, elle a été si convaincante.

Jean Aumoine, les lettres KG peintes sur sa capote, enturbanné de gaze blanche, botté de neuf et rasé de frais, sort de l'hôpital appuyé sur une canne, car il porte encore à la cuisse la cicatrice douloureuse du coup de baïonnette reçu dans le champ des morts.

Clelia a pris place à côté du chauffeur, Hans Geizt, un lourd Poméranien à casquette plate cerclée de rouge, muni de toutes les autorisations nécessaires. À Metz, Hans aide le couple à prendre le train sanitaire pour Bruxelles. La ville vient d'être occupée, le 20 août, par l'armée allemande, et la circulation ferroviaire, sabotée par les Belges, a été rétablie en quarante-huit heures grâce au travail forcé de civils. Les Allemands y ont immédiatement organisé des hôpitaux pour les blessés de leurs trois armées qui ont envahi le pays et se trouvent déjà fort avancées en France. Les dames de la Croix-Rouge allemande ont offert à Jean du café chaud, des cigarettes et des friandises.

Une voiture militaire attend à la gare de Bruxelles pour conduire le blessé et son infirmière auprès de l'*Oberarzt* Rauchmann à l'hôpital. Cet ancien médecin-chef venu de Munich soigne tous les blessés du crâne, très nombreux aussi chez les Allemands, peu protégés par leur casque à pointe. Il a bien voulu recevoir avec des égards particuliers la fille d'un comte très proche du Kronprinz Rupprecht et examiner sur-le-champ le scalp de Jean.

— La blessure, dit-il, est en voie de guérison. Ce jeune sergent a bien supporté le voyage.

— Il est traumatisé, intervient vivement Clelia. Il a perdu la mémoire.

— Je vois, dit avec indulgence l'*Oberarzt*. S'il présente des troubles profonds, il faut l'évacuer vers un centre spécialisé en Forêt-Noire. Vous pourriez l'y accompagner. Qui, mieux que vous, pourrait lui rendre une mémoire neuve?

Les yeux de Clelia rayonnent de bonheur. Elle embrasserait le professeur, si elle osait. Elle est à cent lieues de se douter que le centre de Forêt-Noire est accolé à un camp de prisonniers pour anciens malades mentaux très surveillé, et que Jean n'a pas la moindre chance de s'en échapper. Toutes les précautions sont prises pour le neutraliser, tout en ménageant la sensibilité très vive de la jeune aristocrate. Il est très apparent qu'elle est folle d'amour pour le jeune homme. Le devoir de l'*Oberarzt* est de l'en détacher avec doigté, pour qu'elle n'en souffre pas.

À certains regards ironiques des assistants de Rauchmann, Jean comprend qu'on lui réserve un traitement très particulier. Les forces lui reviennent d'un jour sur l'autre. Sa mémoire est intacte, ses réflexes normaux. Il est impossible que les médecins allemands ne s'en soient pas rendu compte, aux premiers examens, quel que soit son art de la simulation. Clelia est dupe des belles manières du médecin-chef. Elle ne pense pas au mensonge, ni même à la ruse. Comment un ami de son père pourrait-il la tromper?

Chaque nuit, elle reprend le rituel de ses visites, dans la salle où Jean a trouvé un lit. En apparence, on la laisse libre de parler au blessé dans sa langue, elle est la seule à lui prodiguer des soins.

Pourtant une infirmière belge, Emma Hoot, au visage énergique, aux yeux vifs et mobiles, bien notée de la chef de service et des médecins allemands, semble attachée à ses pas.

— Ses supérieurs ont eu l'occasion d'apprécier, explique l'infirmière en chef à Clelia, les services rendus par cette jeune Emma, originaire de Westrooscheke, dans l'hôpital du front de Roulers, en Flandre-Occidentale, au point de la décorer de la croix de fer. Cette jeune Belge est l'amie des Allemands, elle a vraiment leur confiance.

Clelia s'en défie aussitôt.

— Nous sommes à Bruxelles, dit Jean à l'oreille de Clelia. On y parle français. Nous y trouverons des complicités.

Il s'abandonne à la jeune Allemande comme si elle entrait dans tous ses projets, oubliant qu'elle est la fille et la sœur d'officiers du Kaiser.

— Si je parviens à sortir de cet hôpital, avec des vêtements civils, je gagnerai la frontière à travers bois, et je trouverai bien le moyen de passer.

— Folie, dit Clelia. Les *Feldgendarme* auront vite fait de vous retrouver. Les Belges vous dénonceront.

— Ne sont-ils pas en guerre à nos côtés?

— Pas tous. Pas cette infirmière qui me suit comme mon ombre.

Des larmes coulent des yeux noisette de Clelia. Comment peut-il refuser de la suivre en Forêt-Noire, alors que tout est arrangé? Est-il si pressé de reprendre la guerre aux côtés des siens?

— Mon frère est au combat, mes deux autres frères vont partir. Comment accepter d'être un prisonnier, même auprès de toi, mon amour?

— Si tu pars, je te suis. Que nous importe la guerre? C'est le jeu cruel des fous furieux, des vieillards qui envoient à la mort, sans scrupule et sans remords, les gens de ton âge. Mon frère aussi est au front. Je sais qu'il me comprendrait. Puis-je abandonner celui que j'aime? Qui me le pardonnerait? Je ne demande au ciel qu'une grâce : rester aux côtés de celui qu'il a placé sur mon chemin.

Jean reçoit une autre visite dans la nuit, peu avant l'aube du 31 août, celle d'Emma Hoot.

— Vous n'êtes pas obligé de me croire, lui dit-elle, mais regardez ces épingles.

Elles sont placées en diagonale, au revers de sa blouse. Jean se renfrogne, surpris par la confidence. Il a vu l'infirmière parader dans l'état-major de l'hôpital. Son bon sens lui fait redouter une provocation.

— Ce signe secret veut dire que je fais partie d'un service de renseignements britannique. Mon rôle est de faire évader les prisonniers alliés, avant que le front ne soit bouclé jusqu'à la mer. Tous ceux qui portent les épingles seront à votre service, jusqu'à la frontière. On peut encore passer en France, en suivant la côte. Seuls les cavaliers lancent des raids sur le flanc de leurs armées.

— Comment vous faire confiance ? dit Jean.

— Rien ne vous y oblige. Vous pouvez rester ici et partir pour la Forêt-Noire. Vous serez bouclé chez les dingues, sans aucun espoir d'évasion. Votre amie est surveillée. La police militaire rôde en permanence. Elle serait déjà renvoyée dans ses foyers sans ses hautes protections. Vous ne pourrez sortir d'ici sans moi. Réfléchissez, je repasserai ce soir pour connaître votre décision. Il faudra partir demain, dans un convoi de travailleurs belges levés par les Allemands pour construire des emplacements de batteries sur la côte. Un bateau de pêche vous conduira en France.

À midi, après la visite, Clelia reparaît. Elle glisse un billet dans la main de Jean, sans lui adresser la parole. Elle lui désigne du regard un blessé allemand, sur le lit proche. Il a été installé la veille, c'est un lieutenant de la garde prussienne. Grâce aux étudiants en médecine trop bavards, aides soignants du major, Clelia a appris que sa blessure est imaginaire.

Elle a été intriguée par leur comportement, lorsqu'elle a proposé de le soigner.

— Il est inutile de lui donner des soins, lui ont-ils répondu.

Il a été placé là, à l'évidence, pour surveiller le Français. C'est un agent de la sécurité militaire, il porte un uniforme qui n'est pas le sien.

Jean déchiffre le billet de Clelia : « Méfie-toi de ton voisin. Je lui donnerai un calmant. Quand il dormira, nous partirons à la nuit tombée. Tout est prévu. »

Le matin-même, la jeune fille a parcouru dans le brouillard les rues de Bruxelles, où les hauts des vitrines des magasins sont barbouillés de bleu pour que, la nuit, les avions ennemis ne puissent se repérer grâce aux lumières de la ville. Elle a descendu la rue Royale, sale et grise, pour se rendre sur la Grand-Place où les Allemands ont exposé triomphalement les canons pris à Charleroi, afin de persuader les Belges de leur éclatante victoire.

Au coin du boulevard Anspach, elle a croisé un convoi de soldats anglais prisonniers, le casque en sautoir, les bottes usées par la marche. Des fenêtres du tramway, les Belges leur lançaient une pluie de chocolats et de cigarettes, à la colère des gardes allemands qui faisaient arrêter le lourd engin pour expédier les passagers coupables d'anglophilie au travail forcé.

Clelia ne s'attarde pas à ces scènes de rue dans Bruxelles occupée. Son but est d'obtenir une voiture militaire pour se rendre à Gand, d'où il sera sans doute possible de franchir la frontière.

Elle est optimiste, parce qu'elle ignore tout de la situation des forces militaires allemandes. La première armée de von Kluck est déjà très loin de la ville, et la place et le commandement des étapes sont aux mains d'un général du Wurtemberg, von Böel, qu'elle ne connaît pas. À ce jour, les Allemands, fort avancés en France, marchent sur Compiègne. Ils seront bientôt sur la Marne. La Belgique n'est plus zone de guerre, mais en pleine zone des étapes, les convois vers le front se succédant sur les routes. Il n'est pas question, pour le général, de recevoir une demoiselle de Munich, même au nom illustre. Il a trop à faire.

Elle signale au lieutenant de garde, à l'entrée du QG, qu'elle doit rejoindre une antenne chirurgicale avancée. Elle a besoin d'un transport.

– Voyez l'hôpital. Les convois de blessés retournent à vide vers les lignes. Ils pourront vous prendre.

– Mais où sont les lignes ?

Le lieutenant consent à lui expliquer que l'armée laisse de côté sur sa droite tous les pays à l'ouest de l'Escaut. Saint-Quentin a été prise le jour même. C'est probablement dans cette région, entre l'Oise et la Somme, que seront installés les premiers postes d'urgence. Il la met en garde, vu son jeune âge et son regard candide : ces endroits sont dangereux.

– Mon frère est officier de dragons à l'armée von Kluck, lui dit-elle. Il risque plus que moi.

Surpris par cette résolution, le lieutenant l'aiderait volontiers, il la conduirait même, s'il en avait le loisir. Elle le sent prêt à flancher. Mais un aide de camp l'appelle auprès du général. Il s'éloigne en lui renouvelant son conseil de se rendre à son hôpital.

À l'entrée, les convois sanitaires affluent, remplis de blessés.

Avisant une ambulance automobile réservée au transport des officiers, elle attend qu'on en sorte les brancards aux corps recouverts de pansements ensanglantés pour interroger le conducteur.

– Comment vous appelez-vous ?

Le soldat, d'abord surpris par la question, pense que la jeune fille, en uniforme d'infirmière, le cherche dans le but précis de conduire un officier.

– Mon nom est Josef Sieffert, lui dit-il.

– Vous êtes alsacien ?

– Oui, de Colmar.

– Repartez-vous tout de suite en France ?

– J'attends les ordres. L'armée avance si vite que je ne sais jamais où prendre mes clients. Mais je ne peux repartir avant la nuit. Mon moteur a des quintes et mes ressorts sont cassés. Je dois passer à l'atelier.

– Ce soir, vous me conduirez au front avec un *Hauptmann*. Je suis chargée de l'escorter. Puis-je compter sur vous ?

– Si vous avez un ordre, je suis à votre disposition, *Fräulein*.

À peine surprise de son audace, Clelia s'arrange pour dérober, au secrétariat de l'*Oberarzt*, un ordre de transport en blanc revêtu des tampons officiels. Au magasin de l'habillement, elle s'empare prestement de la capote d'un *Hauptmann* blessé, qu'elle dissimule avec la casquette dans des linges ensanglantés, à l'intérieur d'une poubelle de la cour de départ.

À la tombée du jour, elle se présente devant le lit du pseudo-lieutenant de la garde avec un nécessaire de piqûre.

– Ordre du major, lui dit-elle.

Elle attend que l'éther fasse son office. Quand l'homme, surpris, ferme les yeux, elle aide Jean à se lever.

– Accompagnez-moi au bureau de l'*Oberarzt* pour vos formalités de sortie, lui dit-elle avec autorité.

Au crépuscule, un important convoi de blessés arrive à l'hôpital militaire de Bruxelles. Le personnel médical est mobilisé à l'accueil. Clelia sort la première, emmitouflée dans sa cape bleu sombre, la coiffe enfoncée sur le front. Elle repère Josef devant une ambulance dont le moteur tourne. Dieu merci, se dit-elle, il est au rendez vous.

Elle revient en soutenant les pas d'un officier à longue capote du front, maculée de boue mais parée des pattes d'épaule au grade de *Hauptmann*. Il est coiffé de la casquette défraîchie à bandeau rouge de l'infanterie, porte la cocarde *bayerische* bleu et blanc, posée presque comiquement sur le bandage de la tête.

Josef salue militairement l'officier. Clelia lui demande de l'aider à l'allonger sur un brancard, à l'intérieur de la voiture couverte par une bâche.

– Nous allons à l'hôpital militaire de Gand, dit-elle en montrant à Josef son ordre de route falsifié.

Le chauffeur alsacien paraît fort étonné. Gand n'est occupée par l'état-major d'un corps de cavalerie que depuis quelques jours. Pourquoi y conduire ce blessé, capitaine d'infanterie? Est-ce crédible? Mais il n'a pas à discuter un ordre.

La sortie de Bruxelles est difficile. Des convois de ravitaillement aux armées traversent la ville, en partie interdite aux civils sur les itinéraires du front. L'avance est plus rapide sur la route de Gand, mais l'ambulance est retardée par des files de réfugiés belges qui abandonnent les villages pour gagner le Sud.

— C'est idiot, cet exode, dit Josef à Clelia qui s'est assise à ses côtés pour le surveiller. Nos troupes ne sont pas sur l'Escaut. Elles ne franchissent pas les ponts. Seulement la cavalerie. Les Belges ne risquent absolument rien à rester chez eux. Pourquoi abandonnent-ils leurs troupeaux, leurs maisons ? Toutes les fermes vides sont de bonne prise. Elles seront pillées par les uhlans.

— Le pillage est un crime de guerre, dit Clelia. Je ne crois pas qu'un officier de l'armée allemande le tolère. Modérez votre langage.

Des groupes de dragons en *Feldgrau* et de hussards noirs gagnent l'Ouest. L'ambulance les dépasse en pétaradant sur la route goudronnée. Pas de *Feldgendarmerie*, sauf au carrefour des villages, pour indiquer la direction aux escadrons ou pour garder les ponts sur la Dendre et sur l'Escaut.

Clelia suit la carte routière déployée sur ses genoux avec attention. À l'approche de Gand, les convois de cavalerie sont plus denses. L'automobile croise des unités de cyclistes, des voitures de mitrailleuses. Des avions survolent la région, sans doute pour reconnaître les positions des Anglais débarqués à Anvers. Pour éviter de se rapprocher du front, il faut rouler vers le sud.

D'un ordre bref, elle demande au chauffeur d'immobiliser la voiture en pleine campagne, à l'entrée du bourg de Wetteren sur l'Escaut. Elle vient d'apercevoir un piquet de gendarmes qui arrête les convois pour vérification de papiers. L'Alsacien prend un chemin de traverse, qui conduit à une ferme abandonnée.

— Ici, dit-il en arrêtant le moteur, vous serez en sécurité. Je ne suis pas sûr que vous puissiez poursuivre en automobile. La frontière doit être surveillée.

Clelia, stupéfaite, soulève la bâche pour appeler Jean à l'aide. Ainsi le chauffeur connaissait leur projet, depuis le départ. Jean a déjà sauté à terre, abandonnant sa capote, dans son uniforme français marqué PG dans le dos. Il s'apprête à maîtriser le chauffeur.

— Ne vous donnez pas cette peine, lui dit Josef en français. Regardez plutôt ceci.

Au revers de sa *Bluse* il montre deux épingles placées en diagonale.

— Le service secret, dit Jean. Vous êtes au service des Français.

— Disons des Alliés.

— Et l'infirmière Emma Hoot en est aussi?

— Naturellement, c'est elle qui me donne des ordres. Ne croyez pas que j'aie été dupe du faux papier présenté par la *Fräulein*, j'avais déjà le mien en poche, un véritable ordre de mission donné par Emma et arraché par surprise à la main de l'*Oberarzt* Rauchmann.

— Elle est donc réellement une espionne, dit Clelia.

— Je croyais que vous le saviez. Nous avons dû précipiter votre évasion à cause du projet de l'*Oberarzt* qui voulait vous expédier aujourd'hui même en Forêt-Noire. Il avait reçu des ordres précis vous concernant.

— Comptez-vous repartir sans nous à Bruxelles? demande Jean, prêt à maîtriser l'Alsacien pour garder sa voiture.

— Faites confiance à l'organisation. Nous sauvons d'habitude des soldats anglais par la frontière hollandaise. Mais il paraît que vous voulez rentrer en France. Mes ordres sont de repartir pour Bruxelles. Si la *Fräulein* veut bien prendre place, dit-il d'un air appuyé, en ouvrant la portière de la voiture comme un chauffeur de bonne maison.

— Il n'en est pas question, dit Clelia. Rien ne pourra nous séparer.

Jean conserve un doute. Le plan de l'*Oberarzt* pourrait être de libérer le prisonnier à condition de conserver la jeune fille. En ce cas l'infirmière en chef serait, comme ce chauffeur, un faux agent allié.

— Confiance! répète Josef. Nous autres Alsaciens, nous comprenons l'amour. On vous attend à la ferme. On vous conduira à la frontière, et au-delà, dans un convoi de réfugiés. Les postes militaires français les laissent encore passer, à l'ouest de l'Escaut. Que Dieu soit avec vous!

Pas de feu dans l'âtre, mais du café chaud. La famille Deldoncke attend les fugitifs. Sans perdre de temps, on les fait grimper dans une charrette attelée de deux chevaux robustes qui prennent sans tarder la route de Courtrai. L'attelage s'intègre à une file de réfugiés qui gagne le Sud, à pied ou en carriole, avec une extrême lenteur.

Jean a dû abandonner son uniforme pour revêtir une tenue de paysan belge, blouse de serge et culotte de coutil. La fermière a fait essayer à Clelia une jupe et un corsage de sa fille aînée, de facture rurale, et une grande cape de couleur neutre. Les trois enfants du couple ne sont pas du voyage. Ils ont trouvé refuge à Lede, chez des parents dont la maison est pourvue d'une cave solide et de bonnes réserves de vivres. Le ménage de fermiers est en mission. Il doit conduire Jean et Clelia à Moeskroen, tout près de la frontière française, où ils seront affectés à un autre convoi.

Les uhlans laissent défiler ces colonnes de réfugiés, qui

seront une charge pour l'ennemi. Le fermier l'assure à Jean, des espions allemands pourvus de lampes puissantes, capables de lancer des messages de nuit, se sont infiltrés dans les rangs des civils. À les voir cheminer dans une voiture bâchée tirée par des chevaux bien nourris, ils risquent eux-mêmes d'encourir le soupçon d'être en réalité des agents de la grande Germania. Pour donner le change, le fermier jure en flamand et apostrophe ses concitoyens du haut de son banc. Il en charge même deux, qui offrent spontanément, pour le prix du voyage, une petite barrique de bière.

En approchant de Moeskroen, la foule des émigrants se fait plus dense ; elle est canalisée par des uhlans à cheval vers les chemins secondaires. La chaussée doit être libérée par la cavalerie pour les colonnes marchant en direction de Lille, déclarée par les Français ville ouverte. Le flux se détourne, puis revient insensiblement à la route principale. Nul ne peut arrêter la population, affolée par les bombardements d'avions et par le récit des atrocités allemandes dans les villages de la zone des armées.

Le station frontière de Blandain, juste avant Lille, est déserte. Deldoncke interroge un vieux paysan français qui s'est joint à la troupe informe avec toute sa famille.

— Les Allemands sont à Lille ?

— Non pas. Les Français sont partis. Une vraie débandade. Mais les autres n'y sont pas rentrés. La ville est abandonnée.

— Pourquoi partez-vous ?

— Les uhlans étaient signalés. Les Français ne nous défendent plus. Ils ne tiennent que la place forte de Maubeuge. Partout ailleurs, ils reculent.

— Où trouve-t-on des troupes françaises ? demande Deldoncke.

— Écrivez à l'état-major, répond le vieux, ironique. Il vous répondra.

Un groupe de deux avions français pique sur la colonne et passe en rase-mottes, effrayant les chevaux.

— Ils cherchent les Allemands, dit Jean, et ne les trouvent pas. Les uhlans avancent la nuit et se cachent le jour. C'est une cavalerie fantôme.

— Il faut s'arrêter, dit Clelia. Je dois refaire ton pansement.

Épuisé, Jean se laisse faire, assis sur un banc à l'intérieur de la voiture bâchée. Deldoncke tient la lampe à acétylène juste au-dessus de son crâne. La blessure s'est refermée et ne donne aucun signe d'infection. Clelia verse de la teinture d'iode, confectionne un pansement de coton propre, recouvert d'un bandage plus discret. Le bonnet de laine fourni par les Belges cache le tout. N'était sa mine défaite, rien ne pourrait trahir le blessé de guerre.

— Mes ordres sont de vous conduire au contact des troupes françaises en évitant les patrouilles de uhlans, dit Deldoncke. Mais les Français reculent. Ils ont sans doute passé la Somme. Si nous entrons dans Amiens, nous risquons d'y trouver l'armée allemande. Il est préférable de marcher sur Abbeville, où vous pourrez sans doute rencontrer des cavaliers français.

— Va pour Abbeville, dit Jean, dépassé.

Clelia l'est plus encore. Ils sont dépendants d'un service organisé, qui les dirige à sa guise. Elle sait qu'au bout du voyage le prisonnier français sera récupéré, incorporé. On le lui prendra. L'issue si prévisible de l'aventure la désespère. Elle avait le désir fou de partir, elle n'a pas envie d'arriver.

— Je ne puis vous accompagner plus loin, dit le fermier. La guerre va vite et d'autres missions m'attendent. Les

Allemands peuvent interdire d'une heure à l'autre toute remontée vers la Belgique, trouver suspects les Belges qui veulent rentrer chez eux. Gardez la voiture. Un cheval nous suffira. Je repars seul, avec ma femme en croupe, comme Joseph et Marie dans le désert d'Égypte.

Il passe deux épingles à l'envers du col de Clelia.

– Si vous êtes arrêtés, montrez ce signal. Il vous servira de viatique.

La route de Doullens est déserte, les villages semblent abandonnés. Pas trace de soldats. Les paysans se cachent, craignant l'invasion. Clelia se blottit contre Jean, qui tient les rênes. Sur ce chemin désert, la guerre est miraculeusement absente. On peut tout à loisir l'oublier.

Le cheval ralentit l'allure, marche d'un pas de sénateur, guigne l'herbe du fossé. Puisqu'on lui lâche la bride, il ne se gêne pas pour brouter. Il suit un chemin de halage, poursuit mollement sa décarrade jusqu'aux plus hautes herbes de la baie de la Somme, s'arrête enfin, définitivement, auprès d'une hutte de chasseurs. Un lit de paille attend les voyageurs.

Ils y passent, sous le toit de branchages qui laisse voir les étoiles, la plus belle nuit de leur vie.

Ils sont réveillés par des bruits de pas. Un visage hirsute se montre à l'ouverture de la cabane, surmonté d'un képi cabossé. L'homme a les cheveux gris, le regard glauque.

– À la garde! hurle-t-il en découvrant les fugitifs.

Il tire un coup de feu en l'air, comme s'il venait de tomber sur un parti de uhlans. Un autre homme en veste de chasse et leggings, cartouchières et musette autour du cou, s'approche, carabine en main. Seul le képi le désigne comme un militaire.

Jean et Clelia, toujours allongés sur le lit d'herbes odorantes, ne bougent pas. Ils sortent de leur rêve et ne peuvent imaginer qu'on les menace.

— Debout, là-dedans. Au rapport! crie le vieux soldat.

Il les couche en joue, menaçant.

— Nous sommes des Belges, dit Jean, levant les bras.

Il ne trouve rien d'autre à dire. S'il fait état de son identité, Clelia est perdue.

— Appelle le sergent, dit le territorial. C'est louche.

On les conduit au barrage installé sur la route. C'est une escouade de reconnaissance de l'armée du général d'Amade, uniquement composée de vieilles classes recrutées dans la région pour arrêter les raids de uhlans sur les rives de la Somme, et garder les ponts.

Le sergent n'est pas convaincu par l'interrogatoire. Un garçon de cet âge devrait être dans l'armée belge, qui se bat encore. Quant à la fille, son accent est suspect. Les gars d'ici connaissent les Belges qui travaillent aux moissons tous les étés en Picardie. Trop jolie, trop jeune et trop fine pour être une paysanne. Son accent est allemand, et non flamand.

— Montre tes mains.

Elle s'en garde, flairant le piège. Sa bague discrètement armoriée peut la trahir.

— Je veux voir votre capitaine, dit-elle sans se démonter.

— Et pourquoi pas le général! dit le bonhomme, rustaud.

Le capitaine surgit, à cheval. Encore plus chenu que ses soldats. Ce Jules Lequin, septuagénaire ventripotent, est un ancien de l'armée Chanzy, un de ces partisans qui défendaient Lille en 1870.

Il saute à terre, pesamment. Observant le fin visage de Clelia, il reste longtemps silencieux, lissant sa moustache.

– Puis-je vous parler en particulier? demande Clelia.

Le capitaine fait un signe. Les hommes s'éloignent, encadrant Jean qui observe l'escouade. Un caporal et quatre hommes, tous armés de fusils Gras.

Clelia montre les épingles en diagonale, au revers de sa veste. Le capitaine, méfiant, s'approche.

– Vous ne connaissez pas ce signe?

– Qui êtes-vous?

– Peu importe, dit Clelia. Nos noms ne vous diront rien. Sachez seulement que nous revenons des lignes allemandes.

– Et celui-là?

– C'est mon frère, dit-elle spontanément. Nous sommes des habitants de la région de Gand.

– Vos papiers?

– Nous n'en avons pas. Nous nous sommes enfuis de la ferme, menacés par les uhlans.

– Caporal, dit le capitaine en remontant à cheval, accompagnez ces deux-là au PC des gendarmes. Ils sauront les faire parler. Une espionne et un déserteur. Ouvrez l'œil!

On les fait monter dans un fourgon, gardés par deux hommes gorgés de bière, qui s'endorment bercés par les cahots de la route. Les mains des jeunes gens sont libres. Les territoriaux n'avaient ni chaînes ni menottes pour les entraver. Jean fait un signe à Clelia. Ils soulèvent la bâche et se jettent dans le fossé.

Ils se relèvent sans dommage et partent en courant, à travers champs, droit vers le sud. Pas question d'entrer dans Abbeville, où ils seraient capturés par les territoriaux. Le sifflement d'une locomotive les fait tressaillir. De l'autre côté d'un bois passe une voie ferrée, la seule dont les Français disposent encore pour gagner le Nord.

– C'est le salut, dit Clelia. Il faut aller à Paris. On s'y cachera mieux qu'ailleurs.

Ils rampent jusqu'au ballast, observent les convois bondés de troupes et de vivres. Les trains, vides au retour, s'arrêtent sur des voies de garage aménagées pour laisser filer vers le nord les convois pressés qui demandent le passage à grand renfort de sifflets.

Ils se hâtent de grimper dans un wagon de marchandises vide de tout chargement, d'où ils débarquent, à la gare de la Villette, par une nuit noire. Pas de projecteurs, des lampes teintes en bleu à cause des raids de *Taube*.

Impossible de quitter les lieux : la troupe veille jour et nuit, baïonnette au canon, sur l'embarcadère où l'on charge sans répit les pièces d'artillerie, les chevaux, les caissons. Un vieux lampiste longe le train arrêté, frappant les roues de son maillet de fer. Il les aperçoit dans le wagon. Des Belges, des réfugiés, des sans-papiers. Il passe son chemin sans mot dire, en haussant les épaules.

Au bout des voies, Jean examine le grillage entourant la gare qu'il trouve largement perforé, et non gardé. Il donne accès à la «zone», un vaste plateau peuplé d'une faune bizarre, abritée dans des baraques de planches, encombrées de caisses, de poutres de démolition. Un vieil homme s'est aménagé un abri en creusant le sol, recouvert d'une enveloppe de caoutchouc provenant d'un très ancien aéronef.

– Heureux de vous accueillir. Jérôme Lenoir, aéronaute, échoué ici pendant le siège.

Désignant la peau du ballon captif :

— Je ne suis jamais reparti… Éteignez votre lumière, dit-il à Clelia qui avance prudemment, s'aidant de sa lampe de poche. Les *Taube* peuvent revenir. Hier, ils ont lâché en plein midi un drapeau dans Paris où l'on pouvait lire l'inscription : «Nous serons là dans trois jours!»

Jean et Clelia passent la nuit blottis l'un contre l'autre sur le tapis de sol humide de l'amateur d'aéronefs, sans trouver le sommeil.

— Vous ne pouvez pas circuler de nuit dans Paris. Les fusiliers marins de l'amiral Ronarc'h auraient vite fait de vous pincer. Ces bougres ont dix-huit ans et la gâchette facile.

Jérôme Lenoir leur offre du café réchauffé au fond du trou par un fond de bougie, servi dans un quart tellement culotté qu'on n'en aperçoit plus le métal.

— Demain il fera jour, vous y verrez plus clair. Le gouvernement vient de partir pour Bordeaux. Poincaré en tête. Ils ont évacué même l'artiche de la Banque de France, parti d'ici, de la Villette, pour une destination inconnue. Le général Gallieni commande le camp retranché et fait respecter le couvre-feu. Les Pruscos seront peut-être là demain. Ils ont passé l'Oise, et la Marne.

Le canon tonne au loin dans le ciel éclairé de projecteurs.

— La pièce de 37 sous coupole, commente doctement le troglodyte. Elle protège la tour Eiffel!

Au petit jour, ils quittent Jérôme Lenoir. Étourdie, Clelia lui donne ce qu'elle a dans son sac, toute sa monnaie allemande.

– Des marks! dit-il. Vous me rajeunissez de cinquante ans. Merci, princesse, nous en aurons besoin. J'espère que vous n'êtes pas des espions, ils les fusillent au coin des rues!

Clelia est méconnaissable. La nuit blanche passée sous l'abri, la marche dans le terrain détrempé ont maculé ses vêtements de paysanne, englué ses chaussures d'une épaisse couche de glaise que Jean Aumoine décolle à l'Opinel. Elle se lave le visage et les mains dans un bac rempli d'eau de pluie. Jean admire cette toilette de chatte. Il l'aide à dénouer ses longs cheveux avec son peigne. À peine les a-t-elle redressés en chignon sous son bonnet blanc de Flamande qu'un char à bancs passe sur la chaussée. Jérôme Lenoir arrête le cocher.

– Prends ceux-là, lui dit-il. Ils reviennent de loin.

L'homme fait le service d'une gare à l'autre, depuis que les autobus ont été réquisitionnés. Il ne pose aucune question, ne demande pas d'argent. Habitué à transporter des réfugiés, il signale seulement qu'il fait la ligne Gare de l'Est-Gare d'Austerlitz. Il va prendre son service. Ils seront ses premiers passagers.

– Austerlitz, dit Jean, de là nous irons à Montluçon, chez ma mère.

Clelia rit du visage maculé de Jean, de sa barbe enduite de boue. Il n'a pas osé se laver, pour ne pas exhiber sa blessure du front. Elle lui fait un brin de toilette avec son mouchoir de soie humidifié.

Neuf heures sonnent au clocher de Saint-Gervais quand le char à bancs, rempli de réfugiés, doit s'arrêter devant les quais pour laisser défiler un troupeau de moutons qui gagne les pâturages du Cours-la-Reine. Les portes de Notre-Dame sont protégées par des sacs de sable, des chicanes devant les ponts, gardées par des zouaves en chéchia et culotte bouffante:

– Le génie les a minés, explique le conducteur du char.

– Qui sont ces soldats? risque Clelia.

– 45e division d'Algérie. Ils remontent de Marseille, avec les spahis.

Clelia s'en veut d'avoir interrogé le cocher, qui se reproche de lui avoir répondu. Méfiant, il observe le couple : un homme jeune, en âge de porter les armes.

– Il faut descendre, dit-elle à Jean, à voix basse.

Trop tard : le char à bancs est envahi par un nouvel afflux de passagers, de ménagères portant d'immenses sacs vides qui se rendent à la mairie du 5e où l'on distribue, leur a-t-on dit, des patates, du sucre et du charbon de bois. Les restaurants sont fermés et les épiceries, qui liquident à prix fort leurs stocks, ne sont plus approvisionnées.

Jean et Clelia sont coincés au fond de la charrette. Du moins le cocher les a-t-il perdus de vue. Il ne peut plus les surveiller.

Nouvelle station sur les quais des Grands-Augustins. La Garde républicaine y défile à cheval en uniforme de guerre : elle va prendre sa place au front. La foule fait une ovation à ses cavaliers qui trottent pour leur dernière parade, clairons et timbaliers en tête. Ils précèdent des attelages de 75 qui vont prendre position au nord du camp retranché, dans un fracas de roues cerclées sur le pavé.

Le défilé n'en finit pas. Le 29e territorial, tout juste mis en état de guerre, défile en traînant les pieds sur la chaussée des quais. À hauteur du Jardin des Plantes, une femme de cinquante ans, poussant une voiture des quatre-saisons couverte de pommes, se met à crier, avec un fort accent alsacien : «Ils vont à la boucherie!»

La foule la prend à partie. Des agents surgissent, sifflent pour écarter les lyncheurs, s'emparent de la marchande pendant que la foule déverse ses pommes dans le caniveau. Quelques poulbots ravis de l'aubaine les ramassent aussitôt.

— Les Prussiens ne vous en ont pas assez fait en 70? hurle-t-elle, folle de rage. Ils ont de la moutarde au cul pour vous. Tout l'argent que j'ai dans ma sacoche, je voudrais que ce soit des balles pour vous fusiller.

— Son compte est bon, dit méchamment le cocher du char à bancs. Douze balles dans la peau à Vincennes.

— C'est la mère Spielmann, répond un garde mobile en haussant les épaules. On la connaît depuis trente ans. Elle revient du marché des Halles. Je plains le commissaire. Il en entendra des vertes et des pas mûres.

Clelia, terrorisée, a l'impression que chaque passant la dévisage. Elle rentre fébrilement ses cheveux châtain-blond sous son bonnet. Le cocher les a suivis du regard, et désignés au garde mobile quand Jean et elle sont descendus du char à bancs, au terminus de la gare d'Austerlitz.

— Tiens-les à l'œil.

— Bah! Encore des Belges. Ils vont prendre le train comme les autres. Les ordres de Gallieni sont formels : évacuer le plus possible de Parisiens, et surtout ces étrangers. La police les prendra en charge à l'arrière. On les bouclera tous dans des camps.

La queue est immense. Des dizaines de milliers de gens attendent un train. Beaucoup, arrivés la veille, ont couché dans la salle des pas perdus et même dehors, sur le trottoir.

Des fusiliers marins patrouillent dans la rue, deux par deux, baïonnette au canon. L'amiral les a chargés du maintien de l'ordre. On juge ces engagés bretons trop jeunes pour monter au front.

Jean et Clelia ont pris place dans la file d'attente, assis sur leur baluchon. Les trains manquent. On n'entend pas, sur les voies, le sifflement des locomotives. Un convoi est attendu au début de la matinée. Il ne pourra pas charger tout ce monde.

Le char à bancs reste à l'arrêt, à vingt mètres. Le cocher donne un picotin d'avoine à ses chevaux. Il avise les fusiliers marins.

– Regardez ces deux-là, leur dit-il, ils n'ont pas la conscience tranquille.

Les marins ont l'habitude de traquer les déserteurs. Ils repèrent immédiatement Jean et s'avancent, le fusil sous le bras.

– Partons, souffle Jean à Clelia. Ils vont nous arrêter.

Clelia se lève, prend son sac. Trop tard. Les jeunes Bretons sont déjà sur eux, réclamant leurs papiers.

– Nous avons été attaqués par les uhlans vers Courtrai, dit Jean en montrant son bandage à la tête. Ils nous ont tout pris.

La foule autour d'eux murmure. Le cocher les dénonce comme espions. Une Allemande et un déserteur, dit-il. Bonne prise, les gars.

– Suivez-nous, dit le marin, c'est votre intérêt.

Folle d'inquiétude, Clelia comprend qu'ils ne pourront pas tenir sur la ligne de leur déposition. Elle s'en désespère, car la révélation de leur véritable identité la séparera pour toujours de Jean. Elle pressent que le seul moyen de le

300

sauver du peloton d'exécution qui guette alors tous les espions est de dire la vérité. Un officier de renseignements, alerté, leur pose cent questions sur leur village belge d'origine. Ils ne peuvent répondre, individuellement, que par des indications vagues et contradictoires.

Jean craque le premier. Il raconte par le menu toute son histoire, depuis le moment où l'éclat d'obus l'a scalpé. Il affirme qu'il a pu s'évader grâce à la complicité de cette jeune infirmière de la Croix-Rouge, sa compagne.

– Pourquoi vous a-t-elle suivi jusqu'ici?

– Nous nous aimons, répond simplement Jean.

Son cas est simple. Il suffit de le vérifier. Un médecin, au Val-de-Grâce, examine sa blessure à la tête et le retient pour soins à la salle des pansements.

Les autorités militaires de la place cherchent à interroger son unité, impossible à joindre sur le front. Mais le centre de recrutement de Montluçon confirme. Jean Aumoine a été porté disparu. Il est seulement fautif de ne pas avoir signalé aussitôt son retour. Il rejoindra son régiment, avec une punition de principe, dès qu'il sera en état de porter les armes. Quand les Allemands sont sur la Marne, on ne regarde pas de trop près à la santé des hommes valides.

Le cas de Clelia est plus embarrassant pour l'officier des renseignements qui l'interroge. Il n'a encore jamais arrêté une espionne de dix huit ans. Est-elle allemande? Elle prétend le contraire. Il lui parle dans sa langue, elle ne répond pas. Elle assure à l'officier qu'elle ne peut lui parler qu'en italien.

Elle vient d'imaginer subtilement une version des faits qui doit lui permettre de ne pas être raccompagnée immédiatement par les autorités à la frontière. Elle a suivi

Jean, dit-elle, parce qu'il était en danger, et qu'elle ne voulait pas le perdre. Elle servait dans la Croix-Rouge suisse, et non pas allemande, étant une Italienne de Lugano. Elle est la fille de la marquise Bellini.

L'officier demande réflexion. L'Italie n'est pas encore entrée en guerre et la Suisse est jalouse de sa neutralité. Le moindre incident diplomatique peut compromettre les relations très délicates de la France avec ses voisines. Il se doit de vérifier la déposition.

Clelia avance le nom de la comtesse de Gramont-Caylus, pour confirmer ses dires. L'officier téléphone aussitôt, et, par chance, obtient immédiatement la dame. Dès qu'elle est mise au courant de la situation, la comtesse affirme qu'elle fait atteler sur-le-champ pour emmener elle-même la *Grafin*, dont elle répond. Elle fera parvenir au plus vite à l'officier un passeport délivré en bonne et due forme par l'ambassade de Suisse.

Tout est réglé. Mais Clelia est en larmes dans le bain chaud de l'hôtel de Gramont où elle trouve enfin le repos. Seule consolation pour son cœur meurtri, elle apprend de la bouche de la comtesse qu'elle ne sera pas reconduite à la frontière et qu'elle pourra rester à Paris autant qu'elle le voudra. Elle sera la fée marraine de Jean Aumoine, reparti pour le front.

La Grande-Coinche

– Où est donc passée la 26ᵉ division ?

Personne n'ose répondre à Joffre qu'elle a subi de telles pertes dans la bataille de la Mortagne qu'on ne peut plus compter sur elle. Le 121ᵉ régiment a tout particulièrement souffert.

Depuis le 31 août, le Grand État-Major a quitté le collège de Vitry-le-François pour s'installer provisoirement à Bar-sur-Aube, au château du Jard. La bataille se livre désormais vers l'ouest, de l'Escaut à la Marne. Il faut en rapprocher le haut-commandement.

Heureusement, Joffre n'est pas superstitieux. Il couche sous le toit où résidèrent le roi de Prusse et le tsar Alexandre de Russie, vainqueurs de Napoléon en 1814. Dormant dans le lit du tsar, le général fait de très mauvais rêves : il vient d'apprendre le désastre des troupes de Nicolas II vaincues par le maréchal Hindenburg à Tannenberg. Il sait qu'il ne peut plus compter que sur ses propres forces, et il en ignore la position.

Les téléphones sont à peine branchés, les services campent dans les pièces historiques. Les voitures automobiles et les camions Berliet CBA à pneus pleins ont déménagé les dossiers et les cartes en grande hâte. Joffre a voulu se rapprocher de son front ouest, bousculé par trois armées allemandes. Détestant changer ses habitudes, il réunit deux fois par jour ses officiers, pour le rapport. Il a l'impression désastreuse d'être coupé de toutes ses unités. Le courant ne passe plus.

— Avez-vous nommé Pétain et Mangin chefs de division à l'armée Lanrezac? demande-t-il. Il est inadmissible que des officiers de cette valeur ne commandent qu'une brigade, alors que les divisions sont aux mains de ganaches.

— La nomination est partie, dit le major Bélin en vérifiant ses états.

— Que fait Bazin de sa 26e division? s'inquiète le général en chef, qui consulte pour une fois — preuve de son impatience — la carte d'état-major de la région d'Épinal. Croit-il que je l'aie nommé à la place de l'incapable Signole pour qu'il reste l'arme au pied, alors que les Allemands gardent toutes leurs forces dans l'Est?

Gamelin consulte fébrilement les dépêches de la nuit du 30 au 31 août.

— Bazin est blessé, mon général. Un capitaine, l'agent de liaison Langlacé, l'a sauvé en le chargeant sur son propre cheval. Puis il a piqué des deux pour rallier les unités de la 26e division qui se repliaient en désordre.

— Nommez-le chef de bataillon. Tout de suite.

— Impossible, répond Berthelot, toujours informé. On a retrouvé le cheval, mais le capitaine est porté disparu. Il doit être mort à l'heure qu'il est.

— Le poste téléphonique du corps Alix à Moyemont ne répond plus, signale le major Bélin d'une voix imperson-nelle.

Alix commande le 13ᵉ corps dans l'Est, entre la rivière Mortagne et la Meuse. La 26ᵉ division du général Bazin dépend de lui.

— Le téléphone est également coupé à Compiègne, annonce Berthelot en haussant les épaules.

Il n'a que faire, en ce moment précis, des mauvaises nouvelles venues de l'est et veut ramener Joffre à la priorité du front de la Marne. Les offensives d'Alsace et de Lorraine ont toutes deux tourné court. À grand-peine, les armées Dubail et Castelnau ont réussi à geler la bataille sur des positions de retraite. Les Allemands ne risquent plus de percer dans la trouée de Charmes. L'essentiel se passe désormais à l'ouest, où les trois armées allemandes de Belgique sont arrivées sur la Marne. Joffre demande des précisions sur l'avance de l'ennemi.

— Nous ignorons, poursuit Berthelot, la situation exacte des Allemands sur l'Oise. Mais il est clair qu'ils ont franchi la rivière, sur des ponts restés intacts.

Joffre ne répond pas. Il est accablé, harcelé par les nouvelles provenant de l'Oise, de la Somme, de la Marne. Les Allemands avancent sur ce front à raison de cinquante kilomètres par jour. Les Anglais ne peuvent apporter une aide suffisante, avec un corps expéditionnaire de cent cinquante mille hommes. Il faut renforcer par chemin de fer le front de la Marne, en prélevant des unités ailleurs.

Berthelot ne peut concevoir que le général en chef persiste à attacher de l'importance à l'état des troupes de Lorraine. Pourtant Joffre s'entête : il ne peut accomplir sa manœuvre sur la Marne s'il n'est pas sûr de ce front. Il exige des assurances. Berthelot est incapable de les lui donner. Quand il veut savoir quelle est au juste la position des unités du général Alix, il n'obtient pas de réponse précise. Il ne veut pas en démordre, et exige une information exacte. Il vient de congédier d'un trait de plume neuf généraux de corps d'armée, il peut en renvoyer un dixième, s'il le faut.

— Un corps d'armée entier, quelles que soient les pertes, n'a pu se volatiliser, dit Joffre, en détachant les syllabes. Je comprends qu'on soit sans nouvelles des unités en retraite vers l'ouest de la 5ᵉ armée, depuis que les Allemands ont passé l'Oise et qu'ils sont entrés à Noyon. Mais vers l'est, le front est stabilisé, de Nancy à Épinal. Castelnau, lui, répond au téléphone. Il est inadmissible que le général Dubail, commandant la 1ʳᵉ armée de Lorraine et d'Alsace, ne se tienne pas au contact permanent de ses quatre corps. Faites-le-lui dire sur-le-champ.

— Nous lui avons demandé des prélèvements d'hommes sur son front, pour les acheminer vers l'ouest de la Marne ; il n'a pas répondu, glisse Berthelot, bon camarade.

— Plus nous sommes enfoncés à l'ouest, plus nous devons tenir à l'est, dit Joffre. Castelnau, à Nancy, le comprend. Mais Dubail ?

— J'ai reçu à l'instant un appel au téléphone du capitaine Jourdan, notre correspondant à l'armée Dubail, dit Berthelot. Von Deimling est à Saint-Dié avec de gros renforts d'artillerie. Des Alsaciens de la *Landwehr* et des renforts de bataillons *erzats* sur le front des Bavarois. Une offensive se prépare.

— Avez-vous un terrain d'aviation à proximité du PC du général Bazin ? demande Joffre, en désespoir de cause.

— Nous avons Rambervillers. Mais les appareils sont rares. Deux ou trois, peut-être.

— Faites rechercher la 26ᵉ division de Bazin par les aviateurs, puisque vous êtes sans nouvelles directes. Elle doit absolument tenir le front de la Mortagne. Et repérez les renforcements en effectifs des Bavarois.

Gamelin intervient fielleusement pour signaler les singuliers silences du général Alix, nouveau bouc émissaire désigné, avec Dubail son chef, à la vindicte du général en chef.

— Nous avons capté ce télégramme d'Épinal adressé par Dubail à Alix : «Le 13e corps ne doit pas rester inerte. Il est inadmissible qu'on laisse l'ennemi construire des tranchées sans s'y opposer par le canon.»

Joffre ne perd pas son calme. Si le corps Alix est inerte, c'est que le front s'est stabilisé. Gamelin, qui devine sa pensée, lui enlève aussitôt cet espoir :

— Les unités se sont repliées, dit-il spontanément, pour rechercher l'alignement avec leurs voisines et surtout pour se reconstituer. Si l'on est sans nouvelles de la 26e division, c'est qu'elle est en retraite. Elle n'a plus un bataillon à remuer pour une attaque.

— Il faut renforcer ces gens-là, dit Joffre. Je connais Migat, du 121e, et Camors, du régiment de Riom. Ils ne sont pas hommes à dormir sur le tapis.

— Camors a été tué, dit Berthelot, impitoyable. Un commandant le remplace au pied levé.

— Et les bataillons de Saint-Étienne? Les colonels Couturaud, Deleuze sont des braves.

— Blessés tous les deux, et leur division, la 25e, est hors d'état de prendre l'offensive. 60 % de pertes.

— Envoyez-leur des renforts, passez les dépôts au peigne fin, les services de l'arrière, et même les hôpitaux pour traquer les «fines blessures». Faites marcher une division de réservistes. Ils doivent tenir. Qu'ils s'enterrent s'il le faut. Il n'est pas question d'abandonner la ligne de la Mortagne, dussent-ils s'y faire tuer jusqu'au dernier. Le sort du pays en dépend.

Le téléphone grésille dans le bureau voisin. Gamelin se précipite. Il revient triomphant chez Joffre.

– J'ai des nouvelles de la 26ᵉ division, dit-il. Elle est toujours à la droite du corps Alix. Son PC a été rasé par l'artillerie ennemie mais le général Bazin a été épargné. Les hommes du 121ᵉ régiment se battent au corps à corps dans le bois de la Grande-Coinche.

À Paris, on redoute l'arrivée des Allemands. Le camp retranché est mis fiévreusement en état de défense par Gallieni, qui cherche partout des soldats. On purge les hôpitaux des blessés légers pour les renvoyer au front. Jean Aumoine ne reste pas longtemps à l'hôpital militaire du Val-de-Grâce. Le major juge sa blessure guérie, même si la cicatrice reste sensible.

Les experts du service des renseignements l'ont interrogé sans relâche sur les mouvements ennemis qu'il a constatés en Belgique à l'est de l'Escaut. Il a répondu avec précision, soulignant l'absence de la cavalerie française et la faiblesse de la couverture des territoriaux. Il a signalé qu'aucune troupe ennemie d'importance ne marchait vers la mer, et qu'il n'a jamais rencontré d'unité anglaise. Il a aussi donné tous les détails sur l'hôpital de Sarrebourg, soulignant les pertes ennemies subies sous le feu de l'artillerie française.

On ne lui a su apparemment aucun gré de ses informations. Maintenu au secret dans une chambre individuelle, surveillé par des infirmiers militaires, il a demandé la

permission de téléphoner : refusée. Il a tout juste le droit
d'écrire à sa mère, et sa lettre, le prévient-on, sera censurée.
On l'a averti qu'il ne doit donner aucune indication sur les
positions de l'armée et sur son retour de la zone occupée. Il
ne sait pas comment joindre Clelia, ignorant l'adresse des
Gramont-Caylus.

Son départ vers les lignes est fixé à vingt-deux heures, le
1er septembre. Miracle, juste avant de quitter l'hôpital, un
planton lui glisse une lettre de Clelia qu'il serre sur son cœur.
Ému aux larmes après avoir lu ce déchirant message d'amour,
il prend place dans un fourgon hippomobile, avec cinq autres
blessés reconnus comme lui bons pour le service armé.

Il traverse un Paris en état de siège où les passants
attardés, bravant le couvre-feu, sont interceptés par des
hirondelles à bicyclette et conduits au poste de police.
Beaucoup sont inculpés pour espionnage ou arrêtés pour
avoir répandu de faux bruits.

Le général Gallieni a proclamé et affiché sur les murs sa
détermination à défendre Paris à tout prix. Il y maintient un
ordre strict. Les îlotiers sifflent devant les maisons dont les
volets ne sont pas fermés et où filtre une lumière. Rien ne
doit permettre aux avions ennemis de se repérer. Le voisin
de fourgon de Jean, Louis Lapautre, un fantassin du 92e de
Clermont-Ferrand, assure que Gallieni va réquisitionner dès
l'aube tous les taxis pour les expédier en renfort sur la
Marne, où se prépare une grande bataille.

Sur la place du Châtelet, les théâtres sont fermés. La ville
est plongée dans l'obscurité, tous les bistros bouclés *manu
militari* dès dix heures du soir, la vente de l'alcool interdite.
Le fourgon croise des unités de territoriaux qui remontent
bruyamment le boulevard de Sébastopol pour gagner le

front. Des fanaux signalent aux voitures à cheval et aux automobiles les queues de colonne, pour éviter les accidents.

On embarque désormais les renforts à la gare du Nord, pour rallier la Marne. Pourtant, le conducteur du fourgon a bien dit à ses passagers que sa destination est la gare de l'Est, par le boulevard de Sébastopol. Un arrêt au carrefour de la rue de Rivoli : la baladeuse du tramway Porte de Montreuil-Louvre a renversé un pylône électrique en face de l'immeuble du *New York Herald Tribune*. La clarté de l'incendie est aveuglante. Les pompiers rassemblés à grand-peine à cette heure tardive sont à la tâche. Ils évacuent sur des civières les morts et les blessés.

— Rien d'étonnant, dit Raymond Courbet, du 6ᵉ chasseurs de Niort, un autre compagnon de Jean. Ils engagent dans les transports en commun des vieux, des femmes que l'on ne prend pas le temps de former. Hier, sur la ligne Orléans-Clignancourt du métro, on a relevé quarante-huit blessés, entre les stations Cité et Châtelet. Un carnage.

Jean découvre avec surprise, en bavardant avec ses voisins, qu'il se trouve dans un convoi de cas spéciaux, expédiés au front d'urgence pour «conduite douteuse». Raymond Courbet a été arrêté dans les rues de Courbevoie par une patrouille d'agents cyclistes. Il avait quitté près d'Arras son corps, le 6ᵉ chasseurs, sans permission, et il avait poursuivi la retraite à sa manière.

— J'avais peur que Louison ne me trompe, avance-t-il pour excuse. Je suis allé chez elle, à Levallois. De toutes façons, c'était foutu. Les Allemands avançaient de partout. J'ai été blessé au front. Ils m'ont soigné. Je me suis évadé.

— Pourquoi n'es-tu pas resté prisonnier? demande Louis Lapautre. Pour toi, la guerre était finie.

– Et qui je retrouvais au retour? Si tu connaissais Louison, tu ne poserais pas de questions aussi vaseuses.

– Moi aussi, j'ai été blessé, dit Lapautre. C'est une infirmière française qui m'a sauvé. Je me suis battu à Altkirch, à Mulhouse. Les dragons allemands m'ont fendu le képi. Heureusement, j'avais gardé dedans la calotte de fer. J'ai eu quand même une oreille amochée.

– Des dragons, dans Mulhouse?

– Pendant la retraite, oui, sur la route. Ils nous chargeaient comme en 70, à cheval.

– Tu as continué à te battre en Alsace, dans l'armée du général Pau?

– Non pas. J'ai été transporté sur Péronne, avec les autres du 92e.

Jean ne dit mot. Le régiment de Clermont fait partie de sa division, la 26e. Cet homme n'avait rien à faire à Péronne. Il n'a jamais mis les pieds en Alsace. C'est un simulateur, ou il a perdu la mémoire.

– Je suis maçon à Saint-Saturnin, dit-il, et j'aurais bien voulu rentrer chez moi. Avec une oreille en moins, j'y avais droit.

– Un lobe d'oreille, rectifie Jean.

Le troisième voyageur du fourgon est un vrai Parisien, garçon d'hôtel avenue Kléber. Dix-huit ans tout juste. Son patron l'a dénoncé à la sécurité militaire à cause des propos qu'il tenait aux marmitons dans les cuisines : «Les généraux français font la noce avec les femmes pendant que les Allemands avancent.» On lui a laissé le choix : condamnation civile ou engagement dans l'armée.

Le jeune Raphaël Bernard n'a pas hésité, pas plus qu'Albéric Hubert, arrêté en gare du Nord. Réfugié de Lille, il prétendait avoir été attaqué par les uhlans. Il avait été sauvé, laissé pour mort, par un médecin patriote. Il pouvait fournir un certificat. La sécurité militaire l'a soupçonné d'espionnage. On lui a mis le marché en main : engagement immédiat ou arrestation.

Le dernier passager est un cas : déserteur du 56e d'infanterie cantonné à Châlons-sur-Marne, les flics îlotiers de Passy l'ont arrêté la nuit, alors qu'il gagnait, venant de Genève, l'appartement d'un militant connu de l'anarchie. Agent pacifiste? Pas de preuves. Il disait être rentré à Paris «pour affaires personnelles». La sécurité militaire a recommandé de le verser dans un bataillon de «joyeux», des repris de justice promis aux secteurs les plus durs.

«Pourquoi m'ont-ils laissé mes galons de sergent, se demande Jean, s'ils m'alignent sur des recrues de ce genre?»

La comtesse de Gramont-Caylus n'a pas voulu quitter son domicile, alors que la bataille se livre à moins de cent kilomètres et que Paris se retrouve sans gouvernement, livré à l'autorité militaire. Partir serait pour elle comme une désertion devant l'ennemi. Son mari prisonnier, elle pense de son devoir d'aider, de toutes ses forces, à soulager les peines de l'armée parisienne.

Elle a écrit à Gallieni qu'elle mettait son hôtel à la disposition des blessés de la bataille. Il n'est plus question d'y donner des fêtes et des réceptions. Ici comme ailleurs, les lustres se sont éteints. Elle a envoyé son chauffeur livrer sa superbe De Dion-Bouton aux Invalides, même si nul n'a songé à la réquisitionner.

Elle a d'abord pensé à inscrire Clelia dans les rangs des bénévoles de l'Action catholique, mais la jeune fille lui a longuement parlé de son expérience d'infirmière. Elle soignait les Français en Allemagne, pourquoi pas à Paris? La comtesse l'a conduite elle-même chez le tailleur de la rue de la Paix qui confectionne, pour les dames de la société, d'élégantes et sobres tenues de la Croix-Rouge française.

Clelia, persuadée que Jean sera soigné dans un hôpital militaire, se porte volontaire pour les salles de soins. Sa déconvenue est grande quand la comtesse, accompagnée de la jeune et belle marquise de la Rochetaillade, lui demande de se joindre à elles pour distribuer du chocolat chaud et des cigarettes aux soldats de la gare du Nord.

– J'ai mon brevet d'infirmière, proteste-t-elle, je puis rendre de réels services à un chirurgien!

– Sans doute, mais de la Croix-Rouge allemande... Je ne souhaite pas trop que vous soyez découverte.

Entre le goûter des petits réfugiés belges, les secours aux vieillards sans ressources abandonnés dans leurs logements par les cinq cent mille parisiens enfuis vers le sud, les ventes de charité au profit des blessés, sans compter les visites dans les hôpitaux improvisés par le Secours catholique, la comtesse entraîne Clelia dans la ronde ininterrompue de ses multiples obligations.

Seule dans la chambre, la jeune fille pense à Jean Aumoine. Qu'ils soient tous les deux dans Paris sans pouvoir se revoir lui semble parfaitement illustrer la revanche des convenances sur l'amour. Elle ne doit sa liberté qu'à la parole d'une «grande dame», il doit la sienne à la promesse de retourner au front au plus tôt, pour se faire tuer dans les bataillons disciplinaires! Il ne pourrait la revoir qu'au prix d'une désertion, et elle d'une trahison. Ils ne seront de nouveau réunis que dans un autre monde.

N'y a-t-il plus d'espoir? La comtesse le pense, assurément. À quoi bon entretenir et favoriser une idylle aussi peu convenable? Elle s'évertue à présenter à Clelia de jeunes volontaires américains, recrutés dans la Légion étrangère et qui brûlent d'être pilotes.

L'un d'eux, Norman Prince, prend déjà des cours d'entraînement à Villacoublay. Il est vif, solide et décidé. Clelia entend aussi bien l'anglais que le français, mais la conversation de ce jeune homme blond la laisse indifférente.

La comtesse s'acharne. Peut-être sera-t-elle plus sensible au discours d'un poète, lui aussi légionnaire? Alan Seeger est un ancien élève de Harvard bardé de tous les diplômes, promis à l'avenir le plus éclatant dans son pays, qui a choisi de venir habiter la France un an avant la guerre et de s'engager dès le début. Un de ses poèmes a été publié, assure la comtesse, dans *The New Republic*. Clelia ne peut s'empêcher de tomber sous le charme lorsque le jeune homme se met à réciter, d'une voix douce : *J'ai un rendez-vous avec la mort – sur une pente meurtrie ou une colline dévastée – lorsque le printemps reviendra cette année – et qu'apparaîtront les premières fleurs des champs.*

Jean mourra-t-il lui aussi, aux premières violettes, quand le vent d'avril fera refleurir sur les bords dévastés des tranchées les pâquerettes et les marguerites? Le premier qu'elle a aimé lui sera-t-il arraché, tel ce jeune Américain qui périra effectivement au combat quelque temps plus tard? Il lui chante d'avance, dans sa douce élégie, la mort de Jean, son unique amour. Il faut qu'il sache qu'elle l'aime encore, qu'elle ne cessera de l'aimer. Au diable les contraintes.

Qu'on lui donne très vite une ambulance, un voile bleu, une croix rouge! Qu'elle parte à l'instant, sans plus attendre.

Qui l'engagerait? Sûrement pas les Français. Ils auraient vite fait de percer à jour son identité. La comtesse elle-même, pourtant amie de sa mère, ne songe qu'à la séparer de son amour. Clelia continue de l'accompagner tantôt chez Mme de Ganay, qui a mis son hôtel de la rue François-Iᵉʳ à la disposition du centre de secours américain, tantôt chez la duchesse de Talleyrand, née Gould, qui a offert aux camions son hangar à colis du 25, rue Pierre-Charron. Les «La Fayette Kits» partent tous les jours au front, et livrent des paquets aux soldats. Pourquoi Clelia ne proposerait-elle pas ses services de convoyeuse bénévole? Puisqu'on ne veut pas d'elle pour infirmière, elle réfléchit à tout emploi qui lui permettrait de circuler, de se rendre au front.

Il y a une meilleure solution, se dit-elle : un hôpital privé américain existe déjà à Neuilly-sur-Seine. Il a formé une *ambulance* : une antenne chirurgicale au lycée Pasteur, afin d'y soigner les blessés de toutes les nationalités. Les Américains ne sont pas encore entrés en guerre, leur action est humanitaire. Clelia a appris que des Ford T, équipées de civières, sont prêtes à partir de Neuilly-sur-Seine pour chercher les blessés sur le champ de bataille.

Même s'il n'y a qu'une chance sur mille de retrouver Jean, Clelia veut la saisir. Elle obtient enfin de la comtesse de se faire engager comme auxiliaire bénévole par le chirurgien en chef George Winchester du Bouchet, un intime des Gramont-Caylus. Ainsi Jean Aumoine ne sera-t-il pas le seul à partir pour le front.

Jean n'a pas fait long feu au quartier du 21e régiment d'infanterie de Langres où il a été d'abord expédié, avec ses camarades venus de Paris, pour se joindre, dès le lendemain 2 septembre, aux quatre mille recrues appelées d'urgence en renfort – fonds de tiroir des hôpitaux et des conseils de réforme destinés à combler les vides des compagnies décimées. On les a rassemblées à Langres pour les expédier ensuite vers Épinal, centre de l'état-major de la 1re armée du général Dubail.

Le train débarque ces renforts en gare d'Épinal. À la caserne choisie pour leur affectation provisoire, les hommes ont reçu des uniformes marqués au chiffre du 121e, comme si ce régiment était de ceux qui doivent être renforcés en priorité et à tout prix, avec des soldats venus de partout. À peine habillés et équipés, ils sont de nouveau orientés sur la gare, pour gagner directement le front.

Les quais foisonnent de troupes vêtues des uniformes bariolés des chasseurs de Grenoble, des zouaves et des tirailleurs de Marseille, des artilleurs de Lyon. La guerre continue. Il faut nourrir la machine en expédiant au front des caisses de munitions, des pièces de rechange, des tubes de 75, et surtout des chevaux que l'on commence à acheter en Espagne.

L'avance vers le front se fait dans des camions dépareillés. La hâte de Joffre de renforcer les unités est telle que le temps des marches à pied est terminé. On rafle partout les Berliet, les De Dion-Bouton, les autocars des vallées vosgiennes et les camions de livraison Panhard des grands magasins de la région.

Dans l'autobus Schneider marqué aux armes des Dames de France qui le transporte au front, Jean est assis à côté du chauffeur, bavard et fier de sa mécanique. Il corne à tous les tournants, terreur des oies et des poules, traverse les villages en tête de colonne dans un nuage de poussière.

— Le dépôt du centre automobile des armées est installé chez vous, dit-il à Jean Aumoine, à Montluçon. Les véhicules réquisitionnés sont recueillis et répartis entre les unités par le colonel Girard. Nous sommes déjà quinze mille à conduire et à réparer.

À peine débarqués à Rambervillers, les renforts sont acheminés à proximité du nouveau PC du général Alix, qui les inspecte en compagnie du commandant Bourinat. Ils sont alignés sur la place d'armes, quatre mille hommes rangés par éléments disparates, affectés à tel ou tel régiment. Alix s'arrête au niveau du 121e. C'est l'un des contingents les plus fournis.

— Ce régiment a beaucoup souffert, dit-il à Bourinat. Il a perdu presque tous ses officiers.

— Les promotions se sont faites sur place, répond l'envoyé de Joffre. Ce sont les ordres du général en chef. Je vois là des sergents qui feraient d'excellents sous-lieutenants, mieux que les brutes d'adjudants arrivés par le rang, et tout juste capables de faire balayer le quartier.

— Je ne suis pas sûr de la qualité des renforts, s'inquiète Alix. J'attendais une division de réservistes. Vous m'envoyez des hommes qui sortent à peine de l'hôpital ou des dépôts.

— Nous n'avons pas le choix. Estimez-vous heureux de garder vos effectifs, malgré les cent mille hommes que Joffre a détournés du front de l'Est pour la Marne. Il faut tenir avec ce que vous avez.

Au ton, à l'assurance du commandant Bourinat qui passe la revue à cheval, aligné sur le général Alix, Jean comprend qui commande vraiment. Alix n'est qu'un exécutant placé sous surveillance, sans la moindre initiative.

— Avez-vous retrouvé la 26ᵉ division? ironise Bourinat. Le général en chef attacherait certainement du prix à ce que vous l'en informiez.

— Vous m'avez déjà enlevé une brigade entière de la 25ᵉ division, répond Alix. Oubliez-vous qu'elle est dans les Vosges, pour empêcher la débâcle? La 26ᵉ s'est reconstituée comme elle a pu, sur la ligne Rambervillers-Anglemont, entre Meurthe et Moselle. Le PC de Bazin a sauté. Nous ne correspondons plus que par courriers. Ignorez-vous que l'artillerie d'en face a doublé en effectifs, et que les tirs ne cessent pas? Croit-on à Vitry-le-François…?

— Nous n'y sommes plus, coupe Bourinat. Nous sommes à Bar-sur-Aube. La bataille décisive va se livrer à l'ouest, sur la Marne, avant quarante-huit heures. Le général en chef espère que vous en êtes conscient. Il faut que toutes les unités ennemies qui sont en face de vous y demeurent. Vous devez les fixer en les attaquant sans cesse. Est-ce clair? Nous avons reçu le double des messages de la 26ᵉ division au PC de l'armée Dubail. Nous savons que vous n'avez pas été fichus de prendre Domptail. Pourquoi avez-vous reculé?

Le général Bazin, en charge de la 26ᵉ, n'était pas prévu à inspection. On le croyait blessé, immobilisé. Il survient tel un somnambule, le haut du front ceint d'un bandage. Il a sans doute été informé de la visite de Bourinat à l'état-major du 13ᵉ corps par le capitaine Gastou, aide de camp d'Alix. Et Bazin n'est pas homme à se laisser faire par un de ces espions de Joffre.

— Vous voulez savoir pourquoi j'ai reculé? dit Bazin. Suivez-moi dans les lignes.

Point n'est besoin de marcher longtemps. Avec Bazin et Alix, Bourinat gagne les positions avancées de la 26ᵉ division. Les biffins sont embusqués dans des trous d'obus, à trois kilomètres à peine du PC d'Alix à Rambervillers. Ils n'ont pas eu le courage ni l'énergie de creuser des tranchées. Le paysage est ravagé, farci d'entonnoirs, les routes barrées par des arbres abattus.

Le commandant Migat, du 121ᵉ, vient à la rencontre des officiers. Exténué, sa vareuse maculée de boue, il trouve à peine la force de saluer.

— Nous avons reculé dans la nuit en plein bombardement et pris ces positions de repli, devant Anglemont, au petit matin. Je vais essayer de reformer les compagnies, grâce aux renforts que vous me promettez, mais je n'ai pas de cadres et les hommes sont incapables du moindre effort.

— À la 25ᵉ de Saint-Étienne, c'est pire encore, dit Alix. Un régiment n'a plus qu'un bataillon, les compagnies sont fantomatiques.

— Que fait l'artillerie ?

— La foire complète, dit le capitaine de Cointet, officier de liaison. Pas de commandant d'artillerie. Chaque batterie tire pour son compte, et de trop loin. L'ennemi nous accable sans être menacé.

Bazin prend Bourinat à témoin :

— Comment voulez-vous attaquer dans ces conditions ? dit-il. Les artilleurs prétendent qu'il est impossible d'atteindre les obusiers allemands.

— Le Grand État-Major a envoyé une directive pour leur demander d'enterrer les crosses et de tirer à sept mille mètres intervient Alix. Je l'ai de mes yeux lue. On voit bien que Joffre n'a jamais commandé une batterie de 75. Enterrer la crosse du canon le plus mobile du monde! Quel aveu d'impuissance! N'a-t-il pas trouvé dans les parcs d'artillerie la moindre pièce lourde transportable?

– Ne demandez pas l'impossible, conclut le commandant Bourinat, définitivement éclairé sur les capacités offensives de la 26ᵉ division. Enterrez-vous, renforcez-vous, mais ne lâchez pas un mètre de terrain. Où est le 121ᵉ? demande-t-il à Migat.

– Ce qu'il en reste s'organise dans le bois de la Grande-Coinche.

Au soir de son arrivée en ligne, ignorant tout des conciliabules de ses officiers supérieurs, l'adjudant Castaldi met le sergent Aumoine tout de suite à l'aise : guéri de sa blessure, le baroudeur, qui reprend du service, bout d'impatience. Il estime que le repos forcé dans les trous individuels, ces portions de tranchées, est du temps perdu, et veut en profiter pour reprendre la troupe en main.

Il connaît la conduite au feu de Jean, et compte sur lui pour mater ces soldats de deuxième choix, en faire des combattants. Le vétéran du Maroc considère déjà Jean comme un ancien, après seulement quinze jours de front. L'adjudant veut commencer sans attendre le dressage, en désignant à la vindicte du sergent l'Eugène, cet anarchiste de Saint-Christophe, ce vigneron rouge inscrit au carnet B, un rescapé de la mobilisation.

Il est pourtant inoffensif, Eugène Lachelier, qui a fait ses classes comme les copains, même s'il a, il est vrai, déserté les périodes de la réserve. On l'a éloigné des premières batailles, car les chefs prenaient soin de préserver l'armée de la gangrène pacifiste, des provocations verbales et autres tracts clandestins circulant sous la capote…

Après la saignée des frontières, le commandement ne fait plus la fine bouche. L'Eugène a sa place au combat. Il serait injuste, à l'égard de ses camarades déjà tués, de tenir celui-là à l'abri en le maintenant à l'écart. Jean Aumoine veut considérer Eugène comme un soldat parmi les autres, et le dit en ces termes à Castaldi. L'adjudant fronce le sourcil : Aumoine, un fils de gendarme, serait-il gagné à l'anarchie ?

Adam Lascot, le vigneron de Beaumont, guéri lui aussi de sa blessure légère, retrouve le sergent Aumoine avec plaisir et l'Eugène avec enthousiasme. Il partage les idées de gauche des paysans du Centre. Les soldats ont tout le temps de deviser. La guerre semble avoir reflué vers d'autres parties du front. On entend, très atténué, le bruit du canon au loin. Pas de feu d'armes automatiques. Adam Lascot contemple son copain l'Eugène, perdu dans sa rêverie. Il ne condamne pas, comme lui, catégoriquement l'armée. Il pense qu'une guerre juste est un devoir, que les camarades ne sont pas morts pour rien. Ils ont pris le fusil contre l'envahisseur, comme les ancêtres, les francs-tireurs républicains de 1870.

Décidément, la présence muette d'Eugène Lachelier a le don d'interroger les consciences. Pour Jean, un anarchiste est un militant comme un autre. Pas nécessairement un poseur de bombes, mais un syndicaliste de choc. L'Eugène a servi le progrès social à sa manière, en résistant pendant la grève des chemins de fer de 1910. Il se retrouve, au final, dans les rangs des poilus avec tous les autres.

Jean estime, exactement comme Bousquet, le **maire** radical d'Huriel, ou Jean Moreau, le maire socialiste de

Villebret, ou encore Joseph Bouin, l'instituteur secrétaire de mairie, que la République – leur République – est victime d'une agression, et qu'elle ne doit pas, comme l'a fait l'Empire en 1870, se coucher pour mourir. Toute la France a les yeux sur eux, les combattants. Tant qu'ils ont un Lebel en main, rien n'est perdu. Pour lui, comme pour les autres agriculteurs du Centre attendant de nouveau la bataille dans les trous de la terre vosgienne, cette invasion des Impériaux en casques à pointe, exhibant Dieu sur la boucle de leurs ceinturons – *Gott mit uns* –, met en cause non seulement la sécurité des personnes et des biens, mais le droit des gens et la liberté. L'antimilitarisme des amis d'Eugène n'a pas de sens, lorsque officiers et soldats sont pris sous le feu niveleur des canons de Bertha Krupp, la «Miss Germania» caricaturée par la propagande alliée, symbole du militarisme sauvage.

– C'est plus comme avant, dit Eugène Lachelier à Jean Aumoine. Ils ont retourné leur veste, les anars. Regarde Gustave Hervé, celui qui parlait de planter son drapeau dans le fumier, à la caserne. Tu connais plus patriotard que lui? Moi, je garde mes idées, mais t'inquiète pas, je ferme ma gueule. Il ne fait pas bon d'être le seul à l'ouvrir. Peut-être que les temps changeront, mais nous ne serons plus là pour le voir.

– Nous serons là, lui assure Jean. Et nous aurons la parole, pourvu que les autres ne passent pas.

– Ils passeront sur nos cadavres, répond l'Eugène, lugubre.

– Des cadavres, il y en a autant des deux côtés, s'interpose un soldat aux mains fines de bureaucrate ou de notaire. Il me semble qu'on les a bien arrêtés, au moins ici, en Lorraine. Ils n'ont pas pris Nancy, et ils n'ont pas percé à Charmes.

Antoine reconnaît Edmond Prost, son camarade du lycée de Montluçon. Lui aussi a rejoint les premières lignes, happé par le recrutement. Edmond les pieds plats, comme s'en amuse Castaldi, renvoyé à l'arrière à cause d'ampoules sanglantes, a été réexpédié par une commission de réforme. Il semble s'excuser d'être de retour si tard, quand tant de copains y ont déjà laissé leur peau.

— Tu vas avoir le temps de mourir! lui lance Castaldi. La danse va recommencer. Demain matin, peut-être. Et Joffre les torchera!

— On dit à l'arrière qu'il est démissionnaire, glisse Edmond. Pau le remplacerait…

— Bêtises! assure l'adjudant. Joffre va gagner. Les Pruscos seront repoussés.

— Et nous aurons la paix pour Noël, conclut Jean, sans trop y croire. Quel pays aurait les moyens d'entretenir plusieurs millions d'hommes à la guerre pendant des années?

De retour de la réunion d'état-major où il accompagnait Migat, le capitaine Gérard fait sa ronde, organisant les postes de guet pour le cas où, la nuit venue, l'ennemi tenterait des reconnaissances. Il tombe sur Jean Aumoine qu'il n'avait pas encore revu.

— Tout le monde vous a cru mort, lui dit-il en le serrant dans ses bras. Je vous ai porté disparu.

— Ceux d'en face ont soigné ma blessure, puis je leur ai faussé compagnie.

Le récit de son évasion et de la complicité de l'infirmière de la Croix-Rouge allemande stupéfie Vincent Gérard. Que la jeune fille ait trouvé refuge chez la comtesse de Gramont-Caylus coupe court à toute question embarrassante sur les facilités dont elle aurait pu bénéficier chez l'ennemi.

En contournant la ligne du front, Jean vient d'accomplir un exploit. S'il n'a pas vu de troupes françaises en retraite sur la rive gauche de l'Escaut, il a observé les trains de renforts expédiés par Joffre vers le nord, par la ligne d'Abbeville, et la mise en état de défense de Paris par Gallieni. Il est donc assez confiant, et le capitaine Gérard s'en réjouit. Avec Jean Aumoine, il vient de retrouver le pivot de la compagnie, celui qui inspire confiance à tous dans les moments les plus durs. Pour lui, le retour de Jean est un signe du ciel, comme une promesse de salut. Si les bons ne meurent pas tous, si Dieu a sauvé celui-là, c'est qu'Il est avec les Français.

Quand le lendemain, 3 septembre au matin, le capitaine relate à Migat l'aventure de Jean Aumoine, celui-ci demande aussitôt à rencontrer l'incroyable sergent. Et d'abord, qu'il lui montre son crâne blessé. Ainsi, il a faussé compagnie aux Allemands dans cet état, et les brutes du Val-de-Grâce ont fort bien pu expédier au front un soldat dont la cicatrice est à peine refermée.

– C'est un képi de sous-lieutenant qu'il faut, sur cette tête-là, dit-il simplement. Je propose votre promotion par pigeon voyageur

– Mais, mon commandant, d'autres...

– Les autres ne savent pas contourner le front pour reprendre leur poste, encore moins lire une carte ou rédiger un rapport. Vous savez faire tout cela, je vous nomme. Chez le capitaine Gérard, à la première compagnie, bien entendu. Organisez immédiatement la défense.

Migat commente pour Gérard, en aparté :

— Un ingénieur, cet Aumoine, un ancien élève de lycée technique… Qui pourrait mieux tracer vos tranchées? Car nous y sommes, mon bon Gérard, et nous n'en sortirons pas de sitôt. À l'heure où je vous parle, Joffre se prépare à attaquer sur la Marne. Il compte sur nous pour tenir à tout prix le front de Lorraine. Dans les tranchées!

Les nouveaux arrivés se mettent au travail sans plus tarder, dans le bois de la Grande-Coinche, pris et repris plusieurs fois, et dont les arbres ont été fauchés par le canon.

Si rebelles soient-ils, les Eugène Lachelier, les Adam Lascot et les Maurice Lefort n'en sont pas moins sensibles au spectacle de leurs camarades épuisés, harcelés par les combats incessants, meurtris par la disparition des leurs. Pour peu qu'ils aient du cœur, les nouveaux venus du «recomplètement» se hâtent de prendre la relève : torse nu, ils saisissent les pioches et les pelles.

Le géant Joannin ne tient plus debout, le clairon Biron n'en finit pas de convoyer vers l'arrière les blessés des derniers combats, qu'il faut courir récupérer sur les brancards en risquant les balles ennemies. Les renforts ont échappé à ces affrontements, ils n'ont pas encore combattu. C'est à leur tour de creuser ferme, à peine arrivés en ligne. Jean leur a expliqué que leur sécurité dépendait de la profondeur des tranchées.

— Pour reconstituer la 26e division, devenue inapte à toute offensive, il faut d'abord l'enterrer. Ce sont les instructions de Joffre lui-même, explique Gérard à Jean Aumoine. Le général en chef a dit : «Durer, tout en fixant les forces ennemies.» Voyez le Boche en face : il travaille de jour et de nuit à ses retranchements, tel un castor.

– Finies, les nuits à la belle étoile, dit Jules Massenot, fataliste. Nous allons coucher avec les rats!

Il désigne à Jean un bouclier de canon détruit qui, de sa masse de fonte, recouvre un abri creusé hâtivement dans le sol :

– Ton PC, mon lieutenant!

– C'est un palace, sourit Jean.

– Manque le téléphone! La compagnie n'avait pas de numéro disponible, ironise encore Massenot. Mais tu as la carte d'état-major au 45/1 000 du secteur, et l'emplacement de ce qui reste de tes sections dans le bois des Coinches.

Jean réunit aussitôt les plus compétents autour de lui, afin d'organiser le réseau de tranchées. Jules Massenot, son crayon bleu sur l'oreille, propose des plans propres, bien tracés, de coupe et de profil. Il songe déjà à aménager une douche rustique, qui recueillera les eaux de ruissellement. Avec le caporal Lemonnier, pour qui les bois de noisetiers n'ont pas de secrets et qui se charge de la confection des caillebotis au sol, on évitera, en partie, la pataugeoire. Jean Nisard, le sergent fourrier, arpenteur dans le civil, s'enquiert des cotes et dessine différents escaliers de sortie, pour les parallèles de départ hors de la tranchée. Jules Bousquin, le chasseur de sangliers de la Genebrière, propose de creuser des niches à même les parois, qui permettront de s'embusquer et de dormir au sec. Jean insiste sur la solidité du parapet, qui doit être à l'abri des tireurs d'élite, percé de meurtrières comme le château des ducs de Bourbon.

– Et les tinettes? s'inquiète l'Eugène. Avez-vous imaginé que trois mille types, chiant deux fois par jour, produisent un volume d'au moins une tonne de merde? Soit trente tonnes en un mois... De quoi submerger votre gentil village d'Anglemont ou de Menarmont, ou de Doncières!

— Des fosses d'aisances sont creusées sur les pentes, répond le plombier Massenot. Un boyau d'accès et des lieux collectifs. Ils ne feront pas mieux en face! Si nous restons longtemps coincés ici, nous devrons demander de la chaux, pour désinfecter.

— Deux mètres de large, la tranchée? demande Jean Nisard, un double mètre pliant à la main.

— Pas question. Quatre-vingts centimètres, au maximum. On s'enterre pour se protéger, pas pour construire un boulevard souterrain, précise Jean. Deux mètres, oui, mais en profondeur, et un tracé en zigzag. Les mitrailleuses ne doivent jamais nous prendre en enfilade.

Lemonnier débite en série, à une cadence stupéfiante, les troncs tendres des noisetiers et des bouleaux; Joannin creuse; l'adjudant Castaldi organise les tours de guet avec les meilleurs tireurs. Il les connaît depuis le champ de tir de Montluçon, les ayant lui-même entraînés.

Voilà qu'ils refusent toute tentative qui pourrait déclencher une riposte torrentielle de l'ennemi.

— Hier, dit Maurice Duval, j'ai fait un carton sur un officier bavarois. Nous avons eu deux heures de bombardement de marmites en représailles immédiates. Mieux vaut ne pas recommencer.

Castaldi s'approche d'une meurtrière déjà aménagée, un Lebel à la main, prêt à coucher soigneusement une cible dans sa ligne de mire et à montrer son adresse, comme au stand. Le capitaine Gérard l'en dissuade en levant de son stick le canon du fusil.

— Nous sommes trop peu nombreux pour prendre des risques. Vous aurez d'autres occasions de montrer vos talents.

Edmond Prost, une bêche à la main, trace le chemin vers l'arrière pendant que Lascot érige les postes de tir pour les mitrailleuses embusquées. Ses mitrailleuses. Le capitaine Gérard lui a confié la responsabilité de la section entière. Nul ne sait mieux qu'Adam Lascot construire un nid absolument invisible, et le placer là où il sera le plus dangereux pour l'ennemi. Adam a trouvé sa voie en montrant ses compétences. Il a déjà gagné ses galons de sergent-chef.

L'adversaire, à cent mètres de là, doit se livrer aux mêmes travaux, car les Français ne sont pas dérangés : aucun tir d'artillerie, pas le moindre coup de feu. La journée se passe en terrassement, de part et d'autre.

À minuit, le 3 septembre 1914, le sous-lieutenant Aumoine, ses galons fraîchement cousus sur la manche de sa vareuse maculée de boue, commande à une vraie ligne de tranchées, une des premières de l'armée. Sa compagnie, épuisée, s'endort ce soir-là, confiante, dans le creux de la terre.

— Quel est l'appui d'artillerie ? demande Jean au capitaine Gérard au moment d'inspecter les lignes.

— Des éléments de nos batteries retirées au col de la Chipotte. Les artilleurs sont comme nous, ils attendent les renforts.

— Ils peuvent attendre longtemps, dit Jean. Tous les canons vont à la Marne. J'en ai vu des trains entiers remonter sur Noyon.

— Prenez un cheval. Un sous-lieutenant doit savoir monter. Et venez avec moi.

Jean saute en selle sans mettre le pied à l'étrier, comme lorsqu'il était jeune homme, au moulin de la Baudre. Rassuré sur ses capacités, Gérard l'entraîne vers l'ouest et lui désigne un plateau aux buttes boisées.

— Derrière le village de Magnières se tiennent les emplacements des canons lourds allemands, dit-il. Ils sont invisibles, mais les aviateurs les ont repérés. Le colonel nous transmet désormais les photos, que nous étudions à la loupe. Les artilleurs de Bourges font ce qu'ils peuvent, mais les tubes de 120 ou de 150 tirent sans difficulté jusque dans nos lignes, et la réciproque n'est pas possible. Toujours cette damnée portée du 75, beaucoup trop courte. Regardez en face, dit-il en passant ses jumelles à Jean, la crête des Pucelles. Ils ont aussi du canon derrière, directement contre nous. Et du canon lourd.

— Où sont donc nos pièces?

— Elles vont arriver. Ce sont celles du 21ᵉ corps, qui vient de lâcher le col de la Chipotte. Les Allemands creusent des tranchées devant Saint-Benoît, défendu par des renforts du corps colonial, des zouaves, surtout. Et Saint-Benoît, c'est seulement à trois kilomètres de nos lignes. Autant dire qu'ils seront demain sur nous. Heureusement, nos chasseurs arrivent en renfort d'extrême urgence. Neuf bataillons, des Jurassiens solides. Nous sommes parés sur notre droite.

— Mais l'artillerie?

— Remarquez, au loin vers l'est, vers la Chipotte, le village en flammes de Ménil. Nos artilleurs sont installés sur la crête, au nord de Bru.

Jean voit Bru sur la carte, mais non sur le paysage. Le capitaine lui tend de nouveau ses jumelles.

— Je vais vous en commander une paire, dit-il. Elles sont indispensables à tout officier. Le clocher de Bru est cassé.

mais très reconnaissable. D'ailleurs, regardez ce panorama peint par l'un des nôtres, un aquarelliste du dimanche. Il a représenté jusqu'aux moindres détails du paysage. Voyez Bru, et ses peupliers hachés par la mitraille. Une œuvre d'art. Un vrai canevas de tir pour nos artilleurs. Vous entendez le canon au loin : sans doute nos 75, qui essaient de neutraliser les batteries ennemies repérées par l'aviation entre Ménil et Sainte-Barbe. La réaction immédiate des Bavarois est de faire reculer leurs pièces pour les mettre hors d'atteinte.

— C'est une guerre d'arpenteurs, dit Jean. Il faut savoir calculer où l'on se pose. La distance est vitale.

— C'est vrai. Hier, un officier du génie a été tué dans son logement, à l'arrière des lignes, par un obus tiré à treize kilomètres. Les PC sont systématiquement détruits. Le général Bazin a failli y passer. Le colonel de Cissey, d'un régiment de Bourges, a été tué dans le sien. À croire que les pointeurs ennemis sont renseignés par des espions !

Des pièces attelées à quatre chevaux peinent dans la côte pour prendre position derrière le bois de la Grande-Coinche.

— Ceux-là sont directement en soutien, dit le capitaine. Ils vont creuser des emplacements, s'enterrer comme nous. Et dans des cagnas de deux mètres de profondeur, afin de protéger les servants pendant les tirs d'obusiers.

— Ils seront tout de même mieux abrités que nous, les artiflots…

— Essayez d'oublier ces querelles de popotes, modère le capitaine. Nous aurons besoin d'eux, ils sont notre seule vraie protection. Qu'ils flanchent et, malgré les tranchées, nous sommes à découvert. Imaginez un tir d'obusier lourd sur un boyau !

Comme pour lui donner raison, un tir groupé de 210 troue le silence. Quatre obus qui ne tombent pas exactement sur le tracé de la tranchée, mais à environ dix mètres. Le jet de pierres et de terre interrompt le travail des terrassiers. Pas de morts ni de blessés, mais on perçoit des râles dans l'entonnoir de l'avant. Eugène, qui s'était isolé pour pisser, a été renversé par le souffle et recouvert de cailloux.

Jean Aumoine et Vincent Gérard accourent. Ils dégagent à la pelle, délicatement, le corps meurtri du jeune soldat, choqué à ne pas pouvoir tenir debout.

Pourtant, il peut bientôt marcher, les membres sont intacts. Il a seulement un éclat d'obus dans l'épaule. Jean sort une bouteille d'éther de la trousse de pharmacie de la section, dégage un trou minuscule où le sang palpite, jaillit par brusques saccades. Les brancardiers entraînent le blessé vers le poste de secours, avant de l'évacuer vers l'antenne. L'anar, dit l'Eugène, aura vécu son jour de guerre. Il aura payé l'impôt du sang.

— Revenons aux artilleurs, affirme le capitaine. Il faut absolument convenir avec eux d'un code de signalisation.

— Pour qu'ils ne nous tirent plus dessus!

— Par exemple… Mais surtout pour qu'ils soutiennent nos mouvements au plus juste. L'idéal serait que l'un d'eux soit constamment présent dans la tranchée, et qu'il puisse correspondre par fil avec sa batterie.

Quatre pièces sont déjà alignées derrière un repli de terrain, à mille mètres au sud du bois de la Grande-Coinche. Une vingtaine d'artilleurs à pied creusent des cagnas et des emplacements de tir avec frénésie, comme s'ils attendaient la sauce d'un instant à l'autre. Ils craignent d'être repérés par les observatoires ennemis, installés sur une colline de plus de trois cents mètres d'altitude, au nord de Bru. Heureusement, les Bavarois n'ont plus d'avions. Depuis quelques jours, les oiseaux noirs ont disparu, tous envolés vers l'ouest.

Un cavalier arrive au galop sur un cheval blanc.

– Il va les faire repérer, peste Jean. Un cheval blanc, c'est pour la scène du Châtelet!

– 121e d'infanterie! se présente le capitaine Gérard, de Montluçon.

– 35e RAC, commandant Guyard, dépôt de Clermont-Ferrand!

L'officier n'a pas de temps à perdre. Il donne des ordres pour abandonner les emplacements, sans doute connus de l'ennemi, et reculer les pièces sur-le-champ.

– C'est le régiment de Léon, dit Jean. Où est Léon? Son chef s'appelle Dubaujard!

– Oubliez Dubaujard, il est mort, répond le commandant Guyard en réprimant son émotion.

Guyard est un homme de l'Ouest égaré, par les hasards des nominations, loin de son Vannetais natal, dans les armées du Centre de la République – ou de la République du Centre –, des officiers joffristes des armes savantes. Combattant chouan, comme ses ancêtres, à la bataille de Cholet, dans les armées de Gambetta, homme sensible et bon, il laisse à Dieu le soin de l'âme sans reproche de Camille Dubaujard.

– Mais Léon sera de retour avant peu, ajoute Guyard. Le maréchal des logis Léon, le héros de la batterie. Il a été blessé au Donon. Il s'est battu comme un lion à la Chipotte. Vous le verrez bientôt.

Léon doit en effet revenir aux armées. Il aurait pu être déjà là, dès le 1ᵉʳ septembre. Mais il a pleinement profité de sa permission d'une petite semaine accordée après ses exploits au Donon, et son hospitalisation pour blessure légère à Lyon. À l'hôpital de Montluçon où il a passé quelques jours de convalescence, les habitants de Domérat et de Villebret se sont succédé pour lui rendre visite. Il a été entouré des soins de sa femme et de sa mère, constamment admises à son chevet. À sa mère, il a raconté avec émotion la mort de Dubaujard, qu'il n'avait pu sauver. À Bigouret, venu d'Huriel aux nouvelles, il n'a dit que des paroles confiantes. C'est lui, le héros blessé, qui a dû réconforter, remonter le moral de l'adjoint au maire qui trouvait la guerre trop longue.

– Nous serons là pour Noël, lui a-t-il assuré.

Les quelques jours de congé ont passé dans un rêve de retour à la paix, auprès de Marguerite, son épouse. Mais impossible pour Léon d'oublier le front, ses copains restés au danger, et jusqu'à ses chevaux de batterie…

Dans le compartiment de son train pour Épinal, il se surprend lui-même : il se sent, à la vérité, impatient de retrouver sa place à la guerre. Non pas animé par la rage de combattre, mais pour rejoindre son vrai milieu, ceux qui meurent et souffrent sur la faille sanglante de la terre française : une toute petite bande de terre, vue d'avion, où se joue le sort d'une armée enterrée.

C'est lui! C'est bien lui! Il est de retour! Guyard n'a pas menti. Il avance, de son pas de laboureur, sur le champ de bataille. Jean le reconnaîtrait entre mille, à sa haute silhouette et à ses longues enjambées.

– Oh! Fusillades! crie Léon en ouvrant grand les bras.

C'était le juron favori du père. Celui qui exprimait la surprise, la joie, l'inexprimable. On a du mal à croire que, d'un côté, ce canonnier au physique de bûcheron, aussi noir de moustache et de sourcils qu'un Auvergnat, de l'autre, ce tout nouveau sous-lieutenant, solide et musclé mais délié, sans poids ni poils, regard aussi luisant et vif que la châtaigne sortie de sa bogue, soient tous les deux les enfants de Marie Aumoine, petite femme mince de Domérat, plissant les yeux sous les éclats trop vifs du soleil de septembre, recroquevillée à l'abri du vent contre le mur de pierres sèches de son verger, et dont le seul plaisir est de penser à ses fils.

Ils sont là, campés sur le champ de bataille, figures soudain invulnérables, que rien ne saurait atteindre. Sauvés d'avance, prémunis par l'amour de Marie. Autour d'eux peut tomber la pluie d'acier de la Prusse. Ils ne se disent rien, ils s'étreignent. Moment rare, béni, deux frères se retrouvent. La guerre suspend son souffle. Ont-ils aussi des frères, ceux d'en face?

– Ne restez pas sur la pente! crie Léon à ses servants. Défilez-vous, nom de Dieu!

L'action repart, après l'arrêt sur image. Installer, même camouflées, les pièces hors de leurs retranchements, signifie les offrir à la destruction. Le «défilez-vous» est le maître mot dans cette guerre. Il faut trouver, pour chaque pièce, un pli profond du terrain. Peu importe d'être aveugle, il faut être «défilé». Douze mètres au moins de distance entre deux pièces.

Léon mesure, jauge, évalue, plus précis qu'un géomètre. En quelques minutes, les 75 sont en place. Guyard parcourt des yeux la ligne d'en face. C'est lui seul qui voit, de ses jumelles, les emplacements ennemis, lui seul qui peut régler le tir, en donnant les hausses.

– La hausse, mon commandant? interrogent les servants.

Guyard se rapproche de Léon, juché sur un arbre, pour lui demander son estimation. Léon a le coup d'œil, il ne se trompe pas.

– Trois kilomètres, dit-il, par la droite de la batterie. Regardez les meules, dans le champ de blé. L'une d'elles est en retrait. Un tube d'acier se détache de la paille. Le casque d'un servant.

À trois cents mètres à droite de la meule, un squelette d'arbre sans feuilles. Au sommet du tronc de chêne calciné, un observateur dont Léon, l'espace d'un coup d'œil, a vu briller le verre des jumelles. Guyard rajuste les siennes, mais ne voit toujours rien.

– Correcteur 18, lance Léon, 1 500!

Un premier coup part. Trop proche.

– Correcteur 18 : 1 900!

Guyard est stupéfait. Il constate, dans ses jumelles, l'éclatement d'une meule de paille d'où sort, disloquée, une pièce de 77. Léon poursuit ses indications. Les servants se pressent aux culasses, les coups partent à pleine vitesse. En face, la batterie allemande recule dans le désordre. Les chevaux sont tués. À bout de bras, quelques hommes tentent de sortir une pièce, mais s'enfuient sous le tir exterminateur des shrapnels.

– Aux cagnas, hurle Léon. La danse va commencer!

Jean et le lieutenant Gérard ont déjà disparu dans le boyau de la tranchée. Les artilleurs s'enterrent. La riposte des pièces lourdes allemandes est en cours, dans un grondement assourdissant. Le lieu béni de la rencontre miraculeuse des deux frères devient l'antichambre de l'enfer.

La comtesse de Gramont-Caylus dîne ce soir-là au restaurant de l'hôtel Ritz. Seule avec Clelia. La salle à manger de l'hôtel est presque déserte. Le silence feutré du lieu n'est pas le moindre de ses charmes – une oasis dans le tumulte de Paris en guerre. Les maîtres d'hôtel et les serveurs semblent glisser sur l'épaisse moquette, qui s'enfonce sous leurs souliers vernis et se redresse après leur passage. Ils parlent entre eux à voix basse, à l'instar des rares convives.

– Marcel Proust n'est pas là, note la comtesse. C'est dommage, j'aurais voulu vous présenter ce charmant écrivain. Il édite à ses frais, mais son talent est immense. Mme de Greffulhe me dit qu'il est souffrant. Il sera reparti pour Cabourg. Je ne vois pas non plus son ami Jean Cocteau. Celui-là a dû être mobilisé. Dieu que cette guerre est cruelle, elle tue jusqu'aux poètes!

Grâce au ciel, le Ritz est resté le refuge attitré des jeunes milliardaires américains, qui y prennent pension en attendant leur engagement dans l'armée alliée. Clelia ne peut rester insensible à l'entrée remarquée d'un garçon blond de vingt ans, athlétique et souriant, qui s'incline avec grâce devant la comtesse en lui baisant la main. Ce William Thaw est le fils bien-aimé d'un millionnaire de Pittsburgh, un roi de l'acier.

– Avez-vous atterri aux Tuileries ce matin? lui demande la comtesse.

– Je l'aurais fait sur le toit du Ritz, pour le seul plaisir de faire sourire ces beaux yeux-là! répond-il, charmeur, en s'inclinant devant Clelia.

Le jeune Américain est en réalité arrivé à Paris, avant même la déclaration de guerre, dans un avion Curtiss équipé d'un moteur flambant neuf de 100 CV, pour disputer la coupe de vitesse Schneider. Il a d'abord voulu se placer, lui et son merveilleux appareil, à disposition de la France. Impossible, lui a-t-on objecté, vous êtes un neutre. Nous ne pouvons vous engager. Il n'a, aujourd'hui, même pas le loisir d'offrir à cette jolie fille le «baptême de l'air» que l'on pratique alors sur les terrains d'aviation : son Curtiss est relégué dans un hangar de Villacoublay.

De dépit, il s'est engagé dans la Légion étrangère et, d'ailleurs, il doit rejoindre son bataillon dans la nuit à Toulouse, sous peine d'être porté déserteur. Ils sont une quarantaine de ses compatriotes dans le même régiment.

Il prend congé de la comtesse, et saisit la main de Clelia avec une sorte de ferveur. Elle en rougit.

– Il part pour le carrousel de la mort, lui dit Mme de Gramont. Ne lui refusez pas votre main. À ces tables vides dînaient, encore la semaine dernière, les hommes les plus brillants. Reynaldo Hahn a disparu. J'espère qu'il n'a pas été tué. Vous auriez adoré le baron Jean de Crépy. De la grâce, du chien! Chez Maxim's, son uniforme de lieutenant de hussards faisait fureur. Il a, hélas! péri avant-hier, chez les Belges.

Clelia se garde d'interrompre la comtesse, qui supporte mal la captivité de son mari. Son attention est brusquement attirée lorsqu'elle entend celle-ci évoquer un sergent d'infanterie venu lui faire ses adieux, le 2 septembre, en tenue de campagne...

«Un sergent?» s'étonne Clelia. Que la comtesse de Gramont-Caylus puisse ainsi se soucier du sort d'un simple pantalon rouge l'incite à la confidence. Que ne décide-t-elle de lui parler franchement, longuement, de son amour fou pour Jean! De son désir de le retrouver dans les lignes et, s'il le faut, de l'arracher à la mort.

– C'est Henry Bardac, déclare la comtesse. Un ami de Cocteau et de Reynaldo Hahn. Il est parti pour la Marne. Je ne sais s'il en reviendra!

Cette dernière sentence tombe comme un couperet. Clelia ne songe qu'à son propre sergent. Est-il en danger de mort, lui aussi? Les moquettes du Ritz, sa vaisselle d'or, le pas silencieux des serviteurs lui semblent soudain la préfiguration d'une sorte de nécropole, où l'on détruit à jamais ceux qui paradaient ici même, dans leurs uniformes de théâtre. Une seule phrase, sortie des lèvres précieuses d'une femme du monde, pour toute épitaphe, quand un sergent meurt au combat!

Les cristaux des lustres, à l'instant, ont-ils tremblé pour annoncer la fin du monde? Discrètement, le maître d'hôtel annonce une alerte. Un *Taube* dans le ciel de Paris, qui pourrait lâcher une bombe, un obus, n'importe où.

L'hôtel s'anime en sursaut. Les plus raisonnables descendent aux abris aménagés dans les caves. Les autres ne veulent rien manquer du spectacle. Des femmes en peignoirs de bain gagnent précipitamment le grand balcon de cette majestueuse pâtisserie que l'on appelle, place Vendôme, l'hôtel Ritz, scrutant la nuit hachée de faisceaux de projecteurs. Les fusées des artilleurs grimpent vers le ciel, le canon de la tour Eiffel aboie dans le lointain.

– Les nuits sont fraîches, dit seulement la comtesse. Il faut rentrer.

Clelia se désespère. À deux doigts de parler enfin, la voilà de retour dans sa jolie chambre aux draps de soie bleu pâle, sans avoir évoqué Jean, encore moins obtenu de hâter son engagement dans les ambulances américaines partant pour le front. Mais quand elle ferme les yeux, elle n'est plus seule. Elle pense très fort à son amour, prie pour lui, serre sur son cœur la lettre qu'il a réussi à lui poster de la gare d'Épinal à l'adresse de l'hôtel de Gramont-Caylus, avant de prendre le train du front.

Je ne sais, mon amour, si tu m'aimes encore. Déjà, ta voix s'éloigne et tes yeux si beaux se ferment pour dormir. J'ai tout perdu en m'éloignant de toi. Perdrons-nous aussi jusqu'au souvenir que nous avons l'un de l'autre? C'est impossible. Je ne veux ni ne peux t'oublier.

Cette nuit du 3 au 4 septembre est celle de l'embrasement du bois de la Grande-Coinche. Les batteries allemandes ont décidé d'anéantir l'obstacle, de raser la forêt jusqu'à ses racines. De son PC situé à deux cents mètres du brasier, le commandant Migat voit disparaître dans les flammes la première compagnie de son régiment. Impossible de lui porter secours dans cet ouragan de feu.

Une clarté rougeâtre domine l'horizon, aux premières lueurs de l'aube. Les éclairs jaillis de l'âme des canons zèbrent le ciel. Des boules argentées fusent à terre, telles des comètes, illuminant les lieux du désastre. Dans le bois, les arbres torpillés forment un enchevêtrement inextricable, que les obus incendiaires embrasent en torches géantes.

Les mains sur les oreilles, Jean Aumoine n'en peut plus de ces déflagrations sourdes qui se morcellent, se fragmentent en décharges interminables. Ange Castaldi, dressé sur le parapet, guette les symptômes d'une avance de l'infanterie bavaroise. Quand vont-ils enfin surgir, ces sauvages, pour s'emparer du bois ravagé? Attendent-ils le moment où les Français seront tous réduits en cendre et en bouillie?

Les «caisses à charbon» des lourdes marmites assourdissent les survivants, réveillés par la stridence des obus, par les grondements des canons de 77 très proches – deux kilomètres à peine.

Un obus lourd s'écrase à vingt mètres de la tranchée et l'ensevelit sous une montagne de terre. Que sont les copains devenus? Secoué par le souffle, projeté au fond du boyau, Jean se heurte à la carcasse anguleuse, osseuse, de Maurice Duval qui crache des morceaux de glaise et des cailloux.

– Il y a des camarades là-dessous, dit-il en montrant le monticule. Ils vont crever comme des rats.

Ensemble, ils creusent, synchronisant leurs gestes, pendant que le capitaine Gérard s'engage en rampant au fond de la tranchée devenue ravin. Il enjambe les corps des fantassins tués, incapable de reconnaître le moindre visage. Il demande une pelle. Jean lui tend la sienne et continue de creuser à l'aide de sa baïonnette.

Une paire de godillots, des jambes, un torse. L'homme est intact. Il ne respire plus que faiblement. C'est Maurice Lefort, le déserteur reconverti, l'anarchiste venu de Genève. Le capitaine lui dégrafe rapidement le col.

– Sur le dos! dit Maurice Duval, en remuant les bras du blessé.

– Dégagez sa bouche, il s'asphyxie!

Lefort respire enfin. Pour lâcher aussitôt, dans une quinte de toux :

– Edmond! Il va mourir!

Jean se remet à l'ouvrage, fouillant les décombres avec précaution. Il n'y a plus de ligne de tranchée, mais des trous et des bosses. Dans le bois, les soldats valides s'activent à la recherche des victimes, rampent pour les rassembler dans les trous par petits groupes. Jean tombe enfin sur un corps replié sous un mètre de terre. C'est Edmond Prost, qu'il tire par les pieds à l'air libre. Une branche de sapin enflammée s'abat sur eux. Jules Bousquin et Auguste Lemonnier, comme un seul homme, jettent leurs couvertures sur les copains afin de les préserver du feu.

— Dans le trou d'obus, vite! crie le capitaine Gérard.

Ces entonnoirs sont la seule protection possible contre le bombardement qui ne cesse pas. Les poilus se répètent entre eux que deux obus ne tombent jamais dans le même trou. Au fond, sans attendre! On y cale les corps de Lefort et de Prost. Tapis dans l'humidité de l'argile, Jean Aumoine, Vincent Gérard, Jules Bousquin et Auguste Lemonnier halètent en cœur, noirs de cendre et de terre.

— Attention, crie Maurice Duval, plaquez-vous!

Dans **un** feulement de fin du monde, un grand sapin s'est abattu au-dessus du cratère. Comme après le coup de grâce d'une cognée, celui qui décide de la chute. Ses branches épaisses recouvrent l'entonnoir.

— Pourvu qu'elles ne prennent pas feu! souffle Bousqu**in** d'une voix blanche.

Le capitaine s'est hissé hors du trou, rampant le long de la ligne à la recherche des autres sections. Jean l'a suivi. Il ne veut pas le voir s'exposer seul à la mort, se faire faucher par un éclat. Mais le bombardement s'est arrêté et l'on distingue, tout proches, des ordres, des coups de sifflet. L'infanterie ennemie attaque.

Les deux Français sortent de terre, puis gagnent, en bondissant d'un trou à l'autre, l'orée du bois de la Grande-Coinche, où crépitent furieusement les mitrailleuses.

— Miracle, s'écrie Vincent Gérard, le fortin d'Adam Lascot a tenu. Il ne s'est pas enterré en vain. Ce sont nos mitrailleuses qui crachent!

Les Bavarois croyaient pouvoir s'avancer en ligne, prendre sans tirer un coup de feu le bois rasé et brûlé par le canon. Les rafales méchantes de Lascot les prennent de flanc, les couchent à terre et les contraignent au repli. De chaque trou d'obus, les Lebel vident leur magasin. Chaque survivant vise son homme, avant de tomber eux-mêmes sous le tir de l'ennemi.

— Il nous faut l'artillerie, dit le capitaine à Jean Aumoine. S'ils tirent à deux cents mètres, ils arrêtent net l'assaut des Bavarois. Allez les prévenir, donnez la position.

Jean pivote aussitôt sur lui-même, choit dans un cratère. Sourd aux appels des blessés, il grimpe, en s'accrochant aux branches exfoliées des taillis. Pour s'extraire de la ligne de feu, il doit ramper. Le tir de barrage allemand multiplie les trous d'obus sur les arrières, pour empêcher l'arrivée des renforts. L'espace est infranchissable. Jean, indifférent au départ des pièces françaises, tente de le traverser en zigzaguant. Lorsqu'il parvient enfin, après un kilomètre, à la lisière dénudée qui conduit au plateau des artilleurs, il n'aperçoit que des moignons de pièces, des affûts sans canons, des cadavres de chevaux…

Il bondit d'un emplacement à l'autre. Dieu merci, Léon n'est pas parmi les morts. Sa batterie a disparu. Il ne reste plus un canon en état de tirer à l'arrière du bois de la Grande-Coinche. Les fantassins du 121ᵉ sont à l'abandon, comme s'ils n'existaient déjà plus dans les calculs de l'état-major après avoir, selon les ordres, résisté jusqu'au dernier. On ignore qu'ils ont survécu, on les porte disparus.

Dans une cagna effondrée gisent quatre cadavres d'artilleurs. Un cinquième respire encore, à qui Jean s'empresse de donner à boire.

– Qu'est devenue la batterie? Est-elle entièrement détruite?

– Non, lui répond le blessé. Ils ont attelé pour galoper vers la gare. On les demandait sur la Marne.

Le bain de sang de l'Ourcq

Au matin du 5 septembre 1914, toutes les batteries disponibles venues d'Alsace, de Lorraine , et promptement débarquées à la gare de Meaux au cours d'une nuit épuisante, galopent vers le champ de bataille de l'Ourcq. Elles doivent soutenir la première phase de la bataille de la Marne, engagée par Joffre sur un front de plus de deux cents kilomètres. Il s'agit de prendre en flagrant délit de marche le flanc droit de l'armée von Kluck, où chevauchent en éclaireurs deux hussards de la reine de Prusse, le major Kurt von Arnim et son fils Friedrich. Le père et le frère de Clelia.

Le commandant Guyard et ses officiers ont reçu de nouvelles feuilles pliantes d'état-major au 45/1 000 de la région de Meaux. Léon, qui sait désormais déchiffrer ces cartes comme un général, repère le tracé des routes, des rivières, et même des chemins vicinaux indiqués avec la plus grande précision, à la sortie de Meaux, où le passage des troupes est incessant.

La batterie a d'abord remonté la route du Nord vers Lizy, au confluent de la Marne et de l'Ourcq, cette rivière tranquille serpentant vers le sud depuis Ronchères, dans l'Aisne. Les carpes et les tanches y ont déjà été réveillées par la canonnade intense qui, sur toute la ligne, est l'annonce imminente d'une grande bataille.

— Les rivières ont des noms étranges et bucoliques, dit le commandant Philippe Guyard au sous-lieutenant Henri Lejeune, qui chemine avec lui sur la route encombrée mais calme menant aux premières lignes.

Ce dernier vient de rejoindre la batterie, à la grande joie de Léon, après un court séjour à l'hôpital.

Les officiers aiment à faire assaut de culture dès qu'ils en ont l'occasion. Une manière de montrer leur sang-froid dans l'action. Ils connaissent tous le latin et le grec, ont appris l'histoire et la géographie chez les bons pères, et sortent tous des mêmes écoles supérieures – Polytechnique ou Saint-Cyr.

— Déjà, le nom de l'Ourcq n'est pas très catholique, observe Lejeune qui n'ignore rien des sentiments pieux du commandant Guyard. Ourcq… Orcus… Plutôt gaulois, non?

— Un dieu des fleuves et des sources. Il nourrissait cette terre porteuse de blés lourds, répond Guyard, lecteur de Péguy. Dieu fasse qu'il ne devienne pas un fleuve de sang!

Léon, pour sa part, ignore tout de ce bric-à-brac mythologique des gens cultivés. Les noms des rivières l'attendrissent, quand elles fleurent bon le Bourbonnais : la Grivette, la Beuvronne, la Biberonne, la Thérouanne, nourrie du ru des Veaux et du ru des Vaches. Peut-on mourir dans un pays plus pacifique? Des collines douces et verdoyantes, des vallées aux villages alignés le long des voies romaines, Marcilly, Etrépilly, Forfry…

— Les Germains sont de retour, décrète Guyard, aussi fort en histoire qu'un jésuite, et pour qui l'histoire, c'est Fustel de Coulanges et le Rhin français. En mille ans, moralise-t-il, cette terre les avait absorbés, intégrés, accueillis, civilisés. Les Francs étaient devenus Gaulois et Romains. Voilà que leurs lointains descendants veulent de nouveau piller les fermes et s'approprier les terres. Avez-vous lu ce qu'ils gravent sur l'acier de leurs canons? *Ultima ratio regis.*

— Du latin d'église ou de cuisine? plaisante Léon.

— Non pas. Cela signifie que le canon est «le suprême argument du roi». Par le canon, il nous dicte sa loi.

De Lorraine en Multien, de la terre vosgienne à la Brie, Léon découvre des paysages inconnus de lui. Des champs ouverts à perte de vue, des vallées indiscernables dans l'alignement des terres à blé, creusées en retrait sur le plateau briard. Passant la porte d'une grande ferme dans le village de Charny afin d'y faire boire ses chevaux, il mesure l'ampleur de l'exploitation briarde. Des bâtiments immenses, une cour aussi vaste que le quartier d'une caserne, une usine à betteraves, des écuries capables d'accueillir les chevaux d'un escadron.

Il fait rouler une poignée de terre entre ses doigts : du limon pur, se dit-il, sans doute sur cinq à six mètres de profondeur. Une telle richesse stupéfie le paysan du Centre. Pas de haies, ni de chemins creux. Les domaines sont à hauteur de l'exploitation, des centaines, peut-être des milliers d'hectares. Les terres les plus fertiles du monde, offertes au carnage.

— Les fermes sont lourdes, observe Henri Lejeune, et les clochers massifs. Ils n'ont pas dû manquer d'y installer leurs observatoires. Chaque bâtisse est une redoute qu'il faudra prendre d'assaut.

Léon lève la tête vers le ciel : les avions français ne cessent de virevolter au-dessus de l'Ourcq, et descendent vers la Marne sans que l'artillerie élève la voix.

– Ils prennent des photos, dit Lejeune. Il paraît que Joffre y croit enfin. Gallieni l'a convaincu. Les aviateurs basés sur les aérodromes du camp retranché ont réussi des clichés fort éclairants, dénonçant la manœuvre de l'ennemi. Au lieu de foncer sur Paris, von Kluck a infléchi ses colonnes vers le sud-est de manière à encercler toutes les unités françaises, à les prendre dans un gigantesque mouvement de faux, de la Marne à la Suisse. Les clichés des aviateurs le montrent clairement, pour peu qu'on prenne le temps de les déchiffrer.

– Les ordres sont de passer la nuit à Charny, signale Guyard à Quatrefages, son agent de liaison. Prévenez toutes les batteries du groupe. Qu'elles descendent d'Iverny et trouvent leurs positions dans les fonds des ravins, les arrières des fermes fortifiées. Et surtout, qu'on les camoufle. Il faut aider demain l'armée à franchir l'Ourcq entre May et Lizy, et à bousculer le flanc droit de von Kluck.

– Celui qui marche sur Paris ? demande Léon.

– Qui marchait… Aux dernières nouvelles, il aurait infléchi sa marche vers l'est. C'est le moment de lui tomber sur le poil.

– Regardez-les se planquer dans les grosses fermes des collines de Penchard et de Monthyon ! dit Léon, soudain soucieux. Ils vont y abriter leurs batteries et commencer le tir. On croit les arroser, ils nous attendent, comme en Alsace ou à Morhange…

Réglant ses jumelles avec précision, il distingue parfaitement les lignes ennemies abritées dans les vergers, derrière les meules, couchées dans les champs de betteraves.

– Il faut les bousculer et les déloger, insiste Guyard qui trouve négatives les remarques pessimistes du maréchal des logis. Assurez-vous du ravitaillement en obus. Nous en aurons besoin demain, sur l'Ourcq. Croyez bien que Joffre a l'œil sur nous, et qu'il veille à tout.

Le commandant jette un coup d'œil à sa montre. Il est midi, l'heure de la soupe. Il se réjouit de la concentration d'artillerie opérée à grand renfort d'attelages sur la zone d'attaque. Joffre a délégué sur l'Ourcq tout ce qu'il a pu recenser de batteries disponibles, en état de marche, dans chacune des armées. Ainsi les artilleurs du 53ᵉ de Clermont – ou ce qu'il en reste – se retrouvent-ils voisins du 5ᵉ régiment de Lyon, celui de Nivelle où sert, toujours à l'instruction, le jeune frère de Léon, Julien.

– Le 75 ne fera pas défaut au grand bond en avant demandé par Joffre à une armée en retraite, affirme Guyard à Lejeune. Il vient à point au secours de l'armée Maunoury.

Léon ne partage pas la confiance radieuse du commandant. Il fixe quatre petits nuages qui grimpent dans le ciel. Les Allemands prennent les devants. Une batterie voisine est touchée, son capitaine tué, par des pièces de 77 embusquées dans Monthyon. Elles viennent de tirer le premier coup de canon de la bataille de la Marne.

À Paris, le 5 septembre, la comtesse sort de l'église de Saint-Pierre-du-Gros-Caillou, accompagnée de Clelia. Il est juste midi. Elle y a suivi un office pour le repos de l'âme de son cousin éloigné, le baron Jean de Crépy, tué à l'ennemi. Elle se rend ensuite au siège de la Croix-Rouge française, rue François-Iᵉʳ, où l'attend la comtesse d'Haussonville.

À peine entrée, Clelia est happée par l'escadron volant et virevoltant de jeunes aristocrates engagées dans les secours aux blessés, et prêtes à gagner le front par les moyens les plus rapides.

– Nous accompagnez-vous? l'invite Jacqueline de Pourtalès. Nous partons en automobile pour Meaux.

– Clelia est inscrite à l'hôpital de campagne américain, intervient vivement la comtesse de Gramont. Elle ne peut vous suivre.

Les jeunes beautés, recrutées sur une liste établie par les soins de la marquise de Castellane, font aujourd'hui une haie d'honneur à la duchesse de Sutherland, la plus illustre des ambulancières de Londres et d'Anvers, venue à Paris pour organiser l'assistance médicale à l'armée britannique.

Coiffe, corsage et jupe tout de blanc assortis, cape bleue croisée devant, chaussures noires d'ecclésiastique, la duchesse annonce la fondation de l'Ambulance Millicent Sutherland, pour laquelle elle se propose de recueillir des concours et des dons généreux au sein de la haute société parisienne. Mme de Gramont-Caylus s'entretient, dans un anglais irréprochable, avec la dame d'œuvres britannique. Clelia semble surprise.

– Ignoriez-vous, ma chère petite, que ma grand-mère maternelle est américaine? lui dit la comtesse. Je ne suis, du reste, pas la seule dans ce métissage de bonne compagnie. Savez-vous que la marquise de Castellane est la fille de notre ancien ambassadeur à Washington, époux de l'héritière d'un très grand groupe de presse américain? Nous avons fusionné, les hautes sociétés des deux pays n'en font qu'une. Venez, il est temps que je vous recrute pour l'Ambulance américaine *of Paris*. Ils seront ravis, vous pouvez me croire, d'engager la fille de la *marchesina* Bellini. Ignoriez-vous que votre mère, divine interprète de Mozart, a chanté au Metropolitan de New York?

Clelia ne sait rien de la carrière de sa mère Antonina dans le bel canto, trop vite interrompue par le mariage. Il lui arrivait, à Munich, de chanter pour les œuvres de charité, où sa voix d'or faisait merveille. Peut-être se produisait-elle encore à Lugano, pour la Croix-Rouge suisse. Mais jamais Clelia n'a entendu sa mère vocaliser au palais munichois du comte von Arnim, pas même dans la chapelle, où elle se contentait de suivre les cantiques. La remarque de la comtesse française lui semble témoigner d'une sorte d'intimité avec sa mère, Antonina Bellini. Se sont-elles connues à New York? Ont-elles couru les mêmes bals?

Mme de Gramont-Caylus est reçue à l'antenne américaine avec les plus grands égards. Le lycée Pasteur de Neuilly s'apprête à accueillir les premiers blessés de la bataille de l'Ourcq, commencée le matin même. On attend les ambulances qui se sont lancées, pleins gaz, sur les routes de la Marne.

Clelia est déçue. Sans doute espérait-elle que le docteur du Bouchet l'expédierait aussitôt en mission. Il se borne à organiser une visite banale de l'hôpital et de ses dernières acquisitions : ici, un appareil magnétique géant qui permet d'extraire les particules d'obus incrustées dans les blessures; là, la préparation du sérum antitétanique, plus loin, les rayons X, les rayons ultraviolets, les blocs opératoires… Un groupe de jeunes médecins et de dentistes, venus de New York et spécialisés dans les blessures de la face, sont prêts à soigner ceux que l'on appelle déjà dans les salons, et avec un sentiment de pitié attendrie, les « gueules cassées ».

Il est aussitôt convenu, entre la comtesse et le directeur de l'hôpital, que Clelia prendra son service à Pasteur, en tandem avec la fille du secrétaire d'État américain au Trésor, Nona

McAdoo. À vingt ans, la jeune femme est déjà une gloire de son pays : championne de tennis, idole des magazines, elle a choisi de traverser l'Atlantique pour courir les champs de bataille européens dans une ambulance Ford.

Elle prend immédiatement Clelia sous son aile.

– Si vous voulez partir sans attendre, lui dit-elle, venez avec moi au garage. Je vous présenterai Richard Norton, un ancien de Harvard.

– Un chirurgien ?

– Pas du tout, il est archéologue. Il a vécu huit ans à Rome. Vous pourrez vous entretenir avec lui en italien. Il a la folie des voitures et des thermes romains. C'est lui qui organise le service de l'American Volunteer Motor Ambulance Corps.

Richard, lunettes d'aviateur relevées sur son casque, est occupé à régler son carburateur. L'ambulance est prête, les civières en place, les trousses de première urgence alignées sur la banquette arrière. Il fait vrombir le moteur, sans égards pour les jeunes filles que les gaz d'échappement font suffoquer.

– Prenez garde à ne pas salir votre belle robe blanche, dit-il en souriant à Nona. Je dois partir tout de suite, la bataille fait rage. On m'attend à Lagny-sur-Marne. Voulez-vous m'accompagner ?

– *Io no*, répond-elle avec coquetterie. *Ma questa signorina, si. Clelia Bellini, di Lugano.*

Coup d'œil machinal de Richard Norton, qui soudain se redresse, conquis par la grâce entr'aperçue de Clelia dissimulée sous sa cape bleu sombre.

« Elle sourit comme les anges de Giotto » se dit-il, fasciné par les yeux en amande.

En une seconde, la décision de Clelia est prise. Il est quinze heures. Elle embarque pour le front de l'Ourcq.

La bataille fait rage, tout au long de la journée du 5 septembre, sur le sol détrempé par l'orage du plateau du Multien. Les 77 allemands tirent salve sur salve, depuis les hauteurs de Monthyon et de Penchard. Trois batteries installées dans un plissement de terrain, derrière les bâtiments d'une ferme, que Léon a parfaitement repérées. À la jumelle, il assiste à la mise en place des pantalons rouges du général de Lamaze. Les hommes se couchent en carapace dans les champs d'avoine moissonnée, sous les volées d'éclats des obus allemands. Il faut leur prêter main-forte.

Les quatre pièces de la batterie font feu à pleine cadence, pendant que les Marocains du général Ditte grimpent à l'assaut des hauteurs de Penchard. Ils ne peuvent s'y maintenir. Les nids de mitrailleuses enterrées de l'ennemi ont vite raison de leur impétuosité.

— Il faut tenir Penchard! crie le colonel Guyard. Nous y installerons le meilleur observatoire de la région.

Les batteries tirent sans relâche. On voit sauter les pièces allemandes en retraite.

— Ils s'en vont! hurle Léon. Ils jettent leurs obus dans la mare de la ferme. Nous les tenons!

Le tir redouble. Les Allemands sont bientôt hors de portée, reflués dix kilomètres en arrière pour éviter d'être débordés.

Aussitôt, Léon et Henri Lejeune traversent à cheval le champ de bataille afin d'installer des observatoires sur les collines. Plus de mille cadavres de Marocains en tenue kaki sont étendus dans les champs de betteraves. Henri saute à terre. Il a aperçu un lieutenant blessé, qui marche avec difficulté. Les brancardiers sont débordés. L'homme perd son sang. Léon le charge en croupe, en douceur, et le dépose au premier poste de secours.

— Merci, dit le lieutenant. Tous nos officiers sont morts. Nous nous reverrons peut-être. Mon nom est Alphonse Juin.

À quelques dizaines de mètres, des pantalons rouges enterrent un de leurs lieutenants, tué d'une balle au front. Ils plantent une croix de bois sur sa tombe, marquée d'une inscription faite à la pointe du couteau. Immobiles autour de la terre remuée, ils se concentrent dans une courte prière muette.

Léon a stoppé son cheval, par respect, comme lorsqu'il enlevait son chapeau dans les rues de Villebret, au passage d'un enterrement. Il parvient à déchiffrer le nom du soldat mort : Charles Péguy.

Les blessés hèlent les brancardiers de toutes parts, à travers champs. Descendu de sa monture, Léon interroge les biffins.

— Nous n'avions pas une chance de prendre Monthyon, proteste Boudon, l'un des soldats du lieutenant Péguy. Vous ne nous avez pas assez soutenus !

— Nous avons pourtant assommé les artilleurs boches, dit Léon.

— Mais pas les nids de mitrailleuses. Notre régiment n'existe plus. Il a disparu sur les bords de l'Ourcq. C'était une folie. Une charge à la baïonnette, dans ces conditions, était le massacre assuré. Nous ne pouvions pas arriver au but, même à dix. Ils nous descendaient comme des lapins.

— Conseil de guerre pour les généraux ! ajoute un biffin révolté. Alignés au mur. Un général qui fait tuer le lieutenant Péguy ne mérite pas autre chose ! Ils nous ont envoyés à la mort !

— Les généraux meurent aussi, commente sobrement Boudon. Maunoury a pris une balle dans l'œil.

Henri Lejeune fait signe à Léon. Les gendarmes à cheval parcourent le champ de bataille, protègent les brancardiers, veillent à évincer quelques civils prompts à la rapine, sortis des chemins creux, des sacs à la main.

Le soir tombe. En remontant vers le sinistre village de Penchard abandonné par l'ennemi, Léon remarque deux gendarmes encadrant un homme à pied. Celui-ci marche tête baissée, les mains liées derrière le dos.

— Un espion, dit le brigadier au lieutenant Henri Lejeune qui l'interroge. Il signalait nos positions aux avions. Nous avons trouvé sur lui des fanions et des fusées.

L'homme est attaché au tronc d'un chêne et fusillé aussitôt. Sans même prendre la peine de l'enterrer, les gendarmes s'engagent de nouveau dans le bois, à la recherche d'autres agents de l'ennemi. Lejeune et Aumoine sillonnent la côte de Penchard jonchée de cadavres. À l'entrée du village, ils s'accumulent en grappes sanglantes. On utilise des prisonniers allemands pour creuser les fosses communes.

Les maisons bombardées, explosées, ne sont plus que ruines fumantes. Les Marocains ont pris le village de Penchard au corps à corps, mais l'artillerie allemande s'est déchaînée. Ils ont dû l'évacuer en abandonnant sur place leurs morts et leurs blessés qui geignent dans la nuit, leurs visages martyrisés plus lugubres encore à la lueur des flammes des incendies.

Léon et le lieutenant Lejeune grimpent l'escalier de pierre menant au clocher à moitié détruit de l'église du village. Seule la base octogonale, construite en pierres solides, a résisté.

— Il faudrait des téléphonistes et des pièces lourdes pour aménager ici un observatoire, dit Henri. Or, nous n'avons ni l'un ni l'autre, et les Allemands se sont retirés trop loin. Nous ne pourrons pas les arroser d'ici.

— Ils ont aussi beaucoup de tués. Qui sont-ils?

— Des réservistes du 4ᵉ corps.

Lejeune, qui sait tout, consulte une carte où il a inscrit le nom, au crayon rouge, des unités ennemies. Général von Gronau. Il a dû recevoir des ordres pour rejoindre l'armée de von Kluck, de l'autre côté de l'Ourcq.

— Le canon tonne sur Barcy, dit Léon en montrant le ciel illuminé par les fusées vers l'est. La partie n'est pas finie.

Une automobile s'annonce sur la route sinueuse de Penchard. Elle s'engage doucement sur la côte et ralentit devant les artilleurs.

— Une ambulance américaine? Je n'en avais jamais vu, dit Lejeune en désignant la Ford T stoppée à l'entrée de la place de Penchard.

La voiture roule depuis le matin. À la tombée du jour, elle s'arrête enfin.

Richard Norton, venu de Paris en compagnie de Clelia, ne s'est pas attardé à Lagny, première étape du parcours où défilait, sur le pont de la Marne, la cavalerie anglaise.

— Ceux-là n'ont pas encore besoin de nous, a-t-il affirmé.

Le maréchal French occupe la mairie avec son état-major. Les cavaliers sont reposés, nourris, leurs chevaux ferrés de neuf mangent l'avoine qu'on a entreposée dans l'ancienne église de Saint-Furcy, reconvertie en magasin de fourrage.

— Ils se mettent à l'abri de la Marne, commente l'Américain. Les British prennent rarement des risques. Cela signifie que leur vieux général French n'a pas du tout confiance dans le plan de Joffre.

— Où sont les fantassins français ? interroge Clelia.

— Vous les verrez, soyez-en sûre, nous poursuivons vers Meaux.

L'ambulance a du mal à se frayer un passage. Les colonnes d'infanterie à pied progressent le long des fossés, mais l'artillerie tient le haut du pavé et ne veut rien céder : des attelages de 75 à perte de vue, des caissons, des fourgons, des fourragères. Les renforts viennent du camp retranché de Paris – plusieurs divisions, sans doute.

Clelia tente de repérer les numéros des fantassins cousus sur leur képi.

— C'est la 7ᵉ division de Paris. Elle a déjà changé deux fois de général, lui dit Norton.

— Numéro 101, c'est Paris ? Je cherche le régiment de... comment est-ce déjà ? Montluçon...

L'Américain n'a jamais entendu parler de cette ville. Il est intrigué. Une fille à ce point soucieuse du numéro des unités n'est peut-être pas aussi candide que ses yeux le donnent à penser...

— *Das vierte deutsche LandwehrKorps fehlt trött zurück*, lui dit-il d'un ton naturel, comme si sa phrase était sans importance.

— *Ach so! Von Kluck ist ein echter Fuchs. Mein bruder ist ein Husar in seinem Regiment.*

Clelia rougit aussitôt. Elle s'est laissé piéger. L'idée ne lui vient pas du tout que l'Américain puisse la soupçonner d'espionnage, elle vient seulement de lui révéler qu'elle est allemande.

Richard Norton prend le temps d'allumer une cigarette blonde de Virginie, en contrôlant sa distance avec l'énorme autocanon qui le précède et dont les hautes roues font gicler le gravier sur son pare-brise. À la première transversale, il vire en plein bois, stoppe dans une clairière.

— Ainsi, j'ai devant moi la petite-fille d'un hussard du Kaiser Wilhelm, lui dit-il. Savez-vous que l'on fusille à tour de bras, des deux côtés des lignes, des espions pour moins que cela? Qu'ils parlent allemand ou non...

— Mais je suis suisse, répond Clelia. Nous parlons tous la langue française, allemande et italienne, en Suisse.

— Dites-moi la vérité, nous gagnerons du temps. Sinon, je m'informerai auprès de la comtesse de Gramont. Mais peut-être ignore-t-elle que vous êtes en mission.

— Mon père est allemand, ma mère italienne, et vit à Lugano. Mon passeport est à son nom, cela vous suffit-il?

L'Américain réfléchit longuement. Des cavaliers surgissent sur la route isolée, deux par deux. Sans doute des gendarmes.

— J'ignore pourquoi je ne vous livre pas. Vous appartenez au service de renseignements allemand, j'en suis persuadé. À Meaux, vous prendrez le train pour Paris.

Il remet le moteur en route, salue les gendarmes qui font cercle autour de l'ambulance comme pour proposer une éventuelle assistance...

De nouveau, sur la grand'route, Clelia relève les numéros des fantassins tirant leurs sacs sur les bas-côtés.

— 102ᵉ! Elle fait un effort pour se souvenir. Le mien, c'est le 121ᵉ Avez-vous vu le 121ᵉ? demande-t-elle à un soldat en se penchant à la vitre.

— Non, ma p'tite dame. Nous sommes tous des Parigots. Pour le 121ᵉ, il faudra repasser, il n'est pas dans notre division!

Le bon Richard Norton est scandalisé. La jeune fille aux yeux noisette n'en poursuit pas moins fébrilement son patient repérage. Rien ne semble la décourager. Concentré sur sa conduite, une question taraude le pilote ambulancier : son devoir n'est-il pas de la livrer à la police française?

Premier archéologue diplômé de Harvard pour un doctorat en épigraphie latine, il n'a pas traversé l'Atlantique pour convoyer, dans des conditions qui coûtent le prix fort à la Fondation américaine, une espionne du Kronprinz! Il écrase nerveusement sa cigarette et se prépare de nouveau à quitter la route.

– Attendez! dit Clelia en posant sa main sur la sienne. Ne vous méprenez pas, je suis une évadée d'Allemagne. S'ils me prennent, ce sont les Allemands qui me jugeront comme espionne. J'ai aidé à fuir un Français que j'aime et que je veux revoir à tout prix. J'ignore s'il est mort ou vif. C'est lui que je cherche au front. Il s'appelle Jean Aumoine.

Richard hausse les épaules. Il la croyait coupable, elle n'est qu'amoureuse! Il faut avoir la foi d'Eurydice pour croire que l'on peut retrouver et sauver son Orphée perdu dans une armée entière. Il a néanmoins vécu assez longtemps à Rome pour savoir qu'une marquise *appassionata* est capable de tout. Grand genre, cette petite Clelia! Folle naïveté, passion sauvage, *tutto bene*! Il rassure sa passagère d'un geste apaisant au moment de franchir les portes gardées de Meaux.

– Si elle en aime un seul, se dit-il, philosophe, elle se dévouera pour tous les autres.

Le 5 septembre au soir, à Penchard, les brancardiers ont chargé l'ambulance américaine d'une demi-douzaine de blessés marocains, français et allemands. Richard a aussitôt repris la route pour le lycée Pasteur de Neuilly-sur-Seine.

Clelia est rentrée à l'hôtel de Gramont à une heure avancée de la nuit. Éprouvée par sa dure journée, elle a dormi vingt-quatre heures d'affilée. Le 6 et le 7 septembre, elle n'a pas reparu à l'antenne. Inquiète, la comtesse lui a fait donner des soins par son médecin. Vers onze heures du soir, durant la nuit du 7, un charroi inhabituel dans l'avenue d'Iéna réveille la jeune fille.

Des coups de sifflets stridents d'agents de police retentissent, suivis de vociférations de riverains. Clelia, qui a entrouvert ses persiennes, voit que des hirondelles ordonnent aux taxis de stopper, à leurs clients de descendre. Que certains protestent, ils sont sortis des voitures *manu militari*. C'est le cas, sous sa fenêtre, d'une honnête mère de famille accompagnée de ses trois enfants, que la police expulse sans ménagements. Son taxi libéré, le chauffeur se voit contraint, comme ses collègues, de prendre la file sur le pont Alexandre-III.

– Direction : esplanade de l'hôtel des Invalides. On vous paiera votre course ! assurent les agents aux récalcitrants.

Les chauffeurs – des vieux de la compagnie Renault, des réformés des commissions militaires, des étrangers souvent – bougonnent, mais obéissent. L'avenue grouille bientôt de véhicules pétaradants et sonnant de la trompe pour éviter les accrochages.

Sans bruit, pour ne pas éveiller la comtesse, Clelia revêt sa longue pèlerine bleue et sort, seule dans la nuit. Elle franchit, en frissonnant, la Seine au pont de l'Alma, au risque de se faire arrêter pour infraction au couvre-feu. Mais une infirmière en tenue de la Croix-Rouge américaine n'a-t-elle pas droit à tous les égards ?

Elle vole vers les Invalides, mais bientôt s'essouffle. Un chauffeur la prend en pitié et l'accepte sur son marchepied.

— Nous allons charger des soldats! lui lance-t-il.

Il n'en faut pas plus à Clelia pour retrouver toute son énergie.

— D'où viennent ces soldats?

— De Lorraine, de Verdun, allez savoir!

Sur l'esplanade, pas un pantalon rouge. Un simple lieutenant, Lefas, organise les convois. Les taxis, qui devraient être un millier, ne sont pas plus de cent cinquante au rendez-vous. Un nombre nettement insuffisant, mais d'autres suivront.

Au volant de leurs véhicules réquisitionnés, les chauffeurs sont d'humeur massacrante. Ils rentraient chez eux, leur journée finie, et leur dîner leur passe sous le nez! Ils avaient de surcroît, fait le plein d'essence. Le lieutenant Lefas les envoie à Lagny. Le vieux chauffeur Auguste Bourrillon se retourne. Sa passagère s'est installée profondément sur le siège arrière de son taxi, la tête rentrée dans les épaules pour éviter d'être aperçue.

Il demande poliment à Clelia de partir, il ne peut l'emmener, le lieutenant ne le permettra pas.

Lefas donne ses dernières consignes. Le premier convoi partira guidé par un officier qui connaît les routes. Pour sa part, il reste encore en place, soucieux de voir augmenter le nombre de ses voitures. Le général Gallieni l'a chargé de trouver au moins mille taxis Renault pour embarquer une brigade. L'ordre prévoit d'aller chercher les deux régiments de la 7e division à Gagny, où ils ont débarqué du train, pour les conduire sans retard à Nanteuil.

Clelia, immobile sur sa banquette arrière, baisse la vitre, avisant le lieutenant Lefas. L'officier se précipite, indigné.

— Descendez immédiatement, mademoiselle! Ce taxi est réquisitionné par l'autorité militaire.

– Croix-Rouge américaine, dit Clelia sans se troubler et en brandissant sa carte de recrutement. Mon antenne m'a demandé de rejoindre mon ambulance bloquée à Nanteuil par ordre supérieur.

Débordé de tous côtés, aux prises avec un agent de liaison de Gallieni, le lieutenant laisse faire. Le taxi d'Auguste Bourrillon démarre sans lanternes et sans phares dans la nuit brumeuse.

Clelia respire.

– Voulez-vous du chocolat suisse? propose-t-elle au chauffeur, pendant que la voiture roule dans la nuit.

– Il va falloir descendre, jeune fille. Vous ne pouvez aller plus loin.

Le 8 septembre, à cinq heures du matin, ils sont aux portes de Gagny. Les pantalons rouges les attendent, prêts à embarquer. Enfin! Trois heures au moins ont été nécessaires pour remettre de l'ordre dans les compagnies des cinq ou six mille hommes débarqués somnolents sur la place principale. Attendre les derniers venus qui se sont perdus en route, résorber les embouteillages, organiser le nouveau départ des taxis, de Gagny vers Nanteuil où le canon tonne, telle est la rude tâche du général Boëlle, chargé du service de l'étape.

Clelia assiste aux ultimes préparatifs d'embarquement des soldats du 103e régiment. Ils patientent, par groupes de cinq, pour prendre leurs places dans les taxis – cinq par voiture. Il faut en effet donner aux retardataires un délai de grâce. Avant le signal du départ, les hommes restent assis autour des fusils en faisceau. Quelques-uns dorment sur les trottoirs, dans leur couverture, attendant la sonnerie du clairon.

Clelia tourne en rond, attristée. Une fois encore, Jean Aumoine n'est pas du voyage. Pas trace de képis du 121e dans le contingent des hommes exténués. Elle a passé une nuit blanche en vain, et envie les femmes venues de toute la région qui reconnaissent leurs hommes et les étreignent.

Enfin, le clairon! On embarque, pendant que les gendarmes à cheval s'affairent à éloigner la foule. Clelia, à voir leur bicorne, se rend compte qu'elle est en situation irrégulière, sans laissez-passer officiel. Elle demande à un lieutenant où se trouve l'hôpital.

— Des hôpitaux? Gagny en regorge. Voyez la mairie!

Un convoi de trois Ford T, battant pavillon de la Croix-Rouge, stoppe devant les marches du bâtiment municipal, où les brancardiers attendent les blessés, des tirailleurs algériens de la division coloniale.

— Montez avec moi, lui dit un des chauffeurs, un jeune Américain aux cheveux blonds et au sourire éclatant. Nous sommes en pleine bataille. Je vous reconnais parfaitement, je vous ai vue hier à notre antenne. Mon infirmière, Nona McAdoo, a été blessée. Elle s'est montrée magnifique de courage. J'ai dû la faire évacuer. Mon nom est Charles Morse.

Les renforts d'artillerie française ont finalement afflué sur les coteaux de Penchard et de Monthyon, car le tir des 75 devait faciliter les assauts contre les villages de Barcy et Chambry, une zone dont le général Maunoury, commandant la 6e armée nouvellement formée, devait à tout prix s'emparer avant de poursuivre son attaque vers l'est, en direction de l'Ourcq.

Le lieutenant Lejeune a facilement convaincu Léon Aumoine qu'il était nécessaire de s'établir sur les hauteurs de Penchard, et le commandant Guyard a demandé par coursier l'arrivée rapide des réserves d'obus. Déjà, les chevaux des attelages s'accrochent aux pentes de leurs quatre fers.

Au matin du 8 septembre, il n'y a pas une heure à perdre. L'installation des 75 se trouve contrariée par les batteries de canons lourds adverses : des 150 et des 105, établis dans la cuvette de Varreddes, donc invisibles aux observateurs et même aux aviateurs.

Pour protéger le flanc de l'armée du général von Kluck, les Allemands ont transformé en redoute la ligne Étrépilly-Varreddes en ajoutant à la hâte une autre position d'artillerie lourde à Gué-à-Tresmes. Les lignes du téléphone permettent aux artilleurs de régler leur tir commodément dans le creux du terrain ; seules des vigies sont postées sur les hauteurs. De là, ils peuvent matraquer les fragiles canons français de 75, en position de danger permanent.

Léon sait qu'il est indispensable, pour échapper à la destruction, de changer sans cesse l'emplacement des pièces, en les rapprochant au plus près de la ligne des combats. Il tente d'en persuader les servants, qui renâclent toujours devant l'épuisant exercice de l'attelage et de l'enfouissement.

L'ardent maréchal des logis est loin de se douter que, de l'autre côté de la ligne française, près de Nanteuil-le-Haudouin, vers Bouillancy et Fosse-Martin, une autre position de 75 est en cours d'installation…

Dans l'interminable cohorte de renforts d'artillerie arrivée de Meaux peu avant l'aube, un jeune brigadier dont on a écourté l'instruction conduit le cheval de flèche d'une pièce neuve, sortie de l'arsenal de Bourges. Ce Julien Aumoine, dix-huit ans et six mois, débarque du quartier Ruty des artilleurs à cheval de Lyon et de Besançon directement sur le champ des combats. Pas question d'envoyer les jeunes les mieux instruits du régiment à l'école de Fontainebleau, comme il en a été question. On n'en a plus le temps, le sort du pays ne dépendant plus que d'un seul combat. Le père Joffre veut tous ses artilleurs en ligne. Deux des frères Aumoine tireront donc, ce jour-là, le canon sur la Marne. Mais Léon ignore la présence de Julien, à trois kilomètres de lui.

Engagé l'année du bachot, le volontaire tranche sur les autres recrues de la classe par ses connaissances. Il peut devenir très vite chef de pièce, malgré son jeune âge. Beaucoup plus savant que son frère Léon, il est capable d'utiliser les observations du repérage à l'avantage des troupes, et de calculer les tirs au plus près grâce à ses bases de trigonométrie. Au lycée technique, il a assimilé les données essentielles de la physique et de la chimie. Avec l'enthousiasme du conscrit, il a parfaitement dénombré les rouages compliqués du 75, au point de devenir instructeur des nouveaux venus du deuxième contingent, arrivés au quartier juste avant son départ. Son capitaine a fait coudre sur ses manches les chevrons de brigadier, qu'il mérite pleinement. Éloge suprême, il dit de Julien : « Celui-là connaît le canon. »

Le jeune brigadier part à la bataille dans un régiment dont le colonel s'est illustré en Alsace. Sexagénaire, Robert Nivelle – c'est son nom – passe, malgré son âge avancé, pour un nouveau Bonaparte. Ses exploits sont racontés à la veillée par les anciens. Avec lui, les bleus doivent savoir qu'ils sont à la

365

«batterie des hommes sans peur», comme celle de Bonaparte au siège de Toulon.

Nivelle estime que la mobilité du 75 doit encourager les téméraires, les risque-tout. Il a lui-même donné l'exemple. À Dornach, sous le général Pau, il l'a emporté sur la rigidité des dispositions de feu prussiennes. D'un coup d'audace, grâce à une succession de manœuvres et des calculs d'angles de tir déconcertants, il a pris vingt-quatre canons allemands.

Sous son commandement, les artilleurs manient le mousqueton autant que l'écouvillon. Près d'Amiens, durant la retraite héroïque de la 5ᵉ armée, il a immobilisé, par le tir d'une seule batterie adroitement disposée, une colonne d'infanterie en marche de von Kluck. Son exploit, parvenu aux oreilles de Joffre, lui eût valu sur-le-champ sa nomination de général de brigade, si le temps l'avait permis.

Voilà donc Nivelle à cheval, devant le brigadier Julien qui dispose sa pièce en batterie. Précision des ordres, rapidité d'exécution. Les nouvelles recrues sont à la hauteur des anciens, constate le colonel avec satisfaction.

— De l'audace, dit-il à Julien qui salue, statufié, le colonel de légende. Surtout de l'audace. Nous ne gagnerons que par des coups d'audace. Tu as devant toi les canons les plus lourds du monde, les obusiers du plateau de Trocy qui peuvent détruire d'une salve Notre-Dame ou la tour Eiffel. Ils ont percé le béton des forts de Liège. Mais ils ont un énorme handicap : il faut une locomotive pour les déplacer. C'est en avançant ta pièce aussi loin que possible que tu peux espérer les atteindre. Et en manœuvrant sans cesse, pour ne pas être surpris.

Sur ce, il pique des deux en direction des lignes allemandes, afin d'observer les emplacements des tranchées.

Julien et ses camarades restent bouche bée. Jamais un colonel ne leur avait parlé sur ce ton d'autorité et de confiance.

– C'est comme ça qu'ils ont mis en l'air la moitié de nos pièces et bousillé 50 % des effectifs! grince Émile Tarpon, un margis quadragénaire ancien horloger à Lyon, engagé et rengagé dans l'armée, faute de clients dans sa boutique. De l'audace! C'est pas lui qui paye la casse!

Léon Aumoine fait cesser le feu. Impossible de pilonner le village de Chambry sans prendre le risque de tuer les copains. Depuis deux heures, ses pièces tirent sans arrêt. Le village n'a plus une maison debout. Les zouaves et les tirailleurs de la division d'Alger doivent s'embusquer dans les ruines pour éviter les obus de 75. Le colonel Guyard reçoit un appel désespéré du général Drude, qui commande les pieds-noirs et les Turcos.

– Arrêtez immédiatement! Vous nous tirez dessus!

Pour ces soldats débarqués dans le port de Sète et aussitôt transportés en chemin de fer sur les bords de la Marne et de l'Ourcq, c'est un premier combat. Les effectifs de la 45e division sont loin d'être au complet. Le QG de Joffre les a précipités, sans atermoyer, au cœur du feu.

Les Marocains se sont fait décimer la veille à l'assaut de Penchard, c'est le tour des Algériens. Aucun biffin ne s'en offusque. En 70, déjà, les Turcos, ainsi surnommés en raison de leurs chéchias et de leurs culottes bouffantes, étaient venus mourir sur le champ de bataille de Sedan.

Les batteries allemandes elles aussi se sont tues. Impossible de reconnaître les siens dans le capharnaüm gris de poussière du village détruit. À travers ses jumelles, Léon scrute les combats à la baïonnette. Les *Feldgrau* et les Turcos se poursuivent et s'entre-assassinent à l'arme blanche dans les rues jonchées de cadavres d'hommes et de chevaux. Les blessés tombent par centaines, que nul ne peut secourir. Le combat de Chambry est digne des grandes boucheries de l'époque impériale. Des rigoles de sang sillonnent le sol.

Près de la ligne effilée du très long mur de pierres blanches du cimetière, les artilleurs, un moment, ont des scrupules à tirer pour ne pas déranger les morts. Mais l'enceinte devient vite l'enjeu des combats. Tenu d'abord par les Allemands qui l'avaient aménagé en pôle de résistance, le cimetière est reconquis, pied à pied, par les zouaves.

L'artillerie, impuissante, a cessé le feu. Quand le combat se rapproche, le canon doit se taire. Et l'on se bat ici au plus près, on s'extermine au corps à corps. Les tirailleurs algériens, dont les officiers ont été tués, se défendent jusqu'à la mort dans ce coupe-gorge, de tombe à tombe. Ils font le coup de feu entre les stèles, creusent des trous individuels dans le gazon des sépultures, rejettent un à un hors de l'enclos les Allemands échappés au massacre.

Les meurtrières percées dans le mur d'enceinte par l'ennemi deviennent les leurs : les Lebel, les canons des Saint-Étienne mitraillent furieusement les *Feldgrau* qui tentent de reprendre le dessus sans souci des pertes, poussés par les *Feldwebel* revolver au poing. Une terrible fusillade décourage leur assaut. Les cadavres en *Feldgrau* longent bientôt le mur du cimetière. Les blessés sont si nombreux qu'on prend le parti de les entasser, Français et Allemands confondus, à l'intérieur d'une chapelle mortuaire devenue poste provisoire. On ne peut les y loger tous.

— Les nôtres évacuent, annonce Léon du haut de la butte de Penchard. Les 105 et les 150 de la batterie de Varreddes les accablent.

Les Turcos ne peuvent tenir la position. Chaque arpent de terre est labouré, projeté en l'air. Le cimetière, dont les cercueils ont été pulvérisés, est lui aussi un champ de ruines. Les survivants s'y entre-tuent, sans souci des sépultures, avant de regagner d'un pas de somnambule la grille défoncée de la porte.

— Faut-il tirer? demande Aumoine.

Guyard inspecte la ligne.

— Les nôtres sont sortis du cimetière, observe le commandant. Ils s'abritent derrière le talus du chemin dans des tranchées. Inutile de tirer, les Allemands ont abandonné la position.

Mais l'artillerie lourde recommence à pilonner les batteries françaises, repérées du haut du clocher de Varreddes. Les obus cherchent leurs cibles, encadrant chaque pièce. Il est temps de déménager au galop si l'on veut échapper à la destruction totale. Échaudé par l'affaire du Donon, Léon ne veut plus se laisser surprendre. Trois de ses quatre canons sortent de l'usine, il entend les faire servir jusqu'à épuisement.

«Reviendront-ils par ici? s'interroge le commandant Guyard en inspectant les lignes allemandes, bien dessinées. C'est douteux. Ils tiennent solidement la position d'Étrépilly-Varreddes. C'est là qu'ils entendent nous interdire le débouché sur l'Ourcq. Tout l'effort des nôtres sera de les en déloger.»

Mais les autres ont pris le temps de se camoufler. Guyard, perplexe, évalue les chances de gagner la guerre avec des moyens aussi insuffisants. Ceux d'en face ont une artillerie lourde, une stratégie d'anéantissement, une tactique d'enfouissement. À peine arrêtés, il s'enterrent, creusant sans arrêt, dressés à creuser. Ils ne sortent de leurs trous que pour avancer derrière le feu nourri du canon.

Comme en Lorraine, on ne distingue pas leur infanterie. Elle est, à coup sûr, enfouie dans les tranchées. À l'attaque, les nôtres prennent de plein fouet les rafales de leurs mitrailleuses fantômes. Faut-il encore perdre cent mille hommes pour les déloger?

– Attelez! crie Léon. Défilez-vous derrière Chambry, direction Étrépilly!

Robert Nivelle a fait galoper vers l'ouest les batteries du 5e régiment d'artillerie pour se lancer au secours de la 7e division du général de Trintinian qui caracolait, jadis, sur sa selle en peau de panthère, aux revues de Longchamp. En flèche, Julien parcourt la plaine plate, sans aucun repli de terrain, qui s'étend de Betz à Nanteuil-le-Haudouin. Ici combattent, cachés dans leurs trous individuels, les biffins des taxis de la Marne.

Ils dévient vers le sud, pas à pas, sous la pression accentuée de l'ennemi. Julien met en batterie sa pièce, à l'abri du mur épais d'une ferme, afin de tirer à la volée, au lapin, sur une route pavée où s'avance une colonne du 4e corps de réserve allemand. Il n'attend pas la riposte des 77 et attelle aussitôt pour repartir plus loin.

Devant lui, sur un très léger vallonnement, le colonel Nivelle demande ses instructions à Trintinian. Il semble impossible de contenir la poussée du 4ᵉ corps renforcé. Le général ne parvient pas à fixer, avec ses maigres compagnies, la manœuvre d'enveloppement de l'ennemi, qui lance ses réserves dans la bataille et veut visiblement prendre à revers l'armée française de l'Ourcq. La manœuvre de Joffre devient problématique.

Les deux régiments acheminés la veille par les taxis ont déjà perdu la moitié de leurs effectifs, et les renforts tardent.

– Seule l'artillerie peut sauver la situation, constate Nivelle.

– Vous serez écrasés en quelques heures.

Le colonel fond à cheval sur la première batterie.

– Brigadier, suivez-moi! lance-t-il à Julien.

Aussitôt fait : au galop le long de la voie ferrée, les chevaux dépassent les lignes de tirailleurs du 103ᵉ régiment d'infanterie de Paris, assaillis par des *Feldgrau* qui attaquent en colonne, au mépris des tirs de mitrailleuse. Ils sont soutenus dans leur avance par une batterie de 77 dont les départs de feu sont visibles. Le tir de shrapnels cloue sur place les pantalons rouges.

Nivelle et Julien stoppent derrière une meule de foin. Le colonel saute à terre, décide de commander lui-même la manœuvre de mise en batterie.

– La hausse à cinq cents mètres, aux obus explosifs, feu!

Dix projectiles fusent en moins d'une minute, pulvérisant les assaillants qui refluent en désordre sous les gerbes de balles. Les corps déchiquetés volent au-dessus du champ de betteraves, sous les «coups de hache» des 75.

– Réattelez! Vite!

L'énergie des artilleurs semble inépuisable. Julien fixe lui-même la pièce au caisson qui commence à manquer sérieusement d'obus. Il repart au trot, en direction de Puisieux, à un kilomètre tout au plus de la ligne allemande. Défilées sur le plateau de Trocy, de part et d'autre du village, des pièces d'artillerie lourde accablent les nôtres en un feu continu, décourageant tout assaut.

Nouveau tir du 75 de Julien, aventuré en plein champ et trop tard contrebattu. Les shrapnels tirés à trois mille mètres détruisent plusieurs canons allemands de 77, mais ne parviennent pas à atteindre les obusiers.

Julien appelle aussitôt les servants. Les chevaux sont attelés, le canon s'éloigne. Il tonne jusqu'à épuisement complet de ses munitions sur la ligne ennemie, prenant les plus grands risques.

Les Allemands croient tenir la victoire au nord du champ de bataille. De nouveaux régiments attaquent la 7e division du général de Trintinian, provoquant un nouveau recul. Nivelle rameute toutes ses pièces.

– L'échelon ne suit pas, mon colonel, dit Julien en claquant ses bottes. Nous n'avons plus d'obus.

– Je m'en occupe moi-même.

Un fourgon de ravitaillement tiré par quatre chevaux alimente bientôt chaque pièce. À toute allure, les servants défoncent les caisses à coups de hache, déchargent les obus qu'ils insèrent aussitôt dans les alvéoles des canons. Il faut faire vite, l'adversaire cherche ses cibles et souvent, un 75 éclate, sa provision de projectiles à peine engagée.

Il faudrait reculer, pour sécuriser le ravitaillement. Pas le temps. Nivelle, toujours à cheval, fait signe à la première batterie. Sur le plateau de Betz, loin vers le nord, les colonnes de *Feldgrau* avancent en rangs serrés le long d'un bois, s'estimant à l'abri des artilleurs français. Le colonel fait disposer les quatre canons en échelon et ordonne le feu à cinq cents mètres. Sur le plateau dénudé, le tir fauchant a des effets meurtriers. Nivelle règle lui-même la portée, calculée sur le mouvement de l'ennemi. La salve est foudroyante : des centaines d'hommes tombent sur le terrain. Le colonel, satisfait, ordonne aux artilleurs de plier bagage au plus vite, avant de disparaître en direction du sud.

Épuisé, Julien s'avance seul à cheval vers le lieu tout proche du carnage, pendant que les hommes récupèrent les pièces.

Pris par l'action, il n'a jamais vu les cadavres de près. Le spectacle des faces noires, caractéristiques des victimes d'obus explosifs, des corps disloqués, martyrisés, lui inspire un sentiment de rejet. Sa tête se vide, son estomac se tord, son cœur bat très fort.

Robert Nivelle, le colonel, est sans doute un grand homme de guerre, mais la guerre est atroce. Elle vient de révéler à Julien, en un bref instant, son vrai visage

De l'autre côté du champ de bataille, Léon est engagé dans le combat meurtrier d'Étrépilly. Sa batterie a déjà perdu une pièce, pulvérisée par un obus lourd venu de Varreddes. Le petit village situé sur la riante Thérouanne, entouré d'opulentes fermes à blé, devient un objectif majeur de la bataille. Les Allemands ne veulent le céder à aucun prix.

Un officier de liaison vient prévenir le commandant Guyard. On peut reprendre le tir sur Étrépilly. Le village, une première fois investi par les Français, a dû être abandonné. Le 350e régiment de Soissons compte ses morts, depuis l'attaque meurtrière du 7 septembre. En suivant la vallée, il avait réussi à déboucher sur la place. Les pantalons rouges, attaquant à la baïonnette, s'étaient emparés de deux mitrailleuses, mais avaient laissé de nombreux morts sur le terrain. À peine avait-on réussi à transporter les blessés dans l'église, ainsi que dans la vaste maison de notaire attenante, que les Allemands attaquaient en force, reprenant leurs positions.

L'infanterie attendait, pour renouveler l'assaut, un vrai soutien des artilleurs. Mais comment les petits obus des 75 auraient-ils pu percer les solides murailles des fermes de Poligny et de Champfleury, derrière lesquelles se tenaient les positions de l'ennemi ? Ils se fichaient, indolores, dans les interstices des pierres de meulière jaunies.

— Tout rappelle Waterloo, dit Guyard d'une voix mélancolique à Henri Lejeune. Les fermes fortifiées : Poligny est la réplique même d'Hougoumont ou de la Haie-Sainte. Si nous y donnons l'assaut, nous aurons autant de pertes que les fantassins du prince Jérôme Bonaparte. Nos canons ne peuvent venir à bout de ces forteresses. Il faudra briser les portes à la hache et soutenir le feu des mitrailleuses, plus gênant que celui des gardes anglaises.

— Seuls les Allemands ont en effet les moyens de détruire ces fermes, répond Lejeune. Voyez la grande bâtisse de Nogeon. Les coloniaux l'ont prise au corps à corps, en y laissant un tiers de leurs compagnies. Les batteries lourdes de Trocy sont entrées en action, et la ferme a été détruite. Il faut au moins du 210 pour venir à bout de ces bâtisses.

Les trois fermes sont cependant prises par les Français, après un effort surhumain. En cette journée du 8 septembre, Léon déchaîne le feu de ses pièces sur les 77 allemands embusqués dans Étrépilly. Le village est désert, ses habitants ont fui avec leurs troupeaux chez les cousins du voisinage. Les grosses fermes, correspondant à des exploitations céréalières importantes, ont été évacuées depuis longtemps. On ne trouve dans les maisons que des vieillards, abrités dans les caves.

Les obus de Léon peinent à ébranler les puissantes positions allemandes. Dès qu'une flamme est repérée dans l'âme de ses canons par l'observateur ennemi, celle-ci est aussitôt prise à partie. Il doit déplacer ses 75 d'urgence.

Pierre Courtade, le pointeur de Saint-Saturnin qui ne rate jamais sa cible, exulte.

– Partons tout de suite! Je viens de faire sauter un 77 devant la place de la mairie.

– On ne fait que ça : partir, repartir, atteler, dételer, grogne Augustin Lapierre, vacher à Larequille. L'armée entière a la bougeotte. Pourquoi n'avons-nous que des 75?

– Bienheureux de les avoir, lui dit Léon. Si tu tiens à rester là, creuse tout de suite ta tombe. Avant cinq minutes, ils sont sur nous. Voilà les zouaves, il faut les soutenir.

Les zouaves du 2ᵉ régiment descendent de Barcy en colonne, officiers en tête. Deux bataillons déployés dans la plaine sous une pluie de shrapnels de 77, au son des tambours battant la charge. Le colonel Dubajadoux continue d'avancer alors que ses hommes tombent, fauchés par les éclats. Les compagnies se morcellent, se plaquent à terre, bondissent d'un trou à l'autre pour éviter les pertes.

Étrépilly est en vue. Les mitrailleuses crachent sur les têtes de colonnes qui s'enterrent. Léon avance sa pièce tout près du village et tire à mitraille. Les Prussiens, qui viennent à la rescousse, se ruent sur la place de l'église pour gagner la position de résistance dans le cimetière attenant. Quand il s'aperçoit que les murs d'enceinte sont percés de meurtrières, comme à Chambry, Léon donne l'ordre aux quatre pièces de tirer à vue sur cette position.

Mais il faut cesser le feu au plus vite. Les zouaves avancent en courant, plus de mille manquent bientôt à l'appel. Les survivants sont fauchés par les rafales venues de l'enclos. Le lieutenant colonel Dubajadoux, toujours vivant mais blessé au bras, exhorte encore ses troupes à reprendre l'assaut du cimetière à la baïonnette. Il se fait porter en première ligne, s'assied au pied d'une sépulture, à l'abri d'une stèle. Les hommes le suivent, rampent entre les tombes, égorgent les défenseurs dans une mêlée sauvage et sans merci.

Léon rapproche encore sa pièce, pour empêcher les renforts allemands d'accourir au secours de leurs camarades mal engagés dans l'enceinte du cimetière. Il arrose d'éclats les réservistes du 4e corps, qui tirent en courant. Il ne peut plus bombarder le village où le premier bataillon de zouaves s'est rendu maître des ruelles, par une succession de furieux combats à l'arme blanche. Les zouaves nettoient les caves les unes après les autres, tuant tout ce qui bouge.

Il faut repartir. Les Allemands ont repéré le tir des canons de Guyard. Ils contrebattent avec efficacité, et les chevaux de la batterie sont atteints par les éclats de gros calibres. Les 75 sautent en l'air, les affûts sont disloqués, les tubes gisent à terre. Les pièces restées valides sont hissées vers l'arrière, regroupées, remises en position.

Elles ne peuvent empêcher les renforts ennemis d'avancer. Le village est submergé par les *Feldgrau* qui assaillent le cimetière. Dubajadoux en sort, porté sur une civière par quatre zouaves. Il est mort.

La bataille s'interrompt un moment, comme si l'ennemi voulait rendre hommage au héros. Le cortège passe, puis gagne l'arrière, dans un silence impressionnant.

Le combat reprend violemment, en accéléré, dès qu'un

clairon sonne la charge. Tous ceux qui survivent encore dans l'enclos infernal se précipitent en hurlant, baïonnette haute, bousculant les Prussiens surpris par ce singulier sursaut. Des sergents, des caporaux conduisent l'étrange charge de soldats sans képis, crânes ceints de bandages sanglants.

Tous les officiers ont été tués. Deux mille zouaves restent sur le terrain, enfouis dans les béances des tombes remuées par le canon, étripés au soleil à l'entrée du village, étroitement mêlés aux cadavres d'Allemands qu'ils ont parfois tués de leurs mains.

Un gigantesque bûcher rougeoie toute la nuit dans une odeur abominable et une fumée noire, écœurante, étouffante. Quand les officiers prussiens, décidant de rassembler les cadavres dans un hangar pour les incinérer, se mettent à arroser d'essence les corps dépouillés de leurs plaques, armes et objets personnels, le sang de Léon ne fait qu'un tour.

Indigné par cette pratique barbare, il commande le feu à ses servants. Les poutrelles métalliques du hangar s'écroulent sur les dépouilles à demi-consumées, qui sombrent dans les trous d'obus avec les carcasses de chevaux morts. Jusqu'à l'aube, les blessés hurlent et geignent. Les brancardiers n'ont jamais vu, même au mois d'août à Charleroi, une telle accumulation de cadavres sur un champ de bataille.

Le lendemain, 9 septembre, au matin, les Allemands ont évacué la ligne d'Étrépilly. Ils se sont repliés sur la rive gauche de l'Ourcq. Les zouaves sont morts pour rien. La retraite n'est pas due à l'offensive française, mais au désordre des armées allemandes dans la bataille, qui les oblige au recul.

Joffre a virtuellement gagné la partie, même si Maunoury n'a pas réussi à percer sur l'Ourcq.

Dès l'aube, les ambulances rejoignent le terrain des combats, bien que le canon tonne encore. Les blessés sont acheminés vers les centres de regroupement de Monthyon et de Penchard afin d'être évacués vers les hôpitaux de l'arrière. L'antenne américaine est présente : ses vingt voitures Ford organisent une noria avec tous les effectifs de chauffeurs, soignants, infirmières.

Personne ne peut retenir Clelia qui suit les équipes de brancardiers presque sous le pas des chevaux, sous l'âme des canons.

— Vous n'avez pas à risquer votre vie sur le lieu des combats, dit Charles Morse. Cela vous est interdit, vous n'êtes pas française.

— Si mes blessés n'ont pas tout de suite la piqûre qui sauve, ils mourront pendant le transport, répond Clelia. Mon devoir est d'être avec eux.

La vue du charnier la révulse. Les fourmis, les rats attaquent déjà les cadavres. Les corbeaux, rassemblés sur les branches épargnées des arbres, fusent par groupes pour picorer les yeux. Clelia marche d'un brancardier poussant sa brouette à un autre. Quand le blessé transporté s'évanouit, elle pique aussitôt son bras à l'alcool camphré.

Richard Norton ne peut lui faire entendre raison. Il sait qu'elle est allemande, et que le spectacle est pour elle insoutenable. Il la soutient, l'entraînant vers l'ambulance.

— C'est vous qu'il faut soigner, vous allez défaillir.

Indomptable, elle se dégage pour aller au secours du premier qu'elle entend émettre un râle de souffrance.

— Aidez-moi, au lieu de rester bien au chaud derrière votre volant, lui dit-elle, agacée. Ces blessés ne sont ni français ni allemands. Ils vont simplement mourir dans leur peau d'homme. Prenez un brancard et venez avec moi.

C'est elle qui distribue les ordres. Docile, Richard Norton et Charles Morse la suivent vers Étrépilly et y découvrent l'horreur du cimetière.

Le feu des batteries s'éloigne progressivement vers le nord.

— Rapprochons les ambulances, dit Norton. Nous serons plus à l'aise pour charger.

— Et choisissons les plus atteints, ajoute Morse, ceux qui ne supporteront pas l'attente interminable.

L'apparition incroyable des deux Ford, roulant à la vitesse d'un homme au pas pour épargner les blessés, drapeau de la Croix-Rouge claquant au vent, stupéfie le commandant Guyard. Les voitures stoppent à l'arrière immédiat des lignes.

— Les Américains! dit-il à Léon. Ils vont se faire tuer!

Il leur fait signe de rebrousser chemin.

— *No*! crie Charles. C'est ici que l'on a le plus besoin de nous!

Ils chargent un zouave au crâne enfoncé, un tirailleur aux jambes écrasées, un fantassin allemand à la mâchoire en bouillie. Clelia multiplie les piqûres, les garrots, les pansements faits à la hâte.

— Cette fille n'a pas vingt ans, dit Guyard, très ému, à Léon. C'est une sainte!

— Aidez-moi, vous! dit-elle à Léon, qui lui paraît solide et de bonne volonté. Vous voyez bien qu'il faut porter celui-là!

L'Allemand, très corpulent, a un bras pendant, presque arraché à l'omoplate. Le garrot que vient de serrer la jeune fille ne lui rend pas ses forces. Il a perdu trop de sang. Léon le saisit dans ses bras et le dépose sur une civière.

— Dieu ait son âme! dit-il en prenant son pouls. Il est mort.

Clelia tremble de tous ses membres. Léon la retient à temps, elle est sur le point de s'évanouir. La mort du blessé lui semble un signe du destin. Jean, son pauvre amour, pourrait être à la place de cet homme sans vie. Où est-il? Que peut-elle faire pour le sauver? La guerre va-t-elle décimer un par un tous ces jeunes gens? Ils sont des milliers sur ce champ de bataille, que l'on ne peut même pas enterrer. C'est trop, ses jambes vacillent, elle va perdre connaissance.

Norton la porte dans ses bras jusqu'à la cabine avant de la Ford. Il dégage du filet une flasque de bourbon, humecte ses lèvres. Elle revient à la vie. Le moteur tourne. L'ambulance est au complet.

– Je dois monter à l'arrière, près des blessés, dit-elle. Chargeons un moribond de plus à ma place.

Charles Morse soutient dans sa marche à cloche-pied un tirailleur algérien qui a perdu sa jambe. Il l'assied à l'avant, l'attache au siège par une ceinture.

– Nous reviendrons, dit Clelia à l'artilleur de haute taille, qui la suit du regard avant de retourner à sa batterie. Nous serons là dans une heure, au plus tard.

– Mais nous, nous n'y serons plus, lui dit Léon en souriant tristement. La guerre continue.

– Dites-moi seulement votre nom?

– Léon! dit-il en haussant la voix pour couvrir le bruit du moteur. Léon Aumoine!

«Aumoine? C'est un des frères de Jean! Je dois le retrouver. Comment ai-je pu le laisser partir»

Les soins aux blessés mobilisent l'attention de Clelia qui

doit chasser de son esprit le visage de ce géant tranquille, perdu dans la bataille. Il s'est interrompu un instant pour sauver un blessé, il a donné son nom. Un signe du ciel. Jean est vivant.

Sur les dix hommes transportés, deux expirent suite à leurs perforations du ventre, avant l'arrivée au centre des urgences de Meaux. Clelia n'a rien pu pour eux. Ils étaient trop gravement touchés. Charles retrouve son sens pratique et opine. Le lettré de Harvard révise sa doctrine. Il affirme désormais qu'il faut enlever en priorité ceux que le chirurgien a des chances de ramener à la vie. On ne pourra pas grand-chose pour les autres.

Comment le faire admettre à Clelia, qui veut sauver la terre entière? Elle pleure à chaudes larmes lorsqu'on évacue les corps, et ne lâche plus les survivants jusqu'à ce qu'ils soient admis sur les tables d'opération. Les conditions dans lesquelles travaillent les chirurgiens l'impressionnent. Dans la salle de soins de l'hôpital de Sarrebourg, elle n'avait vu que des hommes soignés, pansés, déjà opérés. La boucherie en gros de l'hôpital d'extrême urgence la fait défaillir. Des étudiants qui n'ont pas trente ans tranchent les chairs, arrachent les os. Elle doit recoudre hâtivement les plaies et faire vite dégager la table, pour le blessé suivant.

Charles Morse l'entraîne au-dehors.

– Je vais vous reconduire à Paris, lui dit-il. Vous êtes trop jeune pour résister. Ce n'est pas votre rôle.

– En route! dit-elle D'autres blessés attendent sur le champ de la mort. Mon rôle est-il de les abandonner?

Leur ambulance doit ralentir à l'entrée du plateau du Meldois. Des piquets de gendarmes barrent la route.

– Vous ne pouvez aller plus loin, leur dit-on. La bataille continue. N'entendez-vous pas le canon?

La nuit tombe, mais les batteries n'ont pas cessé leur tir, du côté d'Acy-en-Mulcien et d'Étavigny. Pour le retrait de ses troupes et leur mise en sécurité sur l'autre rive de l'Ourcq, von Kluck a envoyé de nombreux renforts, bien soutenus par l'artillerie lourde. La gauche française plie sous le choc. Nanteuil-le-Haudouin est perdue.

Les pantalons rouges de deux divisions de réserve montent en ligne le long de la route. Ils traînent le pas, courbés par l'effort. Ils combattent sans répit depuis trois jours. Clelia regarde ces ombres passer le long de la Ford, suivies par des batteries dont les canons ne comptent parfois que deux chevaux d'attelage.

La nuit est constellée d'étoiles filantes, ces fusées éclairantes qui jaillissent au ciel, découvrant un paysage d'horreur et de désolation. À Puisieux, impossible de progresser. Des tirailleurs, baïonnette au canon, détournent l'ambulance de la colonne de renforts qui poursuit sa route tâtonnante jusqu'aux premières lignes.

Les canons français aboient sans interruption, pour empêcher les Prussiens de se mettre en place devant Acy. Le village brûle. Un officier de tirailleurs oriente Charles Morse vers une antenne française où l'on donne les premiers soins. Le chauffeur avance prudemment. Au moindre chaos, il redoute d'écraser un cadavre. Un gendarme à cheval le guide de sa lanterne sourde.

Installés à moins d'un kilomètre, les canons français sautent les uns après les autres sous un feu d'enfer. On voit, à la lueur des départs, les silhouettes des servants qui plongent dans les trous d'obus. Le vacarme est insoutenable. La Ford s'est aventurée trop loin

— Nous devons rebrousser chemin, dit Charles. L'ambulance n'est pas protégée dans la nuit.

— Regardez! dit Clelia en montrant du doigt le ciel rougeoyant. L'aube se lève.

Comme si sa parole avait un pouvoir divin d'intercession, le silence se fait. Les coups de canon s'espacent, s'éloignent, bientôt se taisent.

— Venez! dit Charles, l'antenne est cent mètres plus bas.

Il s'approche prudemment d'une file de fantassins. Au milieu des hommes fourbus qui ont perdu leur sac et traînent leur fusil par la bretelle, il avise un capitaine :

— Est-ce la fin des combats?

— Ils sont partis dans la nuit. Il paraît que c'est la victoire.

Près de l'antenne, dans la rosée fraîche du matin, un homme est appuyé à un arbre, tête nue. Un jeune soldat penché sur lui pleure en lui fermant les yeux. Clelia éclate en sanglots. Elle a reconnu le mort, c'est Léon Aumoine.

— *Allons enfants de la patrie*, chantent au loin les zouaves du 2e régiment qui ont échappé au massacre, *le jour de gloire est arrivé*.

Les unités combattantes

En 1914, la première armée française, commandée par un général d'armée, le général Dubail, comprend cinq *corps d'armée* d'infanterie commandés par cinq généraux de corps d'armée.

Le 13e corps d'armée, commandé par le général Alix, compte deux *divisions* d'infanterie commandées par des généraux de division : la 25e de Saint-Étienne commandée par Delétoille ; la 26e de Clermont-Ferrand, aux ordres du général Signole.

La 26e division comprend deux *brigades*, commandées par des généraux de brigade. La 51e brigade commandée par le colonel Gourdon, faisant fonction de général, et la 52e par Collas.

La 51e brigade se compose de deux *régiments* de trois mille hommes chacun, le 105e de Riom, aux ordres du colonel Camors, et le 121e de Montluçon, aux ordres du colonel Trabucco.

Le 121e régiment se compose de trois *bataillons* de mille hommes, commandés par des commandants ou des capitaines faisant fonction, soit De la Porte du Mail, Montagne et Migat.

Le premier bataillon commandé par De la Porte du Mail

comprend quatre *compagnies* de deux cent cinquante hommes commandées par des capitaines ou des lieutenants faisant fonction.

La première compagnie du premier bataillon du 121e régiment, de la 51e brigade et de la 26e division, commandée par le lieutenant Vincent Gérard, se compose de quatre *sections* d'infanterie, aux ordres de sous-lieutenants ou d'adjudants-chefs, composées chacune de quatre *escouades* de seize hommes, aux ordres des caporaux (familièrement : cabots). Deux escouades composent la demi-section, aux ordres d'un sergent-chef.

La *cavalerie* en 1914 se compose de 81 régiments métropolitains. Un *régiment* (785 hommes), commandé par un *colonel* (familièrement colon), comprend cinq *escadrons*, dont un de dépôt. L'*escadron*, commandé par un chef d'escadron (*commandant ou capitaine*) comprend 5 officiers, 147 sous-officiers, brigadiers et cavaliers. Les *brigadiers* sont l'équivalent des caporaux dans l'infanterie. Les *maréchaux des logis* (margis) sont des sergents, sergents-chefs ou sergents-majors.

L'*artillerie* s'articule en *batteries* de quatre pièces, réparties par armées, corps d'armée, divisions, brigades et régiments, commandées par des *capitaines*, réunies en *groupes*, aux ordres de commandants ou de lieutenants-colonels, dans le cadre plus ou moins éclaté des *régiments*. Les grades de l'artillerie sont les mêmes que dans la cavalerie.

Les noms des officiers apparaissant dans le roman sont généralement imaginaires, sauf pour les plus connus d'entre eux.

Chronologie

1814 et **1815** . *invasion de la France par les armées prussiennes, russes et autrichiennes.*

2 septembre 1870 : *désastre de Sedan. La France en guerre contre la Prusse doit signer l'armistice de Ferrières, subir l'occupation allemande et accepter la paix de Francfort qui l'ampute en 1871 de l'Alsace et de la Lorraine. À Versailles est proclamé le IIᵉ Reich allemand.*

1905 : *mise au point par l'Allemagne du plan Schlieffen d'invasion de la Belgique et d'enveloppement par l'aile droite des armées françaises.*

1905 et **1911** : *les crises marocaines mettent la France au bord de la guerre. En 1905 le ministre des Affaires étrangères français Delcassé doit démissionner sur injonction de l'Allemagne. En 1911 le cabinet Caillaux, signataire d'un accord colonial avec l'Allemagne, est renversé.*

1911 : *Joffre nommé chef d'état-major général de l'armée. Auteur du plan XVII d'offensive française en Alsace et en Lorraine.*

1912-1913 : *guerres balkaniques entre Turquie, Bulgarie Grèce et Serbie.*

1913 : *vote sur le service militaire de trois ans en France. Élection de Raymond Poincaré à la présidence de la République.*

31 juillet 1914 : *assassinat de Jean Jaurès par un fou d'extrême droite. Mobilisation française à partir du 2 août.*

3 août : *déclaration de guerre de l'Allemagne à la France.*

7 au 15 août : *attaque de la 1ʳᵉ armée française en Alsace. Échec sur Mulhouse.*

16 au 23 août : *Offensive française en Lorraine. Échec sur Morhange Franchissement de la frontière belge par trois armées allemandes.*

24 au 26 août : *franchissement des frontières françaises du nord par trois armées allemandes.*

26 au 29 août : *victoire allemande sur les Russes à Tannenberg.*

5 septembre : *bataille de l'Ourcq. La 26ᵉ division n'y est pas engagée.*

6 au 10 septembre : *bataille de la Marne.*

Chronologie de l'engagement de la 26ᵉ division en 1914

2 au 7 août 1914 : 26ᵉ division mobilisée dans la 13ᵉ région militaire (de Clermont-Ferrand), à partir de Montluçon et Riom.

7 au 11 août . transportée par voie ferrée à l'ouest d'Épinal.

14 août : début du combat sanglant de Petitmont.

20 août : début de la retraite du 8ᵉ corps d'armée, combat vers Hartzviller dans la bataille de Sarrebourg – attaque sur Brouderdorff et Buhl.

1ᵉʳ au 21 août : engagée dans l'offensive de Lorraine en direction de Sarrebourg par Raon-l'Étape, Badonviller et Cirey.

21 au 25 août : repli derrière la rivière Mortagne, après l'échec de l'offensive de la 2ᵉ armée sur Morhange dans la région de Rambervillers, par Cirey, Vacqueville et Baccarat.

25 août au 10 septembre : engagement dans la bataille de la Mortagne.

2 septembre : stabilisation dans les tranchées de la région d'Anglemont.

Table

DU MÊME AUTEUR

OUVRAGES D'HISTOIRE

L'Affaire Dreyfus, PUF, 1959.

Raymond Poincaré, Fayard, 1961 (Prix Broquette-Gonin de l'Académie française).

La Paix de Versailles et l'opinion publique française. Thèse d'Etat publiée dans la Nouvelle collection scientifique dirigée par Fernand Braudel, Flammarion, 1973.

Les Souvenirs de Raymond Poincaré, publication critique du XIe tome avec Jacques Bariéty, Plon, 1973.

Histoire de la Radio et de la Télévision, Plon, 1974.

Histoire de la France, Fayard, 1976.

Les Guerres de religion, Fayard, 1980.

La Grande Guerre, Fayard, 1983 (Premier Grand Prix Gobert de l'Académie française).

La Seconde Guerre mondiale, Fayard, 1986.

La Grande Révolution, Plon, 1988.

La Troisième République, Fayard, 1989.

Les Gendarmes, Olivier Orban, 1990.

Histoire du Monde contemporain, Fayard, 1991, 1999.

La Campagne de France de Napoléon, éditions de Bartillat, 1991 (prix du Mémorial).

Le Second Empire, Plon, 1992.

La Guerre d'Algérie, Fayard, 1993.

Les Polytechniciens, Plon, 1994.

Les Quatre-Vingt, Fayard, 1995.

Les Compagnons de la Libération, Denoël, 1995.

Mourir à Verdun, Tallandier, 1995.

Vincent de Paul, Fayard, 1996.

Le Chemin des Dames, Perrin, 1997.

La Victoire de 1918, Tallandier, 1998.

La Main courante, Albin Michel, 1999.

Les Poilus, Plon, 2000.

Les Oubliés de la Somme, Tallandier, 2001.

ROMANS, ESSAIS ET CHRONIQUES

La Lionne de Belfort, Belfond.

Le Fou de Malicorne, Belfond (prix Guillaumin, conseil général de l'Allier).

Le Magasin de Chapeaux, Albin Michel.

Le Jeune Homme au foulard rouge, Albin Michel.

Lettre ouverte aux bradeurs de l'Histoire, Albin Michel, 1975.

Histoires de France, Chroniques de France-Inter, Fayard, 1981 (Prix Sola Calbiati de l'Hôtel de Ville de Paris).

Les Hommes de la Grande Guerre, Chroniques de France-Inter, Fayard.

Vive la République, quand même!, essai, Fayard, 1999.

Ce Siècle avait mille ans, essai, Albin Michel 1999 (Prix d'histoire de la Société des gens de Lettres).

Les Aristos, essai, Albin Michel 1999.

L'agriculture française, essai, Belfond, 2000.

Les Rois de l'Elysée, essai, Fayard, 2001.

Le Gâchis des généraux, essai, Plon, 2001.

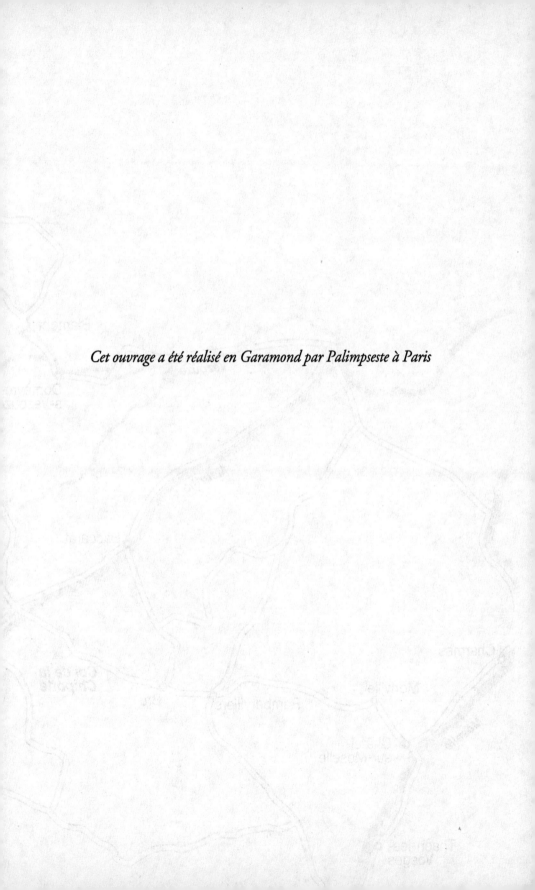

Cet ouvrage a été réalisé en Garamond par Palimpseste à Paris

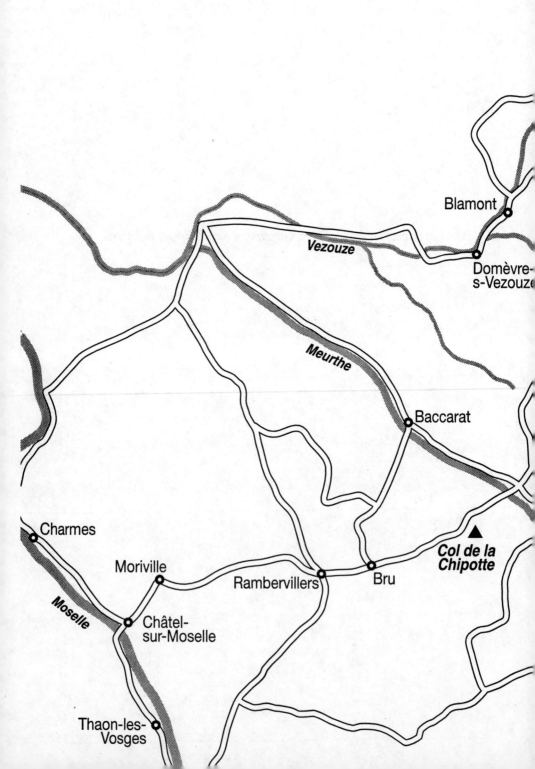

Sarre

Phalsbourg

Sarrebourg

Arzviller

Niderviller

Zorne

Hertzing

Xouaxange

Brouderdorff

Héming

Plaine-
de-Walsch

Lorquin

Dabo

St-Georges

Hartzviller

Niderhoff

Cirey-s-Vezouze

Sarre Rouge

Petitmont

Sarre Blanche

Badonviller

Col du Donon

**Col de la
Chapelotte**

Achevé d'imprimer en novembre 2002
sur presse Cameron
dans les ateliers de
Bussière Camedan Imprimeries
à Saint-Amand-Montrond (Cher)
pour le compte de la Librairie Arthème Fayard
75, rue des Saints-Pères – 75006 Paris

35-33-1354-6/05

ISBN 2-213-61154-8

Dépôt légal : novembre 2002.
N° d'Édition : 29286. – N° d'Impression : 025230/4.
Imprimé en France